Aus Freude am Lesen

BUCH: Die furiose Familiensaga geht weiter: Nach dem Tod der Mutter werden auf Hof Byneset die Karten neu gemischt. Die beiden Brüder Margido und Erlend meiden den heruntergekommenen Bauernhof nahe Trondheim. Beide führen auf ihre Weise ein erfülltes Leben. Während Margido, ein Bestattungsunternehmer, seinen Beruf mit fast religiöser Hingabe zelebriert, genießt der schwule Schaufensterdekorateur Erlend das Leben in vollen Zügen. Die beiden ahnen nicht, dass sich auf dem maroden Bauernhof eine Tragödie anbahnt. Seit dem schockierenden Geständnis des Vaters, dass er nicht ihr leiblicher Vater, sondern selbst ein Halbbruder seiner Söhne ist, bewirtschaften er und der ihn seit jeher verachtende Tor den Hof alleine. Tors Tochter Torunn versucht in dem konfliktgeladenen Verhältnis zu vermitteln, doch die Männer gehen sich so gut es geht aus dem Weg. Schließlich eskaliert die Situation …

AUTORIN: Anne B. Ragde wurde 1957 im westnorwegischen Hardanger geboren. Sie ist eine der beliebtesten und erfolgreichsten Autorinnen Norwegens. Sie wurde mehrfach ausgezeichnet, zuletzt mit dem Norwegian Language Prize und dem Norwegischen Buchhandelspreis. Anne B. Ragde lebt in Trondheim.

ANNE B. RAGDE BEI BTB:
Der Arsenturm. Roman (73077)
Das Lügenhaus. Roman (73868)
Hitzewelle. Roman (75225)

Anne B. Ragde

Einsiedlerkrebse

Roman

Aus dem Norwegischen
von Gabriele Haefs

btb

Die norwegische Originalausgabe erschien 2005 unter dem Titel »Eremittkrepsene« bei Forlaget Oktober, Oslo.

Verlagsgruppe Random House FSC-DEU-0100
Das FSC-zertifizierte Papier *Munken Pocket* für dieses Buch liefert Arctic Paper Munkedals AB, Schweden.

1. Auflage
Genehmigte Taschenbuchausgabe Januar 2010

Umschlaggestaltung: semper smile, München
Umschlagmotiv: © plainpicture / Callsen, T.; © plainpicture / Folio Images
Druck und Einband: CPI – Clausen & Bosse, Leck
NB · Herstellung: SK
Made in Germany
ISBN 978-3-442-74022-2

www.btb-verlag.de

Sie wurde sonst nie so früh wach. Sie blieb mit weit offenen Augen in dem dunklen Schlafzimmer liegen und lauschte auf seine Geräusche. Zuerst auf das hektische Klingeln des Weckers, das so schnell abgewürgt wurde, wie es angefangen hatte, sicher hatte er schon darauf gewartet. Es war halb sieben, das wusste sie. Danach war es für einen kurzen Moment still, und dann hörte sie, wie seine Zimmertür sich lautlos öffnete, um ebenso lautlos wieder geschlossen zu werden. Darauf folgten leise Geräusche, von der Tür bis zum Badezimmer. Er wusste, dass Fremde im Haus waren, und er wollte keinen Lärm machen, denn sicher hielt er sie dafür. Fremde, die hier eigentlich nichts zu suchen hatten, die herkamen, störten, sich einmischten und die Jahre voller schlichter Routine und Sicherheit aus dem Gleichgewicht brachten.

Sie kannte ihren Vater nicht. Im Grunde wusste sie nicht, wer er war. Wie er als Junge ausgesehen hatte, als Kind oder in ihrem eigenen Alter. Auf dem Hof gab es nicht ein einziges Fotoalbum. Es war wie eine Geschichte, von der sie nie ein Teil gewesen war, in deren Zentrum sie sich aber nun plötzlich aufhielt. An diesem Tag jedoch würde sie abreisen und sich wieder in ihre eigene Geschichte einklinken. Daran dachte sie, als sie hier lag, dass sie abreisen würde, bevor sie ihn kennengelernt hatte. Der Einzige, den sie kannte, war der Schweinezüchter, der, der sich so gern im Stall einschloss, dessen Stimme sang und lebendig wurde, wenn er von den Eigenheiten der verschiedenen Sauen erzählte, von den frechen Streichen der Ferkel, von den großzügigen Würfen und den Wachstumskurven. Im Stall sah sie ihn, im Stall war er präsent, wenn er in seinem verdreckten Overall dastand und sich in die Koben bückte, um eine Sau von einer Vierteltonne hinter den Ohren zu kraulen, während er das Tier strahlend anlächelte und sein Blick hell und leicht war.

Sie hörte, wie er Wasser ließ, mitten in die Schüssel, das konnte er einfach nicht geräuschlos, egal, wie viele Gäste im Haus auch schlafen mochten. Sie lauschte auf die letzten Tropfen, horchte, wie er abzog. Sie hörte danach kein Wasser im Waschbecken, hörte nur, dass die Tür abermals geöffnet und geschlossen wurde, ehe er langsam die Treppe zur Küche hinunterging. Dann hörte sie, wie er Wasser in den Kaffeekessel gab, vermutlich auf den alten Kaffeesatz vom Vortag, danach war es still.

Und in der Stille gab sie sich alle Mühe, sich ihre Wohnung zu Hause in Oslo ins Gedächtnis zu rufen: Die Bilder an den Wänden, die Bücher in den Regalen, die kleine Glasschale mit den blauen Badeperlen, den Staubsauger im viel zu engen Schrank auf dem Flur, den Anrufbeantworter, der blinkte, wenn sie von der Arbeit nach Hause kam, den Korb für die schmutzige Wäsche, den Stapel von alten Zeitungen gleich neben der Eingangstür, die antike Blechdose, die sie immer wieder mit Keksen füllte, die Pinnwand mit abgerissenen Kinokarten und Bildern von Hunden und deren Besitzern. Sie versuchte, sich das alles vorzustellen, und schaffte es auch. Sie freute sich darüber. Aber sie wusste nicht, wer er war. Sie wusste nicht, wen sie hier verließ. Seine Schweine kannte sie besser als ihn.

Nun hörte sie die Haustür und seine Schritte im Anbau. Ihre Finger griffen nach dem Telefon auf dem Nachttisch und drückten auf die Tasten. Es war zehn vor sieben. Sie wartete auf das Geräusch der Stalltür, die hinter ihm ins Schloss fiel, dann sprang sie aus dem Bett und lief durch das eiskalte Zimmer, riss ihre Kleider an sich und stürzte ins Badezimmer, um sich anzuziehen. Wie er, schlich auch sie. Nur tat sie es blitzschnell und nicht auf seine Altmännerweise. Im Badezimmer nahm sie noch schwach seinen Geruch wahr. Das Bad war kalt, die einzige Wärmequelle war eine kleine rostige Heizsonne, die über dem Toilettenspiegel an der Wand angebracht war. Sie musterte ihr Gesicht, während sie sich die Hände wusch. Sie brachte es nicht über sich zu duschen und wollte warten, bis sie nach Hause kam, wo sie nicht in einer glitschigen Badewanne stehen und Resopalplatten anstarren musste, die an den Rändern von Wasserschäden aufgequollen waren, um sich danach mit einem fast durchsichtigen verschlissenen Handtuch abzutrocknen. An diesem Abend würde sie unter ihrer eigenen guten Dusche stehen, mit Fußbodenheizung unter den Keramikfliesen.

Sie schloss die Tür auf und lauschte, bevor sie vorsichtig die Klinke seiner Schlafzimmertür drückte.

Das Zimmer war ein wenig größer als das, in dem sie geschlafen hatte und das eigentlich Erlends altes Zimmer war.

Sie schaltete die Deckenlampe ein, er würde es nicht sehen, das Fenster schaute nicht auf den Hofplatz, sondern auf den Fjord, genau wie ihres.

Die Wände waren vor Jahrzehnten einmal grün angestrichen worden. Der Boden war einst grau gewesen, jetzt war er bis auf das Holz abgenutzt, und vor der Tür und dem Bett, wo seine Fußsohlen den Boden trafen, wenn er zu Bett ging und aufstand, zeichnete sich ein Halbmond ab. Das Fenster war mit Eisblumen bedeckt, blendend weiß vor dem Wintermorgen draußen, in verschlungenen Formen und Mustern.

Die Eisblumen waren das einzig Schöne in diesem Zimmer.

Kein einziges Bild an den Wänden. Ein Bett, ein Nachttisch, ein Flickenteppich, eine Kredenz vor der einen Wand. Sie ging zu ihr hin und öffnete die Türen. Leer. Sie stand hier nur als Möbelstück vor einer Wand. Aber in der einen oberen Schublade lagen aufeinandergestapelt gehäkelte Decken aus blankem Baumwollgarn, sie waren identisch im Muster, hatten aber unterschiedliche Farben. Sie fror jetzt, vermutlich hatte er das Fenster erst nach dem Aufstehen geschlossen.

Das Laken unter der zur Seite geschlagenen Bettdecke war schmutzig, vor allem am Fußende, wo hier und da runde Wollfussel lagen. Vielleicht schlief er mit Socken! Was hatte sie in seinem Zimmer eigentlich zu suchen? Hier konnte sie ihn ja wohl kaum kennenlernen. Das hier war sein Ruheraum, hier war er niemand; niemand war jemand, der ruhte und schlief. Aber wie viele Abende hatte er sich hier wohl hingelegt, in die Finsternis hinausgestarrt und nachgedacht. Hatte er an sie gedacht? Sie vermisst? Es vermisst zu wissen, wer *sie* war?

Es roch stickig und streng im Zimmer, nach Körper und Stall und kalten Wänden.

Da war der Kleiderschrank. Er war in die Wand eingelassen und auf den ersten Blick nur schwer zu erkennen. Durch winzige Knöpfe ließ er sich öffnen: Einige Flanellhemden mit verschlissenen Krägen und Manschetten, zwei Hosen ganz unten im Schrank, ein Fach mit Socken und Unterhosen, nicht mehr als drei, vier Stück, ein in Plastik gewickelter Schlips, sie hob ihn hoch, dabei lag eine verblasste Weihnachtskarte, die vom Schlachthof Eikemo stammte. Sie legte sie vorsichtig an ihren angestammten Platz zurück.

Sie hielte inne, um zu horchen. Aber natürlich kam er nicht zurück, warum sollte er auch. Er war jetzt im Stall beschäftigt, während sie sein Zimmer durchsuchte, ohne auch nur zu wissen, was sie da suchte. Mit jedem Blick, den sie hier in die Runde warf, spürte sie die Traurigkeit. Den Verfall. Zu Hause hatte sie ein Bett von einem Meter zwanzig Breite mit einer dicken Matratze. Ihr Vater schlief in einem Bett, das kaum mehr als achtzig Zentimeter breit sein konnte, und er lag auf Schaumgummi. Mitten im Bett gab es eine tiefe Senke. Das Laken klebte zerknüllt unten in der Mulde fest, Kopf- und Fußende waren aus mattem Teak, das Kopfende wies in der Mitte ein helleres Feld auf, sicher hatte er sich in all den Jahren dort angelehnt, ehe er die Leselampe ausgeschaltet hatte. Heute würde sie abreisen, fünfhundert Kilometer fortgehen von allem hier, während er sich schon an diesem Abend wieder in dieses Bett legen würde. Hier würde er sich Abend für Abend hinlegen, den Wecker aufziehen und hinter den Eisblumen zu schlafen versuchen.

Sie öffnete die Nachttischschublade. Ein Foto eines Ferkels lachte sie an, es war ein Jubiläumsheft des norwegischen Schweinezüchterverbandes. Sie hob es hoch. Darunter lagen zwanzig Tausender, sieh an, hier hatte er das Geld also versteckt. Unter den Tausendern lag ein Buch, vorsichtig nahm sie es heraus:

Der Kinsey-Report. Das sexuelle Verhalten der Frau. Sie blieb mit dem Buch in den Händen bewegungslos stehen. An den Kinsey-Report erinnerte sie sich vage aus einer Radiosendung. Dieser Kinsey hatte vor einer Ewigkeit Frauen und Männer in den USA nach ihren sexuellen Gewohnheiten befragt. In den USA hatte das wohl großes Aufsehen erregt. Das Buch war zerfleddert, es ließ sich nicht mehr richtig schließen.

Sie wollte das Buch von hinten nach vorn durchblättern, aber ihre Finger blieben schon beim harten Einband hängen. Sie schlug es dort auf. »Stadtbücherei Trondheim« war eingestempelt, dazu ein schmales Fach mit einer altmodischen gelben Ausleihkarte, sie erinnerte sich an solche Karten aus den Bibliotheksbesuchen ihrer Kindheit und nahm sie heraus. Das Buch hätte spätestens am 10. November 1969 zurückgebracht werden müssen.

Sie schob das Buch rasch zurück unter die Tausender. Der Kinsey-Report und eine Schaumgummimatratze von höchstens achtzig Zentimetern. Sie schlich sich aus dem Zimmer.

Will noch schnell etwas erledigen. Ehe du fährst.«

Torunn hatte nicht gehört, dass der Vater auf dem Hof hinter sie getreten war. Der Neuschnee dämpfte die Geräusche.

»Ist es nicht nett, am Küchenfenster zu sitzen und ihnen zuzusehen?«, fragte sie. »Sie kommen einfach nicht, wenn das Vogelbrett leer ist.«

»Wir wickeln sonst immer nur ein bisschen Bindfaden um einen Rest Speck und hängen den auf. Aber sie haben jetzt länger Hunger leiden müssen. Das hat immer … Mutter hat sich normalerweise um so etwas gekümmert.«

Sie war noch im Laden gewesen und hatte ein letztes Mal eingekauft, bevor sie und Erlend und Krumme sich auf den Weg machten; sie nach Oslo, Erlend und Krumme zurück nach Kopenhagen. Sie wollte, dass es im Haus gutes Essen gibt, Essen, das ihr Vater sich niemals leisten würde. Erlend hatte versprochen zu bezahlen. *Carte blanche* hatte er ihr ins Ohr geflüstert, bevor sie zu Coop in Spongdal gefahren war. Sie freute sich darüber, denn auf ihrem Konto war gerade genug Geld für die Januarrechnungen, auch wenn sie nun Mitbesitzerin einer Kleintierpraxis war. *Onkel* Erlend, dachte sie, es war seltsam, plötzlich einen Onkel zu haben, der nur drei Jahre älter war als sie selbst. Der kleine Bruder des Vaters, der den Hof zwanzig Jahre zuvor in trotziger Selbstbehauptung verlassen und der wohl nie damit gerechnet hatte, nach so langer Zeit zurückzukehren, um hier Weihnachten zu feiern, noch dazu mit seinem Lebensgefährten. Und dann war es gerade Erlend, der verlorene Sohn, der von den drei Brüdern sein Leben wohl am besten meisterte. Erlend war glücklich, er liebte und wurde geliebt, und er hatte finanziell keinerlei Probleme. Erlend hatte ihr erzählt, Krumme sei das, was man in Dänemark *hovedrig* nannte, »hauptreich«, und dieses Wort fand er wunderbar.

Margido konnte sie einfach nicht Onkel nennen, auch wenn er das war. Vielleicht machte sein Beruf ihn so unnahbar, die Tatsache, dass er alle Gefühle unter Kontrolle halten musste. Mit trauernden Menschen umzugehen und zugleich perfekte Beerdigungen von kürzlich Verstorbenen zu arrangieren, trug möglicherweise dazu bei, dass er sich daran gewöhnt hatte, mit seinen Gedanken allein zu leben. Allein die Tatsache, dass er schon seit Jahren gewusst hatte, was auf Neshov wirklich passiert war, dass so vieles auf Lügen aufbaute, dass der Mann, den sie *Vater* nannten, gar nicht ihr Vater war. Margido hatte es gewusst, hatte aber weder Tor noch Erlend etwas davon gesagt. Stattdessen war er ihnen nur ausgewichen. Er stellte sich diesem Teil der Wirklichkeit einfach nicht. Bis zum Heiligen Abend, da war er dazu gezwungen gewesen.

Sie dachte über alle nach, während sie zwischen den Regalen im Supermarkt hin und her ging, ihren Einkaufswagen schob und versuchte, sich zu erinnern, was noch im Kühlschrank lag. Und sie dachte an das Schweigen, das dann gefolgt war, an den ersten Weihnachtstag, die merkwürdig krampfhaften Versuche einer Normalisierung. Das Gerede über Wetter und Temperaturen! An diesem Tag war ihr aufgegangen, dass sie hier auf diese Weise überlebt hatten, sie hatten um den heißen Brei geredet, nur so hatten sie ihre eigene Wirklichkeit erschaffen. Das, worüber nicht geredet wurde, existierte nicht. Ihr Vater hatte den Alten weiterhin als *Vater* bezeichnet, und auch sie selbst hatte sich angepasst und an ihn als an ihren Großvater gedacht. Und der Großvater hatte nicht widersprochen, er hatte wohl das Gefühl, genug gesagt zu haben, vermutlich zum ersten Mal in seinem Leben.

Sie füllte den Einkaufswagen mit Lebensmitteln, und als sie sich vorstellte, wie der Vater in wenigen Stunden allein am Küchentisch sitzen und über die weiße Halbgardine aus Nylon hinaus auf den Hofplatz blicken würde, kam sie auf die Idee, auch das Vogelbrett zu füllen.

Sie hatte vier Meisenkugeln in grünen Plastiknetzen und einige Tüten ebenso verpackte Vogelnüsse gekauft. Die Meisenkugeln befestigte sie nun mit Bindfaden und Heftzwecken am Baum mitten auf dem Hofplatz, ihre Finger waren schon benommen von der Kälte. Auf dem Vogelbrett hatte sie altes Brot zerkrümelt.

»Vergiss nicht, Brot nachzufüllen, wenn das hier weg ist«, sagte sie. »Die Spatzen wollen beim Essen aufrecht sitzen, nur die Blaumeisen bringen es über sich, mit dem Kopf nach unten um sich selbst zu wirbeln, während sie ihre Mahlzeit genießen.«

Sie lachte ein wenig, hörte selbst, wie ihr Lachen falsch und hohl klang. Sie würde nach Hause fahren, nach Hause, nach Oslo und zu ihrer Arbeit, sie würde diesen Hof in der Nähe von Trondheim verlassen, auf dem sie noch vierzehn Tage zuvor nichts verloren zu haben geglaubt hatte. Ein anderes Leben, eine andere Zeit, fast. Und übermorgen war Silvester, ein neues Jahr würde den Absprung wagen.

»Du rufst sicher an«, sagte er plötzlich mit belegter Stimme. Sie hörte sehr gut, dass die Sache mit den Vögeln ihm jetzt egal war. Ohne dass sie sich umzudrehen brauchte, wusste sie, dass er mit dem einen Holzschuh im Schnee scharrte, vermutlich mit dem rechten und dass er so fest zutrat, dass der Neuschnee sich flaumleicht an die grauen Wollsocken heftete, die er immer in Holzschuhen und in Stallstiefeln trug.

Sie drückte die letzte Heftzwecke fest und hatte plötzlich das Gefühl, Bäumen das Leben zu nehmen, indem sie ihnen

Kupfernägel in den Stamm schlug, wodurch sie an Vergiftung starben. Vielleicht enthielten auch Heftzwecken ein wenig Kupfer, und dann ermordete sie hier soeben den Schutzbaum von Neshov, und den Hofwichtel gleich mit, denn der wohnte unter dem Baum, und wenn der Baum starb, dann starb auch der Wichtel.

»Natürlich rufe ich an. Ich rufe an, sowie ich zu Hause bin«, sagt sie, obwohl sie sehr gut wusste, dass er es nicht so gemeint hatte.

»Haben Dreckswetter gemeldet. Und du musst doch fliegen«, sagte er.

»Es wird schon gut gehen. Keine Sorge.«

Die Meisenkugeln hingen still und grün dicht nebeneinander. Sie musste sich umdrehen, und er stand so da, wie sie erwartet hatte. Ein Halbkreis aus Neuschnee war vor seinem rechten Holzschuh gezogen, seine Hände steckten in den Taschen einer karierten Wollhose, die Strickjacke baumelte schlaff und locker um einen dünnen Körper, einen Körper, der in vier Jahren sechzig werden würde, ihr Vater, es war nicht zu fassen.

»Bist du schon mal geflogen?«

»Sicher doch«, sagte er.

Er ging zum Vogelbrett und zerbröselte die Krümel noch weiter, ließ einige in den Schnee fallen, die Krümel verschwanden und hinterließen winzige blauweiße Löcher. Seine Ellbogen zeichneten sich spitz unter der Jacke ab, die vorne lang und hinten kurz war. Die Wollmaschen an den Ellbogen waren abgenutzt und zeigten das karierte Flanellhemd darunter. Ein Pullover, vielleicht sollte sie ihm einen warmen Wollpullover stricken und darauf bestehen, dass er ihn im Alltag trug. Aber was würde es schon helfen, wenn sie sich am Telefon aus Oslo vor Anstrengung den Mund fusselig redete, dachte sie, hier auf dem Hof wird ja doch das Schöne weggelegt und aufgespart, für Tage, die niemals kommen.

Er würde so entsetzlich allein sein, nur mit dem alten

Mann im Fernsehzimmer zur Gesellschaft. Aber er hatte ja die Schweine im Stall. Die hat er immerhin, dachte sie. Sie musste die Sprache auf die Schweine bringen, darauf, dass sie im Stall standen und auf ihn warteten.

»Bin doch nach Nordnorwegen und zurückgeflogen, als ich beim Militär war«, sagte er.

Er wühlte nun nicht mehr in den Krümeln herum, wischte sich die Hände ab, steckte sie wieder in die Hosentaschen und schaute zum Himmel hoch.

»Das hatte ich vergessen. Da musstest du natürlich fliegen«, sagte sie.

»Mit einer Hercules. Verdammter Krach in so einer Maschine. Wäre auch fast erfroren. Flog so langsam, ich dachte, wir würden gleich zu Boden gehen.«

Dazu könnte sie mehr sagen, gerade jetzt, sagen, dass er *sie* dort oben gezeugt hatte, auf Urlaub in Tromsø, zusammen mit einem Mädchen, das Cissi hieß, und das danach die lange Reise nach Neshov angetreten war, schwanger, nur um zu erleben, wie die Frau, die es für seine angehende Schwiegermutter gehalten hatte, es wieder wegschickte.

»Ich habe auch für euch viel gutes Essen gekauft, nicht nur für die Vögel«, sagte sie.

Er schwieg eine Weile. Da standen sie nun und glotzten in unterschiedliche Richtungen. Sie atmete tief durch, über den Bergen und dem Fjord unten im Süden lag das Morgenlicht, die Sonne verbarg sich hinter einem rosablauen Frostschleier. Sie wünschte, sie säße schon im Auto, mit ihrem Gepäck im Kofferraum, unterwegs nach Værnes und Gardermoen und Stovner.

»Schade, dass du fährst. Der Januar ist immer schrecklich lang. Dieses Jahr wird er besonders lang.«

»Da bist du nicht der Einzige. Niemand kann den Januar leiden«, sagte sie.

»Rechnungen und Jahresbilanzen und der ganze Mist. Auch wenn Erlend und der Däne … Ach, dass das nötig sein muss.«

Erlend und Krumme hatten ihm Geld gegeben, hatten es ihm aufgedrängt, obwohl er sich heftig geweigert hatte und fast wütend geworden war. Es war am Abend des dritten Weihnachtstages gewesen, nach der Beerdigung, und Erlend hatte zu viel Bier getrunken und gesagt, er wolle zwanzigtausend hinterlassen. Er hätte bis zum Tag danach warten können, aber Erlend war einer, der sofort drauflosquasselte, wenn ihm etwas einfiel, und er hatte doch nur nett sein wollen. Dann hatte Krumme die erlösenden Worte gesprochen, dass das Geld nicht für die Leute *vom* Hof sein sollte, sondern *für* den Hof. Tor sollte es nur gut und richtig verwalten.

»Denk daran, dass es um den Hof geht«, sagte sie jetzt. »Wie Krumme gesagt hat. Es ist schon in Ordnung so. Du kannst im Frühjahr die Scheune anstreichen und die zerbrochenen Fenster auswechseln.«

»Na ja, das Geld landet ja doch vor allem bei Trønderkorn und Røstad.«

»Røstad?«

»Dem Tierarzt. Jetzt lass ich meistens den kommen. Muss die Sauen besamen lassen und die Ferkel kastrieren. Brauch auch bald mehr Futter.«

»Ein bisschen Farbe kannst du dir bestimmt leisten. Und ich rufe sicher an. Es wird doch auch spannend, wenn es neue Würfe gibt und wie groß die ausfallen. Deine Schweine werden mir fehlen.«

»Wirklich?«

»Ja, das kannst du mir glauben.«

»Aber bei der Arbeit hast du doch genug Tiere um dich herum.«

»Das ist nicht ganz dasselbe«, sagte sie. »Kranke Katzen und Hunde und Wellensittiche und Schildkröten. Nichts ist so schön, wie Siri hinter den Ohren zu kraulen. Ich hab wirklich Respekt vor Schweinen bekommen. Die sind doch was ganz anderes als Meerschweinchen und ungezogene Welpen!«

Sie sagte das nicht, um ihm eine Freude zu machen, es kam

ihr von Herzen. Sie hatte seine Zuchtsauen mit ihrer Vierteltonne Lebendgewicht lieb gewonnen, die Wärme und die Stimmung im Stall, den Kontakt zu den Tieren, die gaben und gaben und im Gegenzug nur Futter und Wärme und Fürsorge verlangten. Und sie waren so klug, mit ihren ganzen individuellen Eigenheiten, ihrer Sturheit und ihrem Humor. Und die neugeborenen Ferkel, so niedlich, dass es nicht zu fassen war, dass aus ihnen im Handumdrehen dicke Brocken von hundert Kilo werden würden.

Sie schüttelte den Kopf, kicherte mit geschlossenem Mund und atmete durch die Nase ein.

»Meerschweinchen, ja. Ich habe noch nie ein lebendiges Meerschweinchen gesehen. Finde es komisch, was du von deiner Arbeit erzählst«, sagte er. »Dass Leute Geld ausgeben, um ein Meerschweinchen operieren zu lassen.«

»Die haben sie eben lieb. Gerade Kindern geht es nahe. Die weinen schrecklich, wenn sie ihr Meerschweinchen oder ihre Ratte einschläfern lassen müssen.«

»Und dann auch noch Ratten! Wie können Leute freiwillig… Aber sicher, ich verstehe schon, dass Kinder… Ich habe einmal ein Eichhörnchen gezähmt, als ich acht oder zehn war. Es ist im Düngersilo ertrunken. Und da war ich wirklich kein harter Bursche. Aber auch Hunde. Ich weiß noch, du hast von Leuten erzählt, die fast dreißigtausend für einen Hund ausgegeben haben. Sind mit ihm nach Schweden gefahren und haben ihm… neue Hüften operieren lassen, war das nicht so?«

»Neue Hüften, ja. Sie hatte Hüftegelenksdysplasie. Sie wäre sonst eingeschläfert worden, und sie war erst ein Jahr alt.«

»Aber dreißigtausend? Für eine Töle, die selber nicht mal für fünf Öre produziert!«

»Haustiere sind etwas ganz anderes als Nutztiere, weißt du. Du könntest dir eigentlich auch einen Hund zulegen. Gute Gesellschaft, so ein Hund. Er könnte zusammen mit dir hier herumtrotten und…«

»Nie im Leben. Nein, die Schweine reichen. Die sind Gesellschaft genug.«

»Aber du verstehst doch, was ich meine. Dass es einsam für dich wird. Für dich und … den Vater.«

»Den, ja.«

Er schniefte und wischte sich mit dem Handrücken einen Tropfen von der Nase.

»Habt ihr darüber gesprochen?«, fragte sie. »Nach Heiligabend? Du und er?«

»Nein.«

»Aber jetzt wird der Hof doch endlich auf dich überschrieben. Dagegen hat er wohl nichts einzuwenden?«

»Nicht doch.«

»Vielleicht, wenn ihr zwei allein seid, dann schafft ihr es …«

»Wir sind hier nicht in Oslo. Über so etwas wird hier nicht geredet. Die Sache ist jetzt erledigt«, sagte er hart.

»Aber ich wollte doch nur sagen, dass …«

»Himmel, jetzt wird es hier draußen aber kalt«, sagte er, und seine Stimme klang wieder wie sonst. »Einen Kaffee können wir doch sicher noch trinken, bevor ihr fahrt.«

Eine Stunde darauf war der kleine Mietwagen bis an den Rand gefüllt. Es war ein Golf, Krumme hatte ihn in Værnes gemietet, und dort sollten sie ihn auch wieder abliefern. Torunn lief ins Fernsehzimmer zum Großvater, nachdem sie Winterjacke und Stiefel wieder angezogen hatte. Sie gab vor, es jetzt eilig zu haben, sie hatte den Abschied die ganze Zeit hinausgezögert, so getan, als tränken sie hier ganz normal Kaffee, obwohl Erlend bereits hektisch die Treppe in den ersten Stock hoch- und herunterrannte, dann hinaus zum Wagen auf dem Hofplatz, mit allen möglichen Dingen beladen, die er in letzter Minute mitnehmen wollte.

Der Großvater saß mit der Kaffeetasse da, einer Tasse ohne Untertasse, und mit Krümeln von dem Stück Rosinenkuchen auf dem Tisch und auf den Knien, das sie ihm gegeben hatte. Er trug beide Gebisshälften. Der Fernseher war nicht eingeschaltet, sie warf einen raschen Blick auf die von Erlend gekauften Topfblumen auf der Fensterbank und wusste mit untrüglicher Sicherheit, dass sie in vierzehn Tagen tot sein würden. Vertrocknet oder zu stark gegossen. Sie wusste auch, dass lange Zeit vergehen würde, ehe er sich wieder rasierte. Oder seine Unterwäsche wechselte. Wie sollen sie jetzt zurechtkommen, dachte sie, wenn ich einfach gehe. Aber der nächste Gedanke war, dass Erlend das doch auch machte, und er stand ihnen eigentlich näher, sofern es überhaupt möglich war, da eine Reihenfolge aufzustellen. Erlend war der kleine Bruder, sie war die Tochter, wer müsste hier eher ein schlechtes Gewissen haben? Aber Margido wohnte gleich hinter dem Hügel, jetzt sollte er sich um seine Familie auf Neshov kümmern. Ihm würde gar nichts anderes übrig bleiben, er war doch sein Bruder. Die Frage war wohl eher, auf welche Weise er sich kümmern und ob Tor es zulassen würde, nachdem Margido sieben Jahre lang einen Bogen um den Hof gemacht hatte.

»Aufbruch?«, fragte der Großvater. Sein Gebiss klapperte.

»Ja.«

Sie bückte sich und schmiegte ihre Wange an seine. Das kratzte. Er roch nach altem Mann und alten Kleidern und altem Haus, und aus dem Mund nach Rosinenkuchen und Kaffee. Sie umarmte ihn zum ersten Mal, er konnte den einen Arm gerade bis an ihre Wange heben.

»Mach's gut«, flüsterte sie. Was hätte sie sonst sagen sollen, sie konnte ihm ja nichts versprechen. »Ich hoffe, es wird dir gut gehen.«

»Ich will ins Heim«, flüsterte er.

»Was?«

Sie richtete sich auf.

»Ich will ins Heim. Irgendwer muss dafür sorgen. Ich weiß nicht, was Tor dazu sagt, aber ich will das.«

»Dann musst du mit Margido sprechen«, sagte sie. Warum

hatte er mit dieser Nachricht bis zu diesem Moment gewartet, fragte sie sich, sie konnte doch jetzt nichts mehr unternehmen.

»Du kannst Margido anrufen und es ihm sagen«, bat er.

Sie schaute in das runzlige Gesicht, in die Augen hinter den Brillengläsern, sah sein ganzes Leben und hätte weinen mögen, sich ganz leer weinen aus Kummer über das vergeudete Leben dieses Mannes. Sie nickte, ließ seinen Blick nicht los und konnte ihr Weinen unterdrücken.

»Ich werde mit Margido sprechen«, flüsterte sie. »Ich rufe Margido morgen an.«

Sie legte die Hand an seine Wange, ließ sie an den Bartstoppeln ruhen, konnte sehen, wie seine Augen blank wurden, ehe sie sich umdrehte und ging. Sie lief durch die leere Küche, in der der Ofen voller Holz und Flammen brummte und sang, hinaus auf den Hofplatz, wo Erlend den Kopf zur Rückbank des Autos hineinstreckte, während Krumme ihrem Vater zum Abschied die Hand gab.

»Danke für alles, Tor. Es war… schön«, sagte Krumme.

Der kleine dicke Däne musste den Kopf in den Nacken legen, um an dem Schweinezüchter von Neshov hochblicken zu können. Der Däne, der überhaupt nicht willkommen gewesen war, als er einige Tage vor Heiligabend mit dem Mietwagen auf den Hof gefahren war. Tor hatte sich zuerst in tiefem Zorn und Ekel zu Bett gelegt, nachdem er für einen kurzen Moment gesehen hatte, dass Erlends Hand unter dem Küchentisch auf Krummes Oberschenkel ruhte.

»Du kannst gern wiederkommen«, sagte Tor und schaute in eine andere Richtung. »Vielleicht im Sommer. Dann ist es schön hier.«

»Ja, vielleicht«, sagte Krumme und nickte viele Male. Er wusste, wie schwer Tor diese Worte gefallen waren.

»Wenn ich doch nur so ein Papprohr hätte«, rief Erlend aus dem Auto. »Es wird doch total zerknüllt werden!«

»Was denn?«, fragte Torunn.

»Das Poster! Das hab ich mitgenommen. Ist mir eben noch eingefallen, dass ich es mitnehmen will.«

»Das Aladdin-Sane-Poster, das in deinem Zimmer gehangen hat? Das war doch total vergilbt«, sagte sie.

»Das habe ich auch gesagt«, sagte Krumme.

»Aber ich will es mitnehmen. Es ist mir ganz plötzlich eingefallen. Aber nun wird es also total…«

»Jetzt fahren wir«, sagte Krumme. »Möchtest du vorn sitzen, Torunn?«

»Torunn muss fahren!«, sagte Erlend.

»Muss ich das?«, fragte sie.

»Aber natürlich musst du. Herrgott, dass Krumme es mit heiler Haut von Værnes nach Byneset geschafft hat, ist doch ein reines Wunder. Ein Weihnachtswunder. Er kann nicht fahren, und bei Schnee kann er erst recht nicht fahren.«

»Immerhin habe ich einen Führerschein«, sagte Krumme. »Also finde ich, dass du jetzt ein wenig übertreibst.«

»Und wozu benutzt du den?«, fragte Erlend. »Um in Kopenhagen in Taxis ein- und auszusteigen. Torunn fährt.«

»Okay«, sagte sie. »Aber du musst hinten sitzen, Erlend. Wo du nicht mal einen Führerschein hast.«

Sie zögerte keinen Moment, ehe sie ihren Vater umarmte. Sie ließ ihn ebenso schnell wieder los und setzte sich ins Auto, streckte die Hand nach dem bereits im Zündschloss steckenden Schlüssel aus und drehte ihn herum. Erlend quetschte sich auf den Rücksitz, wo zwischen den vielen Gepäckstücken gerade noch Platz für ihn war. Er machte sich hektisch an dem aufgerollten Poster zu schaffen, um das er ein Gummiband gestreift hatte, und hielt es schließlich steif vor sich hin.

Sie kurbelte das Fenster herunter und winkte, während sie vom Hof fuhr. »Jetzt musst du Schnee räumen, Vater! Der Hof ist doch fast schon eingeschneit! Mach's gut.«

Er gab eine Antwort, die sie nicht hörte, aber sie wusste,

dass er sich gleich nach ihrem Aufbruch auf den Traktor setzen und mit dem Schneeräumen beginnen würde. Diese Arbeit machte er sehr gern, und er würde dann nicht sofort ins Haus gehen müssen.

»Herrgott, fahr!«, sagte Erlend. »Jetzt geht's los.«

Sie winkten alle drei heftig, flache und ruckartige Handbewegungen in dem engen Wageninneren. Torunn hupte, sie fuhren durch die Ahornallee, und sie fing an zu weinen. Sie schluchzte laut und rau, kam nicht dagegen an. Erlend beugte sich vor und umarmte sie von hinten, Krumme legte seine Hand auf ihre, die auf dem Lenkrad lag. Sie fuhr an den Straßenrand, als sie merkte, dass sie vom Haus aus nicht mehr zu sehen waren.

Sie weinte und weinte, die Fenster beschlugen, und die Heizung war voll aufgedreht. Lange sagte niemand etwas, sie streichelten nur ihre Haare und über ihre Schultern. Sie fand in ihrer Jackentasche ein verklumptes altes Papiertaschentuch und putzte sich die Nase, fing dann aber gleich wieder an zu weinen.

»Vielleicht sollte ich doch fahren«, sagte Krumme.

Sie schüttelte den Kopf und putzte sich noch einmal die Nase.

»Ich werde mich jetzt zusammenreißen«, sagte sie. »Das war nur … Es ist irgendwie total unmöglich, sich vorzustellen, dass die beiden es schaffen können.«

Erlend fiel ihr ins Wort: »Niemand hätte mehr tun können als du. Du hast ja sogar mich auf den Hof geholt … Herrgott, Torunn, du warst einfach ganz phantastisch. Dich dermaßen einzubringen, obwohl du noch nie einen Fuß auf den Hof gesetzt hattest. Aber jetzt fahren wir. Ich will nach Hause und Silvester feiern. Es ist jetzt vorbei.«

Nein, dachte Torunn, da irrst du dich, jetzt fängt es erst an.

Tor würde niemals vergessen, dass Margido den allerschönsten Sarg ausgesucht hatte. Natürlich hatte er ihn zum Einkaufspreis direkt von der Fabrik bekommen, aber trotzdem. Dass er das getan hatte. Dass er allen, die in die Kirche gekommen waren, gezeigt hatte, dass hier ein Mensch lag, der wichtig gewesen und geliebt worden war.

Nachdem Torunn gefahren war, blieb er neben dem Traktor stehen und dachte über ihren Abschied nach. Es fiel ihm nicht leicht, nicht daran zu denken, dass Torunn sich in wenigen Stunden fünfhundert Kilometer von ihm entfernt aufhalten würde. Der teure Sarg aus mahagonidunklem Holz, lieber wollte er an den denken. Das hätte die Mutter erleben sollen, dass für ihre Beerdigung so viel ausgegeben wurde! Sie hätte sich energisch dagegen gewehrt, dachte Tor, und musste ein wenig lächeln, wenn er an das Erstaunen dachte, das seine Mutter gezeigt hätte. Ein teurer Sarg, der nur in die Erde und verrotten sollte, nein, da könnte man das Geld doch für andere Dinge ausgeben, hätte sie gesagt.

Es wäre schön gewesen, wenn Margido am Abend auf einen Kaffee vorbeigekommen wäre, er wusste doch, wann Torunn und Erlend und der Däne aufbrechen wollten. Aber Margido war ein Sonderling. Er hatte sich am Vortag telefonisch von ihnen verabschiedet. Trotzdem, Tor würde ihm für die Beerdigung ewig dankbar sein, so gut hatte er alles arrangiert. Obwohl Margido das zwar jeden Tag machte, war es bei der eigenen Mutter doch sicher etwas anderes. Das feine Heft, das in der Kirche auf sie gewartet hatte, mit dem Bild des Hofes auf der Vorderseite. Es war ungewöhnlich, aber richtig. Von der Mutter gab es keine Fotos, außer einem alten Passbild aus ihrer Jugend. Margido hatte viele vorgefertigte Motive zur Auswahl, hatte er erzählt, kleine Zeichnungen von Natur und Blumen und solchen Dingen, aber als er gehört hatte, dass es in der Geschichtswerkstatt von Byneset Bilder von allen Höfen aus Spongdal und Rye gab, aus denen irgendwann ein Buch werden sollte, hatte er sich eine Kopie des Bildes von Neshov besorgt.

In der Kirche zu sitzen, ganz vorn, und die Gebäude des Hofes anzusehen, war ein großer Trost gewesen. Der Hof war in so vieler Hinsicht mit der Mutter identisch. Und das Bild war an einem sonnigen Sommertag aufgenommen worden, als die Hauswände leuchteten und der Fingerhut das wilde grüne Dickicht neben der Ahornallee überwucherte. Stattlich sah es aus. Wirklich stattlich. Niemand würde behaupten, diese Wände brauchten einen neuen Anstrich, das Licht malte sie ganz von allein an.

Nach der Trauerfeier hatte sich Tor einige von den übriggebliebenen Heften geben lassen, überraschend wenige übrigens. Es würde schön sein, sie hervorzuholen, würde gut- und zugleich wehtun, die Strophen der Choräle zu lesen, die bei der Trauerfeier gesungen worden waren. »Schön ist's auf Erden, prächtig Gottes Himmel…« Es war seltsam, ihren Namen zu lesen, für ihn war sie doch nur Mutter gewesen, nicht Anna. »Das erste Lied, das je ich hört', war Mutters an der Wiege…« Es war schön gewesen, dass Margido auch dieses Lied dazugenommen hatte, dass er das wirklich getan hatte, trotz allem. Selbstverständlich war das wohl nicht. Tor konnte sich nicht richtig daran erinnern, wie sie es gesungen hatten, er selbst hatte nicht einstimmen können, aber er würde niemals vergessen, wie im Kirchenschiff das Lied angestimmt wurde, während die Blumen auf und um den prachtvollen Sarg prangten. Und dass so viele gekommen waren! Menschen, die sie seit Jahren nicht gesehen hatten. Danach hatten sie alle ihr Beileid ausgesprochen, hatten allen die Hand geschüttelt, das hatte Eindruck gemacht und ihm zu verstehen gegeben, dass alle, selbst wenn sie auf ihren Höfen saßen und sich mit ihren eigenen Dingen befassten, zusammenhielten, sobald etwas passierte – dann war man ein Dorf, das sich einig war. Er würde von nun an selber auch ein wenig mitverfolgen, wer von den Alten starb, und dann seinen guten Anzug anziehen und sich in der Kirche einfinden. Die letzte Ehre, so nannte man das, und es kostete nicht mehr, als dort zu sitzen und danach ein paar Beileidsworte zu sagen. Das würde er wohl schaffen, er wie so viele andere.

Er zog sich auf den Traktorsitz, ließ den Motor an und machte sich ans Schneeräumen. Zuerst auf dem Hofplatz, dann auf der Allee hinunter zur Hauptstraße. Er räumte gründlich und lange, es musste anständig aussehen. Er wurde immer wütend, wenn er im Winter geräumte Zufahrtswege zu den Höfen sah, die nur halb so breit waren wie im Sommer. Faulheit! Und während er räumte, dachte er an die Tage, die jetzt kommen würden. Ehe die Mutter krank geworden war, hatte der Gedanke an die Zeit zwischen Weihnachten und Neujahr so einfach gewirkt, wie immer drehte sich alles um die Schweine. Jetzt hatte er so viel anderes im Kopf. Aber er musste sich konzentrieren und alles so ausführen, wie er es geplant hatte. Mari und Mira die Jungen wegnehmen, und die Sauen wieder in Brunst bringen, sie besamen lassen, den Zeitplan einhalten. Stichtag für Schweine war der 1. Januar, danach würde Sara zum Schlachten geschickt werden. Er musste sich seiner Arbeit mit den Schweinen widmen, wollte an nichts anderes denken, das brachte er nicht über sich. Drinnen im Fernsehzimmer saß der alte Mann mit den Kuchenkrümeln auf den

Knien und war sein großer Bruder. Es brachte nichts, sich dieser Realität zu stellen. Denn sonst stellten sich nur wieder diese schrecklichen Bilder von der Mutter und dem Großvater Tallak ein, und die wollte er gewiss nicht an sich heranlassen. Für kurze Momente, unmittelbar vor dem Einschlafen, hatten die Bilder sich ihm an den vergangenen Tagen aufgedrängt, die Mutter als junge Frau, zusammen mit dem lachenden Großvater Tallak. Während sie es miteinander trieben. Und für Erben für den Hof sorgten, weil der Anerbe selber dazu nicht in der Lage war. Tor hatte die Bilder sofort verdrängt, in der Dunkelheit die Augen zusammengekniffen und verlangt, dass der Schlaf sich sofort einfände. Er wollte zurück in den Alltag, und ihm fehlte die Kraft, den alten Mann im Fernsehzimmer anders zu sehen als bisher. Er war sein Vater, in dem einzigen Weltbild, das funktionierte. Dazu hatte er sich entschlossen, und so sollte es bleiben. Und Torunn glaubte, sie würden darüber reden. Stadtmädel. Was hatte die schon für eine Ahnung.

Sie hatte ihn ermahnt, häufiger zu duschen und saubere Kleidung anzuziehen. Das war auch wieder so ein Spruch. Aber sie hatte schon recht damit, dass er die Waschmaschine niemals benutzt hatte, er hatte keine Ahnung, wozu die unterschiedlichen Knöpfe dienten und wo man das Seifenpulver eingab. Darum hatte die Mutter sich stets gekümmert. Am Ende hatte Erlend ihm alles erklärt, hatte ihn regelrecht in die Waschküche gezerrt und sogar alles auf die Rückseite einer Weihnachtskarte der Hilfsgemeinschaft für Herz- und Lungenkranke geschrieben: wie er die Knöpfe drehen sollte, wenn er Handtücher, Bettwäsche und Unterhosen waschen wollte, und was bei Hosen, Hemden und Socken zu tun sei. Erlend hatte auch betont, dass Stallkleidung immer getrennt gewaschen werden musste, der Geruch ließ sich nicht auswaschen und setze sich in anderen Kleidern fest. Erlend nervte ihn immer mit diesem Stallgeruch, fand ihn entsetzlich, obwohl er doch von den Tieren stammte, von denen er schließlich lebte. Stallkleidung hatte trocken und heil zu sein, das musste doch wohl reichen. Die Mutter hatte auch nie viel herumgequengelt, sie sah diese Kleidung ja nicht, die blieb draußen im Stall hängen. Die Einzigen, die sie sahen, waren die Schweine, und denen war es wohl egal, ob sein Overall verdreckt war. Aber vielleicht konnte er sich bei Trønderkorn erkundigen, ob er einen neuen haben könnte.

Als die Mutter krank geworden war, war er gut zurechtgekommen, hatte in der Küche Essen gemacht und zu ihr nach oben gebracht. Bis zu dem Tag, an dem sie ins Krankenhaus gebracht worden war und er die Brüder und Torunn benachrichtigen musste. Ach, nein, dass sie ihnen wegsterben musste, wo sie doch noch so rüstig gewesen war. Achtzig Jahre, aber geschmeidig wie ein Floh, doch dann hatte es in ihrem Gehirn geblutet. Ein einziger kleiner Spritzer Blut kann genug sein, hatte der Arzt gesagt. Kurz darauf hatte das Herz versagt und in der Lunge hatte sich Wasser gebildet. Tor merkte, dass seine Augen heiß wurden, er schluchzte tief und gründlich. Das Dröhnen des Motors übertönte alles, er hätte heulen und schreien können, das wusste er gut, aber er wollte nicht. Es reichte. Sie waren weg, jetzt musste er sich wieder im Alltag zurechtfinden, das tun, was er tun musste und sollte. Und die zwanzigtausend konnte er wirklich gut brauchen, er wagte kaum, an sein Glück zu glauben. Zwanzig Tausender, frisch und bar von der Fokus Bank in Heimdal. Sie waren lieb, Erlend und der Däne. Der Däne verdiente offenbar besonders viel, gut, dass er die beiden zum Abschied zu einem weiteren Besuch aufgefordert hatte. Erlend machte natürlich, was er wollte, das hatte er immer schon getan, aber dass Tor das zu dem Dänen gesagt hatte. Er hatte ihm die Hand gegeben und es gesagt. Und da musste er eben versuchen, nicht an das andere zu denken, was sie miteinander machten, er schaffte jetzt schon seit Tagen, nicht mehr daran zu denken.

Margido hatte offenbar mit ihnen gesprochen, in Tors Beisein hatten sie einander jedenfalls nicht mehr die Hand auf den Oberschenkel gelegt. Aber wenn sie abends schlafen gingen… Jeden Abend hatte er ein wenig daran gedacht und sich die wildesten Dinge vorgestellt, aber schließlich war er zu der Erkenntnis gekommen, dass sie sicher schliefen, solche Männer brauchten doch ihren Nachtschlaf genauso wie alle anderen. Und der Däne war ein guter Koch. Aß auch selber gern, so dick und rund wie er war. Er sagte, in Dänemark esse man nicht, um zu leben, man lebe, um zu essen. Und dafür war er ein gutes Beispiel.

Seit zwölf Jahren waren der Däne und Erlend schon ein Paar, wohnten zusammen. Es war eine seltsame Vorstellung, zwei Männer wie Mann und Frau, die Tisch und Bett teilten. Seltsam und unbegreiflich, aber Torunn hatte sicher recht gehabt, als sie am Vortag im Stall gesagt hatte, Erlend brauche unbedingt jemanden, der ein wenig auf ihn aufpassen könnte.

Der Korsfjord lag winterschwarz mit auf das Land zutreibenden hohen Wellen da, als Tor vom Traktor stieg. Es schneite nicht mehr, aber ein starker Wind wehte. Sie würden einen rauen Flug haben, dachte er. Er wollte den Wetterbericht anhören, herausfinden, wie das Wetter in Oslo war. Aber sicher würden sie Stovner nicht gesondert erwähnen, sondern nur Gardermoen. Er hatte Fernsehreportagen über Stovner gesehen. Pakistanische Jugendbanden feuerten dort aus fahrenden Autos aufeinander. Und es gab dort Wohnblocks, Monster von Häusern, mit ganzen Tannen auf den Balkons, die aussahen wie abgeschnittene Betonröhren.

Torunn. Seine Tochter im Stalloverall zwischen den Schweinen, mit Futtereimern in den Händen, die sie mit geschäftiger, froher Miene vor eifrigen Schnauzen ausleerte. Er legte die Hände auf die Traktorspitze und ließ die Restwärme des Motors durch die Haut in seine Handflächen strömen. Torunn

Breiseth. Nicht Neshov. Weil ihre Mutter damals nicht herkommen und bei ihm bleiben durfte. Er hätte sich am liebsten übergeben beim Gedanken an all die verlorenen Jahre voller Möglichkeiten. Er hob das Gesicht zur Scheunenwand. Hier stand er, hierhin gehörte er. Torunn war nicht mehr da. Dort, wo sie wohnte, schossen pakistanische Jugendliche aufeinander. Ihm fiel plötzlich ein, dass sie von einem Hundewelpen erzählt hatte, den sie in einen Sack gesteckt und als Fußball benutzt hatten. Es war ein Pitbull gewesen, aber trotzdem. Ein Tier. Was für ein Unterschied zu den dreißigtausend Kronen, die irgendein Tierbesitzer ausgegeben hatte, um einer Töle neue Hüften einsetzen zu lassen. Aber sie fühlte sich dort wohl. Ein wenig zu weit bis in die Innenstadt, hatte sie gesagt, aber ein kurzer Weg zur Arbeit und in den Wald, wo sie mit den Hunden, die sie ausbildete, lange Wanderungen unternahm.

Verhaltenstherapeutin. Da sollte man doch glauben, dass sie es mit Menschen zu tun hatte. Aber kein einziges Mal in all den Jahren, in denen er telefonischen Kontakt zu ihr gehabt hatte, hatte er auch nur ein negatives Wort darüber verloren, wovon sie lebte. Er hatte sich nur über die überempfindsamen Tierbesitzer und Tierärzte lustig gemacht, die nicht selten vorschlugen, Tiere einzuschläfern, bei denen es keinen Sinn hatte, sie am Leben zu erhalten. Sie war zwar keine Tierärztin, aber inzwischen zur Mitbesitzerin dieser Kleintierpraxis geworden, weil sie Hunden, die sich nicht benehmen konnten, Manieren beibrachte.

Kein einziges Mal hatte er etwas darüber gesagt. Er selbst hätte kurzen Prozess gemacht. Ein Flegel von Hund, der nicht gehorchte, mit dem konnte man doch nur hinter die Scheune gehen und ihm die stumpfe Seite der Axt vor die Stirn geben.

Jetzt würde sie sich also bald wieder mit diesen Kötern abgeben, und dabei war sie bei seinen Schweinen so ungeheuer tüchtig gewesen. Sie hätte doch auch als Betriebshelferin auf Höfen arbeiten können, ja, das könnte sie. Gute Betriebshelfer wuchsen schließlich nicht auf Bäumen. Sie hatte ein gutes

Verhältnis zu den Tieren, sie sah sie ebenso wie er sie sah. Sah ihre Würde, erkannte, wie unterschiedlich die Sauen waren. Sie begriff ihre Bedürfnisse und begriff, wie sehr die Tiere den Menschen ausgeliefert waren, die für sie die Verantwortung trugen und von ihnen lebten. Na ja, leben war vielleicht übertrieben. Überleben wäre wohl ein besseres Wort.

Er ging ins Haus, hängte seine Jacke auf und trampelte sich den Schnee von den Holzschuhen. Sie mussten etwas essen, bevor er in den Stall ging. Der Vater hatte im Wohnzimmer den Fernseher laufen und sah sich eine alte Sendung über Tiere in der Hardangervidda an. Er öffnete den Kühlschrank und warf einen Blick auf die übervollen Fächer. Meine Güte, war sein erster Gedanke, das würden sie doch gar nicht alles aufessen können, ehe das Verfallsdatum überschritten wäre. Aber als er dann genauer hinsah, entdeckte er die vielen Konserven, die eigentlich gar nicht im Kühlschrank zu stehen brauchten. Ihm fiel ein, dass er Torunn erzählt hatte, dass er immer zum Kühlschrank ging und nie in die Speisekammer, wenn er sich etwas zu essen holen wollte. Das hatte sie also nicht vergessen. Er nahm eine Dose mit Erbsen, Fleisch und Speck heraus, konnte sie mit Mühe öffnen und gab den Inhalt in einen Kochtopf. Dazu Brot, gekauftes, abgepacktes Brot. Und in der Brottrommel lag auch ein selbstgebackener Laib aus der Tiefkühltruhe zum Auftauen, auch daran hatte sie vor dem Aufbruch also noch gedacht. Das gekaufte Brot war nur Luft, der selbstgebackene Laib seiner Mutter dagegen echte Nahrung. Wie viele Brote wohl noch in der Tiefkühltruhe lagen, vielleicht fünf oder sechs, damit mussten sie sparsam umgehen. Wer für morgen spart, spart für die Maus, hatte Erlend gesagt. Manchmal redete der wirklich Unsinn.

»Ich mach was zu essen«, sagte Tor durch die Türöffnung.

Der Vater sah ihn an. Jetzt waren sie hier allein. Tor erwiderte den Blick ganz kurz. Da saß sein Bruder … Nein, es hatte keinen Sinn, so zu denken. Er rührte energisch im Kochtopf um, einige Erbsen spritzten auf den Küchentisch.

»Für uns beide«, sagte Tor.

Tor hatte die rote Weihnachtsdecke weggenommen, sorgfältig zusammengefaltet und in den Schrank gelegt. Aber noch ehe Topf und Teller auf dem Resopaltisch standen, war es dunkel geworden. Auf dem Brett waren keine Vögel mehr zu sehen, trotzdem schauten sie beide beim Essen aus dem Fenster, auf die Scheune und den Hofbaum, und warfen zwischendurch einen kurzen Blick aufs Essen.

»Lecker«, sagte der Vater.

»Möchtest du eine Papierserviette?«

»Nein«, antwortete er, zog stattdessen umständlich ein Taschentuch hervor und fuhr sich damit über Kinn und Mund, bevor er sich die Nase putzte, wo er es nun schon in der Hand hatte.

Die Papierservietten lagen in einer Schachtel mit Weihnachtsmuster auf der Fensterbank. Es gab drei Stapel in unterschiedlichen Farben, die dicht beieinanderlagen, rot und in der Mitte weiß. Alltagsservietten, hatte Erlend sie genannt. Bevor die Mutter krank geworden war und ehe alle gekommen waren, hatten sie einfach Klopapier benutzt, das funktionierte genauso gut, wenn man nicht so vornehm tat. Jetzt verstaubten dicke Weihnachtsservietten im Büfett in der guten Stube, Alltagsservietten lagen auf der Fensterbank, auf der Anrichte stand eine Rolle Küchenpapier und das Klopapier lag auf dem Klo.

»Die sollten wir aufbewahren«, sagte Tor und nickte zu den Servietten hinüber. »Neue werden nicht gekauft. Nur Unordnung, überall Papier. Stadtleute.«

»Ja«, sagte der Alte.

Tor hörte die Erleichterung hinter diesem einen Wort. Sie waren einer Meinung. Hier sollte über Papierservietten gesprochen werden, und sonst über gar nichts.

Sie rief an, als er gerade in den Stall gehen wollte. Er konnte nicht mehr ins Arbeitszimmer laufen, um den Anruf dort entgegenzunehmen, er musste in der Küche bleiben, während der Vater im Wohnzimmer saß und zuhörte.

Sie sei gerade zu Hause durch die Tür gekommen, sagte sie.

Zu Hause.

»Aha! Und wir haben gut gegessen. Vielen Dank, Torunn. Das war viel zu viel.«

Daran sollte er nicht denken, sie wollte doch, dass sie gut aßen. Bestimmt hatte sie die versteckte Kritik in seinen Worten nicht gehört. Als ob sie nicht gut gegessen hätten, ehe sie, Erlend und der Däne in die Küche eingebrochen waren.

»Und der Flug?«, fragte er und räusperte sich ausgiebig.

Es habe ziemliche Turbulenzen gegeben, ja, und eine Frau habe sich gleich hinter ihrem Sitz erbrochen. »Das hat vielleicht gestunken«, sagte sie und lachte.

»Ist der Flug von Erlend und dem Dänen zur gleichen Zeit gewesen?«

Nein, der Direktflug nach Kopenhagen war eine halbe Stunde nach ihrem gestartet, aber alle Flugabgänge waren pünktlich.

»Dann ruh dich erst mal aus.«

An diesem Abend hatte sie das vor, aber am nächsten Tag und auch zu Silvester musste sie arbeiten, sie hatte sehr viel aufzuholen und nachzuarbeiten, und Mitte Januar ging ein neuer Dressurkurs los, da konnte sie sich nicht aufs Sofa legen und Urlaub machen. Ihre Stimme klang fröhlich, im Hintergrund waren noch andere Geräusche zu hören.

»Hast du Besuch?«

»Meine Freundin Margrete von gegenüber, sie ist gerade mit Kaffee, Weihnachtsgebäck und Cognac zur Tür hereingekommen, noch bevor ich den Mantel ausgezogen hatte«, sagte Torunn und lachte wieder.

»Schön, dass du nicht allein bist. Ich muss jetzt in den

Stall. Vielleicht nehme ich Mari und Mira heute Abend die Jungen weg.«

Sie sagte, da wäre sie gern dabei gewesen, und sie werde Margrete mit Sicherheit erzählen, was das für ein Geschrei geben würde.

Sie verabredeten, wieder zu telefonieren, vereinbarten aber nicht, wann. Sie wünschte ihm alles Gute bei der Schweineaktion, dann legte sie auf.

Als er Arbeitskleidung und Stiefel angezogen hatte, nahm er den Overall, den Torunn benutzt hatte, vom Nagel. Er hielt ihn an sein Gesicht und roch lange daran, ehe er ihn zurückhängte und die Stalltür zur Wärme und den Gerüchen der Tiere aufschloss. Dann blieb er lange mit hängenden Armen vor der Tür stehen und lehnte sich schließlich an sie. Die Schweine drehten ihre Köpfe zu ihm hin, sie grunzten und atmeten und warteten. Plötzlich merkte er, wie müde er war. Müde davon, wach zu sein, müde vom Denken. Er verstand auf einmal, dass er das mit den Sauen an diesem Abend nie im Leben durchstehen könnte. Wenn die Sauen aus den Wurfkoben genommen und zusammengeführt wurden, gab es immer einen Höllenlärm. Sie waren gestresst, weil sie ihre Jungen verloren hatten, und sie mussten unter sich eine neue Rangordnung aufstellen. Sie stießen und bissen, ab und zu mit einer geradezu atemberaubenden Wut. Deshalb führte er sie immer erst abends zusammen, wenn sie ohnehin müde waren. Dann löschte er das Licht und hoffte das Beste, während er draußen vor der Tür stand, lauschte und die ganze Nacht unruhig schlief. Kleine Wunden trugen sie fast immer davon, aber bei großen Verletzungen würde er Røstad holen müssen. Nein, er würde noch einen Tag warten, hier half alles nichts, er hatte die Kraft nicht. Vielleicht war er im Begriff krank zu werden, das könnte doch sein. Was für eine Vorstellung: mutterseelenallein im Stall.

Er holte einen Futtersack und stieg in Siris Koben. Gleich vor Weihnachten hatte sie eins ihrer Jungen totgelegen, das war ihr noch nie passiert, und so ganz konnte er es ihr nicht verzeihen. Trotzdem zog er den Kanten des gekauften Brotes aus der Tasche und gab ihn ihr. Sie kaute und schmatzte vor Wohlbehagen, als handele es sich um die feinste Gänseleber. Ihr breiter Kopf zitterte, während sie aß, er sank ermattet vor ihr auf den Futtersack. Die fast zwei Wochen alten Jungen schliefen als rosa schimmernder Haufen unter der roten Wärmelampe im Wurfkoben in der Ecke. Er sah Siris Zitzen an, dass sie eben gesäugt hatte. Sie war jetzt müde und hatte sich hingelegt. Siri schrie nur selten nach Futter, ehe sie es vor der Nase hatte. Dann schlang sie wie eine Verrückte, aber sie grunzte und quieckte nicht wie die anderen Sauen, die alle glaubten, dann sofort an die Reihe zu kommen. Er hörte aus den anderen Koben, dass den Schweinen sein Tempo an diesem Tag nicht gefiel. Im Schnaufen und Grunzen lag Enttäuschung, weil er sich so ganz ohne Grund auf den Boden gesetzt hatte.

»Jetzt sind wir allein, Siri. Unter uns. Wieder.«

Sie stupste seine Taschen an mit ihrem riesigen Rüssel, an dem Stroh klebte und Fliegen landeten und starteten, als ob sie dort wohnten.

»Jetzt ist es leer.«

Er lehnte den Hinterkopf an das Stahlrohr und schloss die Augen. Gerne wäre er ein sattes Ferkel gewesen, nur für einen Moment. Sich an Brüder und Schwestern pressen und warm schlafen. Nichts wissen, nichts müssen. Ehe er sich's versah, war er in Tränen ausgebrochen. Und es brachte nichts, die Tränen aufzuhalten, sollten sie doch nach Herzenslust laufen, die Stalltür war sorgfältig verschlossen worden.

Die Flugzeuge auf Kastrup sahen aus wie blinkende Wesen, die sich auf den Boden sinken ließen, um dann gleich wieder abzuheben. Da das eine Flugzeug kaum gelandet war, ehe das nächste startete, konnte man sie leicht miteinander verwechseln. *Touch and go.* Erlend stand barfuß auf der Dachterrasse, hoch über dem Gråbrødretorv, und genoss den Anblick von Kopenhagens Skyline vor dem Hintergrund von Amager und Kastrup. Es war Silvester, er hatte gerade das Essen fertig gemacht, jetzt stand Körperpflege auf dem Programm, bevor die Gäste kamen. Er hatte sie gewarnt, es werde nur ganz schlichte Kost geben, da er und Krumme eben erst aus Norwegen zurückgekommen waren. Als sie an diesem Morgen aufgestanden waren, war Krumme noch davon ausgegangen, sie brauchten ein wenig Obst und Käse zu kaufen. Aber da hatte er die Rechnung ohne den Wirt gemacht.

Erlend war nämlich nachts aufgewacht und hatte beschlossen, groß auf den Putz zu hauen. Ich bin doch der verlorene Sohn, dachte er, und für Kopenhagen der wiedergefundene. Und da sonst niemand Zeit hatte, das gemästete Kalb zu schlachten, musste er es eben selber übernehmen. Vage registrierte er, dass in dieser Überlegung ein Widerspruch lag, schenkte ihm aber keine weitere Aufmerksamkeit. Kalbsbraten vielleicht? Nein, das wäre zu langweilig. Ebenso langweilig wie Käse und Knabbereien. Er wollte Fingerfood servieren. In allen möglichen Varianten. Sie hatten geräucherten Rentierschinken aus Norwegen mitgebracht, und in der nächtlichen Dunkelheit hatte er schon damit begonnen, sich vorzustellen, wie er die Scheiben arrangieren könnte. Sie um Mangostäbchen wickeln? Mitten in einem Ring aus roten Zwiebeln aufrollen? Nein… In Öl marinierte sonnengetrocknete Tomaten wären fein. Eine große Scheibe, vereint mit einer zweimal gefalteten Scheibe Räucherschinken!

Er war ganz leise aufgestanden und hatte nachgesehen, ob die Neujahrsschublade auch gut gefüllt war.

Das war sie. Für die Neujahrschublade unten im Büfett im Wohnzimmer kaufte er das ganze Jahr hindurch ein, wann immer er etwas Schönes fand. Darin lagen die traditionellen Papierhüte, nur waren sie in Kairo gekauft worden und hatten am Rand Glöckchen sitzen. Sie besaßen zwanzig Hüte in unterschiedlichen Farben. Es befanden sich auch die Tischraketen darin, die funkelnde Goldkörner ausspien, wenn man an einer Schnur zog. Sie waren leichter mit dem Staubsauger zu entfernen als Konfetti aus Papier. Auch gab es Wunderkerzen, lange und kurze, und das Diadem. Er drückte auf den Knopf, um die Batterie zu überprüfen. Es funktionierte wirklich. Kleine Lichtpunkte in Grün, Gelb und Rot blinkten in wütendem Rhythmus am Diadembogen. Er setzte es immer ganz plötzlich der Person auf, die die Festrede des Abends halten sollte. Die improvisierten Reden waren immer die besten, und das Diadem stand Männern und Frauen gleich gut, fand er, auch wenn ihm das bisweilen allerlei männlichen Protest eingetragen hatte.

Wenn er sonst den Tisch für ein Fest deckte, sollte alles elegant und originell sein. Aber zu Silvester war er ein absoluter Anhänger von Kitsch. Dann musste alles schrill und kontrastreich und übertrieben sein, dann sollte gefeiert werden. Die Girlanden mit dem Hologrammdekor lagen ordentlich zusammengerollt da, sie sollten von der Decke hängen, hoch über den brennenden Kerzen. Sie glitzerten wie Kristall, wenn man sich durch die Räume bewegte.

Aber was er in der Schublade eigentlich suchte, waren Spießchen. Kleine Spießchen für das Fingerfood. Dann benötigten sie nur noch Schüsseln, Servietten und Gläser, und die Gäste könnten zwischen den Wohnzimmern und der Dachterrasse umherwandern, sitzen und stehen, so wie es ihnen beliebte.

Am letztjährigen Silvesterabend hatte Krumme Truthahn serviert. Drei Stück, einer auf asiatische Weise zubereitet, fast wie eine Pekingente, einer mit Curry, Knoblauch und dem Bauch voller Kräuter und Fenchel, und einer traditionell, mit englischer Füllung und Speckmäntelchen. Sie hatten achtzehn Gäste gehabt, und so etwas musste natürlich Wochen im Voraus geplant werden. Es war ein großer Sprung von einem dreifachen Truthahn zu Käseplatte und Knabbereien, überlegte er. Zu groß, schließlich hatte man einen gewissen Ruf zu bewahren. Fingerfood war dekorativ und superfestlich auf Spießchen mit funkelnden Puscheln am Ende. Und da lagen die Spießchen, eine Tüte neben der anderen. Gott, es gab ja auch noch die, die er im vergangenen Sommer in einem winzig kleinen Geschenkladen auf Halmtorvet gefunden hatte! Die hatte er total vergessen. Sie sahen auf den ersten Blick schlicht aus, waren aus klarem Kunststoff hergestellt worden, aber am Ende war ein kleiner Plastikedelstein eingefasst. Sie sahen aus wie winzige Zepter. Wie viele hatte er wohl? Er zählte. Drei Tüten, jede mit vierzig Spießchen.

Eigentlich hätte er am liebsten sofort angefangen, aber er zwang sich zurück ins Bett, um am nächsten Tag in Form zu sein. Krumme lag auf dem Rücken und schlief mit halboffenem Mund, seine Augenlider zuckten im plötzlichen Licht. Erlend schaltete es ganz schnell aus, dann schmiegte er sich an Krumme und suchte unter der Decke dessen Hand. Sogar im tiefen Schlaf drückte Krumme zur Antwort Erlends Hand, in glücklicher Ahnungslosigkeit darüber, welches Einkaufsinferno am nächsten Morgen auf ihn wartete.

Käseplatte. Was für ein Witz.

Beim Frühstück machte er eine Einkaufsliste. Fingerfood war eher Dekoration als Essen, deshalb übernahm er die Regie. Krumme war für die großen Dinge zuständig. Krumme war der eigentliche Koch. Aber für Fingerfood war kein Koch vonnöten, hier war ein Komponist und Organisator gefragt.

»Was ist denn aus der Käseplatte geworden?«, fragte Krumme und gähnte.

»Viel zu langweilig, das musst du doch einsehen.«

»Fingerfood vorzubereiten dauert Stunden, Mäuschen. Können wir nicht beim Käse bleiben …«

Sie saßen mit großen Bechern voll frisch aufgegossenem Javakaffee am Küchentisch, beide in Seidenmorgenrock und flauschigen Puschen.

»Überleg doch mal, Krumme. Eine schnöde Käseplatte, das passt doch nicht zu uns!«

»Sie braucht ja nicht schnöde zu sein. Und wir sind beide müde. Ich muss kurz in die Redaktion.«

»Reg dich ab, und sei bitte nicht so problemorientiert. Der Delikatessenladen öffnet um neun. Du kommst mit und hilfst beim Einkaufen, dann fahre ich mit den Waren mit dem Taxi nach Hause, und du gehst für ein paar Stunden in die Redaktion. Getränke kaufst du auf dem Heimweg, heute gibt es von Anfang bis Ende nur Champagner. Kauf sieben oder acht Kästen. Bollinger natürlich. Und lass die Kästen direkt aus dem Kühlraum holen, wir schaffen es sonst nie im Leben, sie rechtzeitig zu kühlen. Und vielleicht Cognac, wie viel haben wir?«

Krumme erhob sich müde und ging ins Wohnzimmer, um im Barschrank nachzusehen.

»Fünf Flaschen«, rief er.

»Dann brauchen wir noch ein paar. Aber Herrgott, wir müssen auch etwas Süßes haben. Zu Kaffee und Cognac. Was meinst du, was wir nehmen sollten? Wie wäre es mit Designerschokolade? Du kannst doch …«

»Mandelkranz und Eis«, sagte Krumme und setzte sich wieder. »Ich hab keinen Bock, durch die halbe Stadt zu laufen, nur um Schokolade zu kaufen, an der irgendwer rumgefummelt hat, damit keine zwei Stücke gleich aussehen.«

»Die tragen sterile Handschuhe, Krumme, sei nicht albern.«

»Die naschen sicher zwischendurch und lecken sich die Schokolade von den Handschuhfingern.«

Erlend lachte. »Was du für fiese Gedanken haben kannst! Glaubst du wirklich, man kann auch nur ein einziges Stück in den Mund stecken, wenn man den ganzen Tag mit Schokolade zu tun hat? Das glaube ich nicht.«

»Eine Käseplatte, das wäre heute das wahre Glück. Ein bisschen Samsø, ein bisschen Danbo ...«

»Du mit deinem Danbo! Dieser Käse riecht so, wie meine Socken gerochen haben, als ich fünfzehn war.«

»Das wäre doch wunderschön.«

»Aber Krumme. Wir stellen doch auch eine Schüssel Käse hin. Neben allem anderen.«

Krumme seufzte. »Ich bin müde, es war eine schwere Reise. Intensive Erlebnisse. Aber ich bin froh, dass ich hingefahren bin. Jetzt weiß ich, wer du bist und woher du kommst.«

Sie wechselten einen Blick. Erlend nickte, jetzt wusste Krumme, wer er war. Glaubte er. Aber dass man plötzlich in seinen eigenen norwegischen Wurzeln herumklettern und den jüngsten Sohn auf einem Bauernhof spielen musste, hieß noch lange nicht, dass man sich nicht ebenso schnell vom schönen Großstadtleben umarmen ließ. Deshalb wollte er an diesem Abend Glanz und Gloria haben. Nicht nur stinkenden Käse. Aber auf einige Kompromisse würde er sich wohl einlassen müssen.

»Okay. Also keine Designerschokolade. Mandelkranz und Häagen-Dazs-Eis ist gar keine dumme Idee, Krumme. Wir können das mit Toffee und Pecannüssen nehmen. Ich schreib es auf die Liste. Ist das nicht witzig? An dem einen Abend Heiligabend feiern und dann am nächsten Tag gleich Silvester?«

Sie hatten am Vorabend nur zu zweit Heiligabend gefeiert und ein Essen mit fünf Gängen im *Derdiebderkochseinefrauundihrliebhaber* verzehrt. Danach waren sie nach Hause gegangen, hatten Geschenke ausgepackt, Brahms gehört und Cognac getrunken, während sie den Anblick des Weihnachtsbaums auf der Terrasse genossen hatten, der bei ihrer Rückkehr aus Norwegen noch immer so schön gewesen war, mit den Körben voll künstlichem Schnee und dem Georg-Jensen-Stern auf der Spitze. Während sie verreist gewesen waren, war echter Schnee gefallen und schon wieder geschmolzen, deshalb waren bei Tageslicht eigentlich weder der Baum noch die Körbe wirklich schön, aber wenn es dunkel wurde, war die Illusion perfekt. Krumme hatte ihm das Kristallschachbrett von Swarovski geschenkt, das er sich so brennend gewünscht hatte, und Erlend hatte Krumme mit einem Matrixmantel aus schwarzem Leder überrascht. Es hatte ein Vermögen gekostet, den für Krummes kugelrunden Leib umnähen zu lassen. Er hatte Krumme kaum je so glücklich erlebt, und sowohl dem Mantel als auch Krumme war danach gründlich die Tugend geraubt worden, als sie sich endlich unter privaten und schallisolierten Bedingungen lauthals und jubelnd lieben konnten.

»Willst du den Mantel heute anziehen? Zur Arbeit?«

»Natürlich«, sagte Krumme lächelnd und streckte ihm über den Tisch die Hand hin. »Ich liebe dich, du seltsamer feiner Bauernsohn ...«

»Aber, aber, jetzt ist Schluss mit Latzhosen und Strohhalm im Mund. Endlich kann ich mir wieder die Augen schminken, ohne dass die Leute einen hysterischen Anfall kriegen.«

»Du redest alles weg. Wenn ein bisschen Zeit vergangen ist, müssen wir die Sache gründlich durchsprechen. Torunn zuliebe. Sie darf nicht mit allem allein dasitzen. Sie übernimmt Verantwortung.«

»Sie ist doch in Oslo! Das ist fast so weit weg wie wir«, sagte Erlend und zog seine Hand zurück.

»Sie spürt die Verantwortung. Das haben wir gesehen. Und sie hat es ja auch gesagt. Hast du sie gestern nicht angerufen? Sie wollte mit Margido darüber reden, dass der Alte ins Heim will.«

»Oooooh! Jetzt planen wir unser Fest. Alles andere hat Zeit bis morgen. Ich bin davon überzeugt, dass Torunn, wenn sie nach Hause und zu ihrer Arbeit zurückkommt, diese Verantwortung, mit der du so nervst, ablegen wird. Und ich habe doch auch Verantwortung übernommen? Oder vielleicht nicht?«

»Ja, das hast du, Erlend. Ich bin stolz auf dich, sehr stolz. Es ist nicht gut, so viel zu verbergen.«

»Wieso denn verbergen? Ich habe doch nie gelogen, ich mochte nur nicht daran denken.«

»Und jetzt hast du aufgehört, daran zu denken?«

»Nein! So ist es nicht. Du Wortklauber! Ich wollte nur… Ich bin doch auch ich. Hier! Und Torunn wird uns besuchen, Onkel Erlend und Onkel Krumme. Ich habe eine quicklebendige Nichte bekommen, stell dir das vor!«

»Ich mache mir mehr Sorgen um die Leute auf dem Hof. Und das tut Torunn auch.«

»Ja, ja, ja. Wir werden darüber reden. Aber nicht heute. Ich werde stundenlang dastehen und Fingerfood komponieren und das ganze Haus schmücken, ich will in kreativer Stimmung sein…«

Er setzte den leicht quengeligen Tonfall ein, der bei Krumme immer seine Wirkung tat. Krumme seufzte wieder und ließ sich auf dem Küchenstuhl zurücksinken.

»Jetzt ziehen wir uns an und gehen einkaufen, hm?«, fragte Erlend.

»Ja, das tun wir«, sagte Krumme, schlug sich auf die fetten Oberschenkel und lächelte, vielleicht ein wenig angestrengt, aber immerhin lächelte er, und außerdem würde er gleich seinen nagelneuen Matrixmantel anziehen können, das musste ihn doch besänftigen. »Wir können nur hoffen, dass meine

Diners-Karte nicht von der Friktionswärme in Flammen aufgeht.«

»Ich nehme den Feuerlöscher mit«, sagte Erlend.

Als er die Küche bis an den Rand mit den eingekauften Waren gefüllt hatte und er allein in der Wohnung war, legte er Marlene Dietrich in den CD-Player und holte alle Schüsseln und Tabletts, die sie überhaupt besaßen. Im Gästezimmer klappte er den Teetisch auf und legte Kissen und Decken in den Schrank. Er brauchte viel Platz für die Schüsseln, ein Tisch und eine Doppelmatratze müssten reichen. Er konnte es nicht ausstehen, Essen auf den Boden zu stellen, auch wenn die Putzfrau das Parkett immer putzte und bohnerte, bis es glänzte. Er öffnete das Fenster und schon hatte er den perfekten Kühlraum. Wenn die Gäste kämen, würde das Fenster geschlossen sein, alle Schüsseln würden im Wohnzimmer stehen, und die Gäste würden hier ihre Garderobe ablegen können. Das zweite Gästezimmer wurde als Arbeitszimmer genutzt und war das einzige Zimmer im Haus, in dem immer Chaos herrschte, deshalb wurde es den Gästen nicht gezeigt.

Er verteilte die Schüsseln auf der Arbeitsfläche, dann holte er eine Flasche Bollinger aus dem Getränkekühlschrank. Bei offener Tür blieb er stehen und musterte den Inhalt. Ja, ja, wenn jemand spät am Abend etwas anderes trinken wollte als Champagner, dann hatten sie Gin, Wodka, Tonic Water und Russian im Schrank.

Vorsichtig öffnete er den Champagner, um nicht einen Tropfen zu vergeuden, füllte ein Glas und trank gierig, ehe er überaus konzentriert seinen Blick über die eingekauften Waren wandern ließ. Zuerst holte er bunte Alufolie, rot und gelb, und wickelte die Schüsseln damit ein. Das war eine ziemliche Arbeit, er musste die Folie unten mit Klebeband befestigen, was nicht gut aussah, aber es kam doch auf die Oberfläche an. Sieben goldene Schüsseln und acht rote. So einfach, aber wirkungsvoll. Präsentation und *display,* das war der Schlüssel zu Augen- und Magenschmaus. Ach, es würde so schön sein, wieder an die Arbeit zu gehen, Weihnachten aus den Schaufenstern zu entfernen, neu und mutig und treffender zu denken als die Konkurrenz. Auf Neshov war ihm sogar eine Idee für ein Fenster für *Benetton* gekommen. Er wollte eine Hofszene bauen, mit Strohballen und grobem Holz, mit Trögen, Seilen und Balken. Die klaren Erdfarben würden den perfekten Hintergrund für farbenfrohe Kinderkleider abgeben, er könnte sogar Tiere ins Fenster stellen. Die Kopenhagener würden beim Anblick eines ausgestopften Schafes oder eines aus seiner Traufe hervorlugenden Pferdekopfes nicht mit der Wimper zucken. Er musste sich sofort an einen Präparator wenden, wenn er am 2. Januar wieder mit der Arbeit begann.

Er begann mit den Schinkenscheiben und den sonnengetrockneten Tomaten, spießte Fleisch und Tomaten auf Holzstäbchen mit grünem Puschel auf, füllte eine goldfarbene Schüssel mit den Delikatessen und trug sie ins Gästezimmer. Die Schüssel sah aus wie ein glitzernder Igel. Er kochte Eier, ließ sie abkühlen, zerschnitt sie mit einem feuchten Messer, an dem kein Dotter kleben blieb, und bedeckte jede Eihälfte mit Eismeerkaviar, Aioli und frischem Dill. Er schnitt Mozzarella in Scheiben, spießte sie zusammen mit Tomatenscheiben und einem Basilikumblatt auf, träufelte über die ganze Schüssel Olivenöl und drehte dann noch eine Runde mit der Pfeffermühle. Er legte winzige Mürbeteigtörtchen in eine Schüssel, gab ein wenig zerlassene Butter darauf, und füllte sie mit rotem Belugakaviar, drückte ein wenig Zitrone darüber aus und fügte einen kleinen Klecks Crème fraîche hinzu. Er schnitt eine Chorizo-Wurst in dicke Scheiben und spießte sie zusammen mit einem Stück Porree und einer großen Kaper auf. Er kippte Cocktailkirschen und schwarze Oliven zum Abtropfen in ein großes Sieb, schnitt milden Käse in große Würfel, und starken Schweizerkäse in kleine und bildete bunte Käsespießchen. Er füllte zwei Schüsseln damit, in Gold und Schwarz und Rot, und musste ein ganzes Glas Champagner trinken und den Anblick wirklich genießen, ehe er die Schüsseln ins Gästezimmer brachte. Er machte Thunfischsalat aus Thunfisch, grobkörnigem Senf, gehackten Gewürzgurken und Remouladensoße, der so phantastisch gut und einfach zuzubereiten war, dass sogar Mutter…, dachte er, verdrängte diesen Gedanken aber ganz schnell wieder. Jetzt war er hier, in kreativem Champagnerrausch, nichts durfte ihn stören, nicht einmal das Telefon, das leise gestellt und dem Anrufbeantworter ausgeliefert war.

Marlene sang guttural erotisch aus den B & O-Lautsprechern an der Küchenwand, während er den Thunfischsalat in hohe, frischgebackene Butterteigpasteten aus der Bäckerei an der Ecke füllte, mit einem Klecks Senf und dem Rest der in Streifen geschnittenen sonnengereiften Tomaten sowie zerriebener Zitronenschale. Den restlichen Thunfischsalat quetschte er zwischen runde Melbatoastscheiben. Was konnte er jetzt noch machen?

Aufgeregt ließ er seinen Blick über die Zutaten schweifen. Der Spargel! Gott, den hatte er ja total vergessen. Ganz schnell schälte er ihn und steckte ihn zum Kochen in den hohen säulenförmigen Spargeltopf mit Siebeinlage, die man dann später nur herauszunehmen brauchte. Während der Spargel kochte, zerschnitt er vorsichtig den Parmaschinken und hackte Knoblauch und Petersilie und vermischte sie mit Öl, Meersalz und Eigelb. Als der Spargel gar und ganz schnell in Eiswasser abgekühlt worden war, ließ er ihn abtropfen, dann wickelte er ihn in Parmaschinken, der mit Knoblauchpasta bestrichen war.

Jetzt brauchte er zwei Schüsseln, deren Inhalt nur aus dem Segen des Feldes bestand. Eine mit frischem Blumenkohl, Fenchel, Oliven und Erdbeeren, eine mit Mango, Blutapfelsine, roten Zwiebeln und Sellerie. Über beide Schüsseln spritzte er Balsamico, wie er das von Krumme gelernt hatte.

Krumme vertrat nämlich die Theorie, dass Balsamico niemals geträufelt werden sollte, sondern gespritzt, das hatte er in einer Kochsendung von *Rai Televisione* gesehen.

Jetzt entdeckte Erlend Krummes Käsetüte, die hatte er vergessen, das wäre ja etwas gewesen, wo sein Liebster doch offenbar nur darauf Lust hatte. Er dekorierte den Käse mit Resten: Cocktailkirschen, Sellerie und Oliven. Die Sellerieblätter legte er unter den Käse, und er bedeckte die Schüssel mit Zellophan, um das restliche Essen nicht zu verpesten, dann trug er die Schüssel zu den anderen.

Er wechselte von Marlene zu Neil Diamonds »Best of« und fing an, die beiden Wohnzimmer zu schmücken, hängte die Girlanden auf, füllte die Leuchter mit goldenen und silbernen Kerzen, legte auf den Tischen Goldchiffon aus, der zwar hier und dort einen Fleck aufwies, aber die Flecken würden von den Schüsseln verdeckt werden. An das Ende des einen Tisches stellte er unter die Tischdecke zwei große viereckige Metallkästen. Die Kästen hatte er von einem Job bei *Pamfilius* mitgehen lassen, damit fiel die Decke in weichen Falten auf unterschiedliche Plateaus, auf die er Gläser und Sektkühler stellen wollte. Er durfte nicht vergessen, den Behälter im Kühlschrank mit Wasser zu füllen, damit die Eiswürfelmaschine nicht leer würde. Er stellte Schüsseln in Stapeln auf und legte ebenfalls an diesem Tag gekaufte Servietten dazu, zu Fächern gefaltet, mit echtem Glitzer, der sicher ins Essen fallen würde, aber das musste man an einem solchen Abend eben hinnehmen. Ans Ende des anderen Tisches platzierte er den Mandelkranz, der ein wenig langweilig dekoriert war. Also peppte er alles mit einem Rock aus roter Alufolie und einem Schauer von kleinen Silbersternen auf, die er in der Neujahrsschublade gefunden hatte. Die restlichen Sterne verteilte er auf den Tischdecken. Kaffeetassen, Cognacschwenker und Dessertschüsseln mussten neben dem Mandelkranz stehen. Und die Schüssel mit den chinesischen Glückskeksen.

»Prost!« Er hob das Glas und leerte es, füllte es mit dem letzten Rest aus der Flasche und ging hinaus auf die Terrasse.

Die blinkenden Flugzeuge landeten und hoben ab, ununterbrochen, während Erlend die kühlen Marmorfliesen unter seinen Fußsohlen genoss. Hinter ihm stand der Baum. Wenn er nach Norden sah, lag irgendwo hoch dort oben Norwegen. Wenn er anrief, würde Krumme sicher mit ihm zufrieden sein und nicht mehr nerven. Und wenn er anrief, ehe er ins Badezimmer ging und sich in Seifen und Cremes und mentale Festvorbereitungen vertiefte, würde er das mit viel leichterem Herzen tun können. Aber welche Reihenfolge sollte er wählen?

Er beschloss, nach dem Prinzip zu handeln, nach dem er als kleiner Junge gegessen hatte: das, was er am wenigsten mochte, immer auf den Teller, das Beste bewahrte er bis zum Schluss auf. Stets mit einer gewissen Gefahr, einen Nachschlag von dem zu bekommen, das er am wenigstens mochte, zum Beispiel Steckrüben, weil seine Mutter glaubte, die esse er so gern, da er sich über die Steckrüben immer als Erstes hermachte.

Er verspürte ein scheußliches Herzklopfen, als er die Nummer wählte. Aber dieses Opfer brachte er schließlich Krumme und Torunn zuliebe.

»Hier ist Erlend. Wir haben heute Abend Gäste, deshalb wollte ich lieber gleich anrufen.«

Tor wollte wissen, warum.

»Warum …? Es ist doch Silvester. Ich rufe an, um zu sagen, dass wir heil zu Hause angekommen sind, und um dir ein gutes neues Jahr zu wünschen.«

Das habe er doch noch nie getan. Und zu feiern gäbe es ja wohl auch nicht viel.

»Aber …«

Und er müsse jetzt in den Stall und habe es eilig, er erwarte den Tierarzt, eine Sau müsse genäht werden.

»Hat sie sich verletzt?«

Ja, bei einem Kampf.

»Ich wusste gar nicht, dass die kämpfen«, sagte Erlend und rieb die kalten Füße aneinander. Er fror dermaßen, dass seine Waden wehtaten, er würde nachher baden und nicht nur duschen.

»Dann ist es ja gut, dass ich jetzt anrufe. Sonst hätte ich dich nachher am Ende gestört. Ich wünsche euch ein gutes neues Jahr, euch beiden.«

Ebenfalls, sagte Tor und legte auf.

Er musste sich mit einem kleinen Schluck Cognac stärken, bevor er sich an den nächsten Anruf machte, und gleichzeitig schob er die Zehen in die Pantoffeln. Beides half, und es half auch, ganz schnell einen Blick ins Gästezimmer zu werfen und die dort wartenden zum Bersten vollen Schüsseln zu bewundern.

Margido meldete sich beim ersten Klingeln.

»Schönes neues Jahr! Ich weiß, dass es noch ein bisschen früh ist, aber wir bekommen…«

Er sei das, was für eine Überraschung.

»Du hattest wohl mit Kundschaft gerechnet«, fragte Erlend und lachte kurz. Er meinte, es müsse jetzt doch möglich sein, ein wenig mit Margido zu lachen, nach allem, was passiert war. Aber vielleicht hatten der Champagner und der Schluck Cognac ihm allzu große Hoffnungen gemacht, denn Margido lachte nicht. Er antwortete stattdessen, dass er damit gerechnet habe, ja, damit rechne er immer.

»Sonst rufen wahrscheinlich nicht so viele Leute an?«, fragte Erlend, um ein bisschen gemein zu sein, Margido hätte doch lachen, hätte ihm das wenigstens gönnen können.

Margido teilte ihm nicht mit, ob sonst viele Leute anriefen, sondern erzählte, er sei zum Essen eingeladen. Klang das leicht triumphierend, oder bildete Erlend sich das ein. »Ach, was? Bei Leuten, die ich kenne?«

Nein, das glaubte Margido nicht. Ehemalige Kundschaft.

»Lebendig?« Jetzt ging er zu weit, aber er konnte sich nicht beherrschen. Aber nun lachte Margido doch tatsächlich ein wenig.

Sicher, die Kundschaft sei überaus lebendig.

»Eine Dame vielleicht? Herrgott, Margido, hast du ein *date?*«

Erlend krümmte in seinen Pantoffeln die Zehen, das war doch einfach nicht zu fassen, und dass Margido davon auch noch erzählte! Aber das mit dem Spotten sollte er vielleicht nicht zu weit treiben, Margido war doch so fromm.

»Ich wollte nicht ›Herrgott‹ sagen«, brachte er eilig vor.

Ja, es sei wirklich eine Dame, fiel Margido ihm ins Wort, aber mehr auch nicht.

»Eine Dame, aber mehr auch nicht?«, fragte Erlend.

Eine Bekannte eben, mehr nicht, sie habe ihn aus purer Dankbarkeit zum Essen eingeladen, weil er ihrem Mann eine so schöne Beerdigung beschert hatte, und es sei dumm von Margido gewesen, das überhaupt zu erwähnen.

»Nicht doch, nicht doch! Es war ja nur ein Witz. Ich wünsche dir … euch also ein schönes neues Jahr. Und ich soll dich von Krumme grüßen.«

Er solle zurückgrüßen.

Es war anstrengender, als er erwartet hatte. Er machte es ja nur Krumme und Torunn zuliebe, aber hier stand er nun und war fast außer sich. Er dachte an diese Dame und freute sich wieder. Wenn doch Margido heiraten könnte, vielleicht sogar eine junge Frau, die ihm Kinder schenken könnte. Dann würde aus dem Mann noch ein Mensch werden. Aufgeregt von dieser Vorstellung rief er Torunn an, während er die Cognacflasche unter den Arm klemmte, den Verschluss abbiss und direkt aus der Flasche trank.

»Ich bin's. Stell dir vor! Margido hat heute Abend ein *date!*«

Sie war von schrecklichem Lärm umgeben. Sie hatte ihn nicht verstanden und rief, sie müsse nach draußen gehen, er solle einen Moment warten. Dann war sie endlich da.

»Hier ist Onkel Erlend. Margido hat heute Abend ein *date!* Mit einer Frau!«

Sie lachte schallend. Sie habe gestern mit ihm gesprochen, da habe er nichts davon erwähnt, aber sicher sei es auch nichts, was Margido gerade ihr erzählen würde. Sie habe ihm berichtet, dass der Großvater ins Heim wollte.

Ach, mussten sie jetzt darüber reden.

»Und was hat Margido dazu gesagt?«

Dass er nicht krank genug sei, dass es sicher nicht möglich sein werde, die Plätze seien heiß umworben, aber Margido werde versuchen, ihnen einmal die Woche eine Haushaltshilfe zu besorgen.

»Wunderbar, dann kommt das in Ordnung«, sagte Erlend.

Torunn war sich da nicht so sicher, sie glaubte nicht, dass der Großvater Fremde im Haus haben wollte, die sich in alles einmischten, auch wenn es nur ums Putzen ging.

»Du kennst ihn doch gut! Besser als ich!«

Noch bevor sie antworten konnte, war heftiges Gebell zu hören, und Torunn erklärte, sie sei unterwegs, sei von Freunden auf eine Hütte eingeladen worden, sie seien eine ganze Bande und fünf Hunde, und jetzt gingen die Hunde offenbar aufeinander los.

»Dann bist du heute auch auf einem Fest! So eine Rauferei hat doch nichts zu sagen, ihr habt sicher Nadel und Faden bei euch. Dein Vater wartete übrigens auf den Tierarzt, als ich mit ihm telefoniert habe. Die Sauen sind aufeinander losgegangen.«

Er habe den Vater angerufen, das sei aber nett von ihm. Ihre Stimme klang jetzt froh, das hörte er, also war es das Unbehagen ja doch wert.

»Wieso denn lieb, er ist doch schließlich mein großer Bruder. Auch wenn er noch so eigen ist. Wenn du ihn auch noch anrufen willst, musst du das vor zehn erledigen. Um zehn geht er nämlich schlafen.«

Gut, dass er das sage, sie habe um Mitternacht anrufen wollen.

»Auf Byneset werden nicht gerade viele Raketen gezündet. Außer denen, die sie selbst abfeuern. Unter der Bettdecke.«

Sie kicherte. Hinter ihr war wütendes Gebrüll zu hören, der Aufruhr in der Hundemeute wurde offenbar brutal niedergeschlagen.

»Ich wünsche dir ein gutes neues Jahr. Sehen wir uns bald? Du kommst uns doch besuchen?«

Ja, das habe sie unbedingt vor, sagte sie, dann endete sie damit, dass sie für Margido Däumchen drücken müssten.

»Ach, er drückt sicher schon alles, was er hat. Zum Beispiel die Knie zusammen, daran sollten wir also nicht denken, kleine Nichte. Krumme grüßt mit tausend Küssen!«

Er ließ sich ins Badewasser sinken, unendlich zufrieden mit sich. Endlich hörte er ihn an der Wohnungstür.

»Ich bin im Badezimmer«, rief er.

»Ich bring nur schnell die Kästen rein, dann komm ich«, antwortete Krumme.

»Sind die kalt? Die Kästen?«

»Aber sicher doch.«

»Dann stell sie einfach auf die Terrasse, sie müssen ja nicht den Umweg über den Kühlschrank machen.«

Schließlich lagen sie sich im Whirlpool gegenüber, zwei in perlendes Wasser gesenkte Körper – noch anderthalb Stunden bis zum Eintreffen der Gäste. Erlend betrachtete die Fische in dem großen Salzwasseraquarium, das sich an der gesamten Längsseite des Badezimmers hinzog. Er folgte Tristan und Isolde mit seinen Blicken. Sie waren leuchtend türkis und seine Lieblingsfische. Aber im Glas wuchsen zu viele Algen, er musste den Mann bestellen, der das Aquarium für sie säuberte und Pflanzen austauschte, vielleicht könnte er auch das Steinschloss ein wenig verschieben, in dem die Fische ein und aus schwammen.

»Jetzt warst du mit deinen Gedanken aber weit weg«, sagte Krumme.

»Ich habe über Schlösser und Algen nachgedacht, über solche Banalitäten. Was haben sie eigentlich in der Redaktion zu dem Matrixmantel gesagt?«

»Nicht viel. Aber sie denken sich sicher ihren Teil«, sagte Krumme.

»Und was glaubst du, was sie denken?«

»Dass ich der glücklichste Mann der Welt bin. Und da haben sie absolut recht.«

Margido hielt den Kamm unter den Wasserhahn und zog ihn durch seine Haare, ehe er sie mit einer Hand glatt strich. Er musterte sich kritisch im Spiegel über dem Glasfach mit Zahnbürste, Zahnpasta und einer Flasche Old Spice. Der Schlipsknoten war gleichmäßig und elegant und saß genau in der Mitte, wie es sich gehörte. Einen doppelten Windsor zu binden war witzigerweise so ungefähr das Erste gewesen, was er als Lehrling beim Bestattungsunternehmen gelernt hatte. Inzwischen konnte er das gut nachvollziehen, das äußere Erscheinungsbild war so wichtig in diesem Beruf.

Der Knoten saß perfekt. Weniger gut sah es mit dem Anzug aus, den er trug. Er war zu dunkel, zu sehr *Beruf.* Er hatte seinen Kleiderschrank in der Hoffnung durchsucht, dort einen Anzug zu entdecken, von dessen Existenz er keine Ahnung gehabt hatte. Aber alle waren schwarz oder dunkelbraun, abgesehen von einem anthrazitgrauen, den er im Sommer gerne anzog, da der Stoff leicht war, jedoch verschlissen. Normale Menschen können zu Silvester jederzeit in einem schwarzen Anzug ausgehen, dachte er, aber er war eben nicht normal. Die Leute verbanden ihn mit Trauer. Am besten wäre ein hellgrauer Anzug gewesen. Er beschloss, einen zu kaufen, sowie er Zeit hätte, der würde auch zu anderen Gelegenheiten passen, bei der Arbeit und an Tagen, an denen er nicht mit Angehörigen zu tun hatte. Aber an diesem Tag musste eben der anthrazitfarbene herhalten.

Er atmete tief durch. Es war halb sieben, für halb acht war er bei der frisch gebackenen Witwe eingeladen. Selma Vanvik, zweiundfünfzig, so alt wie er selbst, sie hatte ihm wochenlang nachgestellt, er seinerseits war abweisend gewesen, aber höflich. Für diesen Abend hatte er ihre Einladung angenommen. Vielleicht würde sie entdecken, was für ein langweiliger Patron er war, und ihn danach in Ruhe lassen, dachte er. Er wollte zurück in seinen Alltag, in die Routine, in den Wechsel zwischen Arbeit und isolierter Freizeit hier in seiner Wohnung. In den letzten Monaten hatte er mit dem Gedanken gespielt, eine neue Wohnung zu kaufen, nicht, weil seine jetzige zu klein oder hässlich war, sie war genau richtig, aber er wünschte sich so sehr eine Sauna, in der er schwitzen und sich entspannen könnte. Es war unmöglich, neben das Badezimmer hier noch eine Sauna einzubauen. Sie würde nur die kleine Küche auf der anderen Seite der Mauer auffressen, aber er hatte noch nicht angefangen, sich Immobilienanzeigen anzusehen. Die Vorstellung eines Umzugs machte ihn ganz nervös, seine Geborgenheit schenkenden Zimmer auszuräumen, das würde hart sein.

Plötzlich war alles ins Fließen geraten, so kam es ihm vor. Alles zerfloss zwischen seinen Fingern, er wollte die Kontrolle nicht verlieren. Arbeit und Freizeit zu Hause, nur daran war er gewöhnt. Zuerst war das mit der Mutter passiert, Erlend und Krumme waren gekommen, und dann auch noch Torunn. Sie waren doch in all den Jahren auf Neshov zurechtgekommen, auch in den letzten sieben Jahren, in denen er keinen Fuß auf den Hof gesetzt hatte. Und nun, wo die Mutter nicht mehr da und der Stand der Dinge bis zu einem gewissen Grad geklärt war, sollte doch endlich ein wenig Ruhe einkehren. Aber nein, Anrufe, Anrufe… Erst am Vortag Torunn, die den Alten in ein Heim schaffen wollte, und jetzt Erlend.

Das gefiel ihm überhaupt nicht.

Die juristischen Fragen, die den Hof betrafen, hatte er an Rechtsanwalt Berling weitergereicht, einen klugen und bedächtigen Mann, den er Angehörigen empfahl, die sich mit Erbproblemen herumschlugen. Berling würde alles in Ordnung bringen, und sie stritten sich ja auch gar nicht. Der Hof würde auf Tor überschrieben werden, der Alte würde keinen Widerspruch einlegen, er und Erlend würden bis auf weiteres auf ihren Anteil verzichten.

Torunn würde dann zur Anerbin werden, diese Erbschaftsklausel gab es einfach. Ob Torunn erfasste, was das alles bedeutete? Welche Verantwortung auf ihr lasten würde, wenn Tor starb oder zu gebrechlich würde? Er konnte es sich nicht vorstellen.

Immerhin würde er für eine Haushaltshilfe sorgen, damit das geregelt wäre und ihm das Gequengel wegen des Heims erspart bliebe. Der Vater hätte sowieso keine Chancen, er war nicht hilfsbedürftig genug. Sich nicht jeden Tag eine neue Unterhose anzuziehen und sein Gebiss im Holzschuppen zu verlieren, reichte nicht dafür aus, dass die Gemeinde für ihn einen Platz in einem Heim bereitstellte. Er wollte wohl in das neue in Spongdal, das erst vor wenigen Jahren eröffnet worden war. Bildete sich wohl ein, wie so viele andere alte Leute, dass man in ein Heim in der Nähe des bisherigen Wohnortes käme. Aber die Gemeinde Trondheim musste das Puzzlespiel aufgehen lassen. Sie ging nach der Reihenfolge der Anträge vor und nicht nach der Lage der jeweiligen Heime. Vielleicht sollte er das dem Alten gegenüber erwähnen, dass er möglicherweise in einem weit von Byneset entfernt liegenden Heim enden würde. Ach. Der Alte konnte ihm ja auch leidtun. Wenn ihm überhaupt jemand leidtat, dann er.

Er schaltete das Licht im Badezimmer aus und ging ins Wohnzimmer. Plötzlich merkte er, dass er eigentlich eine Stärkung brauchen könnte. Über diesen Gedanken staunte er. Er trank so gut wie nie, aber jetzt würde es gut tun. Was, wenn sie ihn belästigte, einmal hatte sie ihn doch umarmt und sich an ihn gepresst.

Er hätte niemals Ja sagen dürfen, er spürte sein Herz unangenehm schnell schlagen und schloss die Augen. Er hatte versprochen, ein Taxi zu nehmen und nicht selbst zu fahren, nach Hause würde er dann zu Fuß gehen. Es war zwar weit, aber doch machbar, er würde seine Winterschuhe in einer Tüte mitnehmen. Oder er könnte anrufen und sagen, dass…

Nein. Er musste es wagen, ob er nun wollte oder nicht. Wenn sie nur wüssten, Frau Marstad und Frau Gabrielsen, seine Angestellten, dass er auf dem Anrufbeantworter die Nummer eines der größeren Bestattungsunternehmen hinterlassen hatte. Das machte er nur dann, wenn er selbst ausgebucht war, da keine der Damen sich gern mit Erstanfragen abgab. Hier stand er nun, mit Old Spice auf den Wangen, und war durchaus nicht ausgebucht. Wenn er an diesem Abend zu ihr ginge, würde sie sicher in Zukunft damit aufhören, ihn zu bedrängen.

Er fand im Schrank eine Flasche Rotwein, ein verstaubtes Geschenk von Angehörigen. Er zog ganz hinten aus der Schublade einen Korkenzieher und öffnete die Flasche. Es knallte. Das Geräusch hallte zwischen den Küchenwänden wider. Er schenkte sich ein Glas ein und legte Plastikfolie über die Flaschenöffnung. Er wusste nicht einmal, wie lange sich eine geöffnete Flasche hielt, sicherheitshalber stellte er sie in den Kühlschrank. Er trank zu schnell und spürte sofort die Wirkung. Ein *date*… Was für ein Wahnsinn. Und dann fröstelte er am ganzen Körper, er hatte nichts für sie, er müsste ihr doch etwas mitbringen. Schnittblumen verabscheute er, aber was sonst? Wie benommen vor Erleichterung fiel ihm plötzlich die ungeöffnete Pralinenschachtel ein, die er vom Sargfabrikanten bekommen hatte und die noch immer im Regal lag, sogar noch mit der goldenen Schleife. Jetzt musste er ein Taxi bestellen, anrufen, ehe er sich die Sache anders überlegte.

Auf der Treppe zu ihrem Einfamilienhaus stand eine brennende Fackel. Sie öffnete sofort.

»Pralinen! Wie reizend! Was bist du für ein Mann von Welt, Margido!«

Er nickte und zwang sich zu einem Lächeln. Als er merkte, dass sie zu einer Umarmung ansetzte, war er schrecklich lange mit seinem Mantel beschäftigt.

»Es riecht gut«, sagte er.

»Ich oder das hier?«, fragte sie, legte den Kopf schräg und spielte am Goldband der Pralinenschachtel herum.

»Das Essen«, sagte er und wäre am liebsten wieder gegangen. Sie sollte sich bloß nichts einbilden.

»Du weißt, Selma, wenn ich heute Abend hergekommen bin, dann, weil ich dachte, es könnte nett sein. Ich weiß, dass du allein bist und …«

»Nein, nein, da irrst du dich, ich hatte sogar jede Menge Einladungen, aber ich habe alles abgelehnt«, sagte sie und lachte. »Nachdem du zu Heiligabend abgesagt hattest und ich den Abend schon mit den Kindern und den lärmenden Enkelkindern verbringen musste, wo ich doch nur Ruhe und Frieden wollte, da wäre es ja noch schöner gewesen, wenn wir auch diesen Abend nicht für uns hätten. Ich habe übrigens Raketen gekauft.«

»Ist es nicht verboten, sie abzuschießen?«

»Nein, das gilt nur für die Innenstadt. Hier darf man.«

»Ich habe in meinem ganzen Leben noch keine Rakete abgeschossen«, sagte er und blieb mit hängenden Armen stehen.

»Auf der Packung steht die Gebrauchsanweisung, also keine Angst!«

Er hätte beim Alkohol aufpassen sollen, schließlich war er ihn einfach nicht gewöhnt … Einzelne lebten in dem Irrtum, er sei noch immer ein praktizierender Christ, niemand wusste, dass ihn der Glaube an Gott längst verlassen hatte, trotzdem goss sie sein Glas immer wieder voll. Das Essen schmeckte wunderbar, und er war daran gewöhnt, beim Essen ab und zu einen Schluck zu trinken. Er schien vergessen zu haben, dass er hier Alkohol zu sich nahm und nicht Saft oder Milch wie sonst.

Als Vorspeise servierte sie Krabbencocktail mit Weißwein, und als Hauptgericht gab es Lammbraten mit in Sahne überbackenen Kartoffeln, Erbsen und Rosenkohl und dazu Rotwein. Sie saßen einander gegenüber. Der Tisch war breit und geräumig, das schenkte ihm eine beruhigende Distanz, später dachte er, die physische Entfernung habe ihn dazu gebracht, sich zu entspannen und einfach die Mahlzeit zu genießen. Sicherlich würde der Abend so weitergehen, sie würde dort sitzen, er hier.

Als sie aufstand, um die Teller abzuräumen, sprang er auf, um zu helfen, und sofort musste er einen kleinen Extraschritt einlegen.

»Nein, bleib du nur sitzen. Müder Arbeitsmann, jetzt mach es dir einfach gemütlich, während ich abräume und Kaffee aufsetze. Ein bisschen Musik vielleicht?«

Er ließ sie nicht aus den Augen, während sie blitzschnell über die Teppiche sauste, zuerst zur Stereoanlage, wo sie sich an den Knöpfen zu schaffen machte, später jagte sie wie der Wind mit dem Geschirr in die Küche. Sie trug ein schwarzes Kleid und Perlen um den Hals und in den Ohren. Sie kleidet sich altmodisch, dachte er, Frauen von etwas über fünfzig wirken ja heutzutage kleidungsmäßig wie die blühende Jugend. Daran war er gewöhnt, und jetzt empfand er plötzlich eine tiefe Zuneigung zu ihr, weil sie sich vielleicht alt vorkam. Genau wie er selbst.

Er musterte seine Hände, sie lagen auf der Tischdecke und gehörten irgendwie nicht zu ihm. Er hatte mit dem Rotwein gekleckert, das merkte er jetzt, und mit der Bratensoße, er kratzte ein wenig am Soßenfleck herum, rieb ihn in die Decke. Seine Zunge und seine Lippen kamen ihm geschwollen vor, er berührte die Lippen, aber die waren so wie immer. Und sein Körper war glühend heiß, vor allem Stirn und Hals und Waden. War er etwa betrunken? Das wäre dann das erste Mal in seinem Leben. Schon als Junge auf Byneset war er in christliche Vereinigungen eingetreten und hatte nicht das Bedürfnis verspürt, mit Alkohol zu experimentieren, und auch nicht mit anderen Dingen. Was war das eigentlich für Musik, die sie da aufgelegt hatte? Ach, jetzt erkannte er das Stück, Glenn Millers »In the mood«. Großer Gott im Himmel, er musste machen, dass er nach Hause kam.

Wieder erhob er sich, hielt sich an der Tischkante fest. Da stand sie da mit Kaffeetassen, Desserttellern und Cognacgläsern.

»Ich glaube nicht…«

»Aber jetzt setz dich doch endlich, Margido. Ich habe wirklich alles im Griff, du brauchst nichts zu tun. Jetzt trinken wir hier den Kaffee, und nach einer Weile setzen wir uns mit Champagner ins Wohnzimmer.«

Als sie ihm den Rücken zukehrte, schaute er verstohlen auf die Uhr, es war fast zehn. Wo waren die Stunden geblieben? Er hatte viel von seiner Arbeit erzählt, das schien sie wirklich zu interessieren, und sie füllte seinen Teller immer wieder, aber trotzdem, dass die Zeit so schnell verflogen war, vielleicht war das der Grund, weshalb die Leute Alkoholiker wurden. Sie wollten die Zeit schneller vergehen lassen, dachte er, während sich eine Mattigkeit in seinem ganzen Körper ausbreitete. Er war gefangen, er kam hier nicht los, da konnte er auch gleich aufgeben, er wusste plötzlich nicht, ob er es schaffen würde, noch weiter zu kämpfen.

»Es hat wunderbar geschmeckt«, sagte er und lauschte auf seine eigene Stimme. Nuschelte er?

Der Cognac weckte ihn, plötzlich schien sein Kopf klar zu sein. Verwundert trank er noch einen Schluck, und dann einen Kaffee. Jetzt ging es ihm wieder richtig gut. So was, dachte er, das begreife ich nicht, ich trinke mich nüchtern. Jetzt wollte sie über sich reden, und dankbar ließ er sie erzählen und hörte sich alles genau an. Gleich darauf hatte er es vergessen und musste noch einmal fragen. Das war fast lustig, er lachte ein wenig über sich.

»Offenbar hab ich mein Kurzzeitgedächtnis verloren«, sagte er.

Sie zwinkerte ihm entgegen, der Kerzenschein ließ ihre Augen funkeln wie die einer Katze. Sie sah doch überhaupt nicht altmodisch aus, das Kleid hatte einen großzügigen Ausschnitt, und die Kluft zwischen den Brüsten war gerade noch zu sehen.

»Jetzt ziehen wir ins Wohnzimmer um«, sagte sie.

Schon? Er erhob sich langsam und umständlich. »Ich bin ja so satt«, sagte er. »Deshalb bin ich ein bisschen langsam.«

Der Couchtisch war bedeckt von Schüsseln mit Knabbereien und einem roten Korb voll Mandarinen. Sie zündete die Kerzen an, hoch und weiß, und machte Feuer im Kamin, in dem das Holz schon bereitlag. Sie setzte sich neben ihn auf das Sofa und reichte ihm eine Champagnerflasche. Die Gläser standen bereits auf dem Tisch.

»Die musst du aufmachen, du als Mann.«

Im Alter von zweiundfünfzig Jahren sollte er also zum ersten Mal eine Champagnerflasche öffnen. Er nahm sie und genoss das kalte Glas unter seinen heißen Handflächen. Zum Glück sah er sehr viel fern. Er wickelt den Draht ab und drehte ihn dann auseinander, wie er es beobachtet hatte. Danach bewegte er vorsichtig den Korken. Dieser lockerte sich mit einem lautem Knall, hüpfte über den Couchtisch und traf auf der anderen Seite auf den Boden auf.

»Gooott!«, rief sie und lachte schallend. Dann: »Ach, Verzeihung, es war nicht so gemeint…«

Aber sie musste immer weiter lachen, er lachte auch, während sie die Gläser unter den weißen Schaum hielt, der aus der Flasche quoll. Er merkte, dass er sofort nach Luft schnappen musste. Er kleckerte auf den Boden und den Teppich.

»Ach, das spielt keine Rolle, es ist doch Silvester. Da muss es ein bisschen spritzen!«

Er erwiderte ihren Blick, während sie ganz schnell den Schaum von den Gläsern tranken. Ihr Blick war erregt und leuchtete, sogar die Augäpfel schienen ihn anzulachen. Er spreizte in seinen guten Schuhen die Zehen, dachte, jetzt müsse er sich aber zusammenreißen und nicht mehr trinken, aber dieser Gedanke war ebenso schnell wieder verschwunden, stattdessen lachte er wieder, auf alberne Weise, das hörte er selbst, aber nicht einmal das spielte eine Rolle.

»Ich glaube, du hast auch deine Hose getroffen«, sagte sie und war schon mit den Fingern zur Stelle und wischte ziellos an seiner Hose herum.

Da kam er zur Besinnung. Was machte er hier denn bloß. Vorsichtig stellte er sein Glas auf den Tisch. Das hätte er wohl nicht tun dürfen, denn sie tat es auch, und plötzlich hatte er zwei Arme, von denen er nicht wusste, was er mit ihnen anfangen sollte, und das hatte sie auch, nur wusste sie, was sie mit ihren zu tun hatte, und sie legte sie um seinen Hals und blickte ihm ins Gesicht.

»Margido«, flüsterte sie.

»Ja.«

»Warum hast du solche Angst.«

»Ich habe doch keine Angst, ich weiß nur nicht so ganz, was ich …«

»Was du?«

»… tun soll«, sagte er.

»Mit mir?« Sie öffnete die Lippen, »Du könntest mich zum Beispiel küssen.«

Er legte die Lippen auf ihre, spürte, wie ihre Zungenspitze dazukam, lauschte auf den Puls, der in seinen Ohren dröhnte und wie ein Wasserfall wütete. Die Musik im Zimmer verschwand, er glaubte, taub zu werden. Sie wandte ihr Gesicht ab und rückte langsam dichter, fast mit tiefem Ernst, an ihn heran. Sie lächelte nicht mehr.

»Margido«, flüsterte sie.

»Ja.«

»Du brauchst nicht zu antworten. Ich sage nur deinen Namen, den sag ich gern.«

Sie legte eine Hand auf seinen Hosenschlitz, er bewegte sich nicht. Er wollte wieder zum Glas greifen, glaubte aber nicht, dass er es aufheben könnte.

»Hier bist du ja«, flüsterte sie.

Er begriff, was sie meinte, es hämmerte in seinem Kopf, er kam nicht vom Fleck, das hier würde er nicht überleben, zugleich konnte ihm das ganze Leben doch egal sein. Ihre Haut fühlte sich an wie Seide, und doch waren mehrere Stoffschichten dazwischen, Unterhose und Anzughose. Er spreizte die Knie und ließ sich ohnmächtig auf dem Sofa zurücksinken. Blieb jetzt sein Herz stehen? Noch immer war er taub, und die Musik war verschwunden, sein Schritt füllte seinen ganzen Körper, ihr Kleid war aus Samt, es war wie ein feuchtes Pelztier anzufassen, das hatte er noch nie getan, aber er glaubte, es müsse sich so anfühlen, ein nasser Otter vielleicht. Er schloss die Augen und wurde von einer tiefen Andacht erfüllt. Er öffnete die Augen, sie saß auf seinem Schoß, ihr Ausschnitt war größer geworden, jetzt war er verschwunden, nur ihre Brüste waren noch übrig. Die Spitze der einen war wie eine Rosine zwischen seinen Lippen, mit leichtem Salzgeschmack.

»Du brauchst nur die Gebrauchsanweisung zu lesen«, sagte sie, als sie im Mantel im Garten standen. Genauer gesagt ... stand sie, er saß auf einer Mauerkante, ohne vorher den Schnee entfernt zu haben. Sie leuchtete die Rakete in seiner Hand mit einer Taschenlampe an, aber er konnte die Buchstaben nicht erkennen. Und seine Hände zitterten so sehr. Sie reichte ihm die Champagnerflasche.

»Dann nimm die. Ich habe schon eine leere Flasche hier in den Schnee gesteckt, da können wir sie reinstecken. Ich wollte es dir überlassen, Männer tun so was doch gern.«

Sie kicherte, er kicherte auch, fühlte sich wie betäubt und wie ein neuer Mensch, ich bin Margido, dachte er, jetzt lässt sie Raketen fliegen, soll ich Tor anrufen und davon erzählen, nein, Erlend, Tor schläft.

Er zog das Telefon aus der Tasche, musste lange und zähe Sekunden nachdenken, damit ihm die PIN einfiel. Er schaltete es ein, während sie sich mit einem Feuerzeug zu schaffen machte und rief: »Jetzt fällt mir ein, dass ich auch Zigarren gekauft habe!«

Am Ende war es sein Daumen, der sich an die PIN erinnern konnte, nicht er selbst. Danach suchte er Erlends Nummer und drückte auf den grünen Knopf. Eine Rakete jagte hoch, zischend und fauchend wie eine wahnsinnige gelbe Schlange vor dem schwarzen Himmel, sie lachte hysterisch und klatschte in die Hände.

»Hallo? Hallo?! Ist da Erlend?«, fragte er.

Als Antwort hörte er ein schrilles »Jaaaaa!«.

»Hier ist Margido. Schönes neues Jahr, Brüderchen!«

Erlend gab eine absolut unverständliche Antwort.

»Ich habe ein *date.*«

Dann brach er das Gespräch ab und blieb mit dem Telefon in der Hand sitzen. Sie kam durch den Neuschnee auf ihn zugerannt.

»Nun komm schon. Leg das dumme Telefon weg, jetzt musst du doch mit niemandem reden!«, rief sie und zog ihn an der freien Hand. »Komm schon, Margido. Ich habe eine ganze Familienpackung Raketen gekauft!«

Dieses Wort brachte ihn dann endlich zu sich: Familienpackung.

»Schönes neues Jahr, Selma, ich muss jetzt gehen«, sagte er, stand auf und konnte sich auf den Beinen halten. Was hatte er getan, was um Gottes Willen hatte er getan? Er hatte Erlend angerufen.

»Hast du den Verstand verloren? Natürlich kannst du nicht …«

»Da kam ein Anruf. Wir haben einen Notfall im Büro«, sagte er, er musste die Wörter mühsam aneinanderreihen.

»Aber du hast getrunken! Du kannst doch nicht …« Sie zog an seinem Mantel.

»Ich kann nicht Auto fahren, aber die meisten anderen Dinge kann ich.«

Er hörte, dass er nuschelte. Aber sie war ja auch betrunken, sicher merkte sie das nicht.

»Ich muss los. Tut mir leid. Es war …«

»Wir haben doch eben erst … Ich dachte, du wolltest …«

»Was heißt schon wollen«, sagte er. »Hier geht es um wichtigere Dinge, ein Mensch liegt tot in seinem Bett, und ich muss …«

»Darum können sich doch andere kümmern, Margido, bitte!«

»Nein. Das kann nur ich.«

Er orientierte sich auf dem Heimweg an den Schneehaufen am Straßenrand, was gut funktionierte. Er schloss die Tür auf und ging sofort zum Kühlschrank, dann schüttete er den Rest Rotwein in den Ausguss. Ihm fiel plötzlich die Geschichte eines Mannes in einer Kahlzelle ein, der Selbstmord begangen hatte, indem er seine eigene Zunge verschluckt hatte.

Er zog seine Zunge ganz nach hinten in seinen Rachen. Vermutlich musste man mit den Fingern nachhelfen. Aber das musste bis morgen warten, er musste das Bett finden, ehe er das Bewusstsein verlor. Er hatte keine Kraft, sich vorher auszuziehen.

Sie setzte sie ziemlich weit auseinander in das große Versammlungszimmer im Keller der Praxis. Die Welpen wollten unbedingt zueinander, und das Fiepen und Bellen und Kratzen von Krallen auf dem Linoleum füllte den Raum, übertönte sie fast. Sie wusste, dass viele Hundeschulen den ersten Kursabend ohne Hunde abhielten, aber das kam ihr sinnlos vor.

Es war ein Dressurkurs für Welpen, der jetzt Mitte Januar begann, für Welpen von vier bis sechs Monaten. Allmählich wurde es etwas ruhiger im Saal. Ein kleiner Bordercollie hatte schon den Kopf auf die Pfoten gelegt, auch andere sahen ein, dass die Schlacht verloren war.

»Es ist wichtig, dass Hunde lernen, mit anderen Hunden zusammen zu sein, ohne sich mit ihnen raufen oder mit ihnen spielen zu müssen. Es ist ein gutes Training für den Hund, dass er sich ruhig verhalten muss, während andere Dinge passieren, bei denen er nicht im Mittelpunkt steht. Ich gehe mal davon aus, dass er zu Hause absolut im Mittelpunkt steht.«

»Das kannst du laut sagen«, sagte ein Mann mit Bart und Isländer und grinste. Er war der Besitzer des Bordercollies.

Die anderen schmunzelten und nickten alle gleichzeitig.

»Genau«, sagte sie. »Was der Hund jetzt erlebt, ist, auf unmittelbare Bedürfnisbefriedigung verzichten zu müssen.«

Sie sagte das mit einem Lachen, die anderen sollten verstehen, dass sie eher aus Jux mit psychologisierenden Fremdwörtern um sich warf, aber im Grunde signalisierte sie außerdem, dass sie wusste, wovon sie hier redete.

»Bei diesem Kurs geht es darum, dass wir dem Hund das Lernen beibringen müssen. Wenn der Hund älter wird, füllen wir das Lernen mit mehr Inhalt. Wenn ihr weitere Kurse machen wollt, jederzeit. In diesem Kurs aber sollt ihr als Hundebesitzer Sicherheit und Kenntnisse genug gewinnen, um zu wissen, wie ihr euch zu verhalten habt. Euer Welpe lebt in seinem eigenen Universum und hält sich für den absoluten Mittelpunkt. Er ist von seiner Mutter zu euch gekommen. Seine Mutter war streng zu ihm, für viele ist es ein Schock zu sehen, wie eine Hündin mit einem unartigen Welpen umspringt. Menschen schmusen und kuscheln und streicheln den Welpen. Ich meine nicht, dass ihr ihn verprügeln sollt, aber ihr dürft auch keine Angst davor haben, Grenzen zu setzen. Ein deutliches Nein oder aber Lob, wenn er sich richtig verhält oder nichts Falsches tut. Aber es geht nicht, wenn die Tochter des Hauses gleichzeitig ruft: *Seid nicht böse auf Fido, der ist doch so süß und klein. Komm zu mir, Fido, du Armer, war Papa gemein zu dir…*«

Mehrere lächelten und schienen sich in dieser Beschreibung wiederzuerkennen.

»Ein Welpe, der keine deutlichen Grenzen kennt, wird ein unsicherer Hund«, sagte sie jetzt. »Aber ein Welpe, der geschlagen wird, fühlt sich unerwünscht im Rudel, also in der Familie. Das ist genauso schlimm. Lob und noch mehr Lob, wenn er das gewünschte Verhalten zeigt, das ist das Stichwort. Dennoch müsst ihr lernen, mit ihm zu kommunizieren, damit er versteht, dass diese Information von euch kommen soll.«

»Wie um alles in der Welt sollen wir das denn schaffen?«, fragte eine Frau mit einem kleinen Riesenschnauzer.

Torunn wusste, dass es ein Rüde war und auch, dass die Familie noch nie einen Hund gehabt hatte. Sie fragte sich, was die Züchter sich eigentlich dabei gedacht hatten, als sie einen solchen Welpen an Anfänger verkauft hatten, einen Hund von einer der widerspenstigsten Rassen, die es überhaupt gab. Sie würde dieses Paar ganz besonders im Auge behalten müssen, sonst würde der Hund eingeschläfert werden, wenn erst das Testosteron in seinem Körper zu spuken begann.

»Wir fangen damit an, dass euer Hund lernt, sich auf euer Gesicht zu konzentrieren, auf eure Augen und das, was ihr sagt. Welpen konzentrieren sich auf Hände. Es gibt Unterschiede zwischen den einzelnen Rassen, zum Beispiel dieser Bordercollie, du hast sicher schon festgestellt, dass er dir in die Augen starrt, wenn er nicht weiß, was du willst.«

Der Mann im Isländer nickte. Er sah gut aus. Aber er trug einen Trauring.

»Ein Bordercollie ist wie eine leere Festplatte, du musst einfach Daten eingeben«, sagte sie. »Es ist so, dass der Hund frustriert wird und Probleme bekommen kann, wenn er nicht genug lernt. Du wirst feststellen, dass es einfach ist, mit ihm zu kommunizieren und ihm etwas beizubringen, dein Problem wird das Gegenteil sein. Du darfst ihn nicht übersehen oder ihn vernachlässigen. Dann dreht er durch. Ein Riesenschnauzer dagegen muss lernen zu lernen, und er muss wissen, wer bestimmt. Kann ich ihn mal haben? Wie heißt er?«

»Nero«, sagte die Frau.

Torunn führte den schwarzen Riesenschnauzer-Welpen vor die anderen. Er zog an der Leine und wollte zurück zu seiner Besitzerin, dann gab er plötzlich auf und fing an, den Boden und einen Stuhl zu beschnuppern.

»Nero?«, sagte Torunn.

Er reagierte nicht, er schnupperte weiter. Sie zog einen Leckerbissen aus der Tasche und hielt ihn vor das Gesicht des Welpen. Sofort war sein Interesse geweckt, aber sie gab ihm den Leckerbissen nicht, sondern hob ihn langsam zu ihrem Gesicht, bis sie Blickkontakt hatten. Dann lobte sie den Hund heftig.

»Hast du Lust darauf?«, fragte sie. Der Welpe setzte sich.

Nicht, weil er das gelernt hatte, das wusste sie, sondern weil es bequemer war, wenn er den Kopf in den Nacken legen musste, um nach oben zu blicken. Langsam führte sie die Hand mit dem Leckerbissen hinter ihren Rücken. Der Welpe folgte ihr mit Blicken, bis der Leckerbissen verschwunden war, dann riss er an der Leine und wollte hinterher. Mit der anderen Hand hielt sie ihn fest. »Nero?«

Er erwiderte ihren Blick, und sie lobte ihn überschwänglich. Dann gab sie ihm rasch den Leckerbissen und zog einen neuen aus der Tasche. Am Ende hatte er verstanden. Wenn er ihren Blick erwiderte, bekam er den Leckerbissen, nicht aber, wenn er ihre Hand anstarrte. Sie gab ihn seiner Besitzerin zurück, und der kleine Nero sprang glücklich auf ihren Schoß mit einer Wiedersehensfreude, als ob er soeben allein Grönland durchquert hätte.

»Das muss jeden Tag geübt werden«, sagte sie. »Wenn du den Blick des Hundes festhältst, hört er dir zu. Gibt es schon Fragen?«

»Kann es wirklich so einfach sein? Dass Cox alles Mögliche lernt, wenn er mir nur in die Augen blickt?«, fragte eine rothaarige Frau mit einem Airedale-Terrier-Welpen, der entspannt zu ihren Füßen lag.

Torunn lächelte. »So einfach und so schwer. Du wirst feststellen, dass es Zeit braucht. Alles muss wiederholt werden. Und wenn du eine Zeitlang diese Übungen versäumst, wird er wieder die Hand anstarren. Drei Dinge müsst ihr kennen, die dem Hund absolut klar sein müssen, ehe er weiterlernen kann: Diese Übung, die ich eben gezeigt habe. Danach die Essensübung und zu guter Letzt die Spielübung. Wenn diese drei Dinge sitzen, kann ich halbwegs garantieren, dass jede weitere Dressur hundertmal einfacher sein wird. Und die ganze Familie muss mitmachen. Jetzt legt ihr die Grundlage für gute Hundehaltung für den Rest des Lebens eures Hundes. Ihr könnt gern schon jetzt mit *Platz* und *Fass* und so anfangen, aber stellt das nicht in den Mittelpunkt, der Hund darf es nicht als stressige Leistungsanforderung erleben.«

»Wenn das aber so einfach ist«, sagte ein junger Mann mit einem kleinen Schäferhund, der gerade die Schnürsenkel seines Herrchens zernagte, »wieso gibt es dann noch Problemhunde?«

»Weil die keinen Kurs gemacht haben, vielleicht?«, fragte der Mann im Isländer und zwinkerte ihr zu.

»Genau«, sagte sie und lächelte ihn an. »Jetzt werde ich die Essensübung und die Spielübung erklären. Das alles müsst ihr jetzt bis zu unserem nächsten Treffen jeden Tag trainieren. Dann werdet ihr schon viele Erfahrungen sammeln, und mit denen werden wir arbeiten, wir werden sie analysieren. Wenn ihr andere Familienangehörige hinzuziehen wollt, dann tut das. Die Essensübung ist ungeheuer einfach zu erklären, aber anstrengend zu üben. Es geht darum, dass ihr eine Schüssel mit leckerem, verlockendem Essen hinstellt, der Hund muss aber auf Distanz bleiben. Er kann sitzen oder liegen, das Futter bekommt er allerdings erst, wenn ihr sagt: Bitte sehr. Anfangs müsst ihr ihn festhalten, bis ihr die magischen Worte gesagt habt. An einem Tag wartet ihr zehn Sekunden, am nächsten dreißig, variiert die Länge der Wartezeit. Der Hund wird dann begreifen, wer der Chef ist. Ohne dass ihr brüllen oder schlagen müsst oder so.«

»Meine Güte«, sagte der Mann im Isländer. »Das klingt ja superlogisch.«

Sie lächelte. Er war wirklich anziehend. Das mit dem Ring war schade.

»Ja, das ist superlogisch. Sobald diese Übung sitzt, dann wechselt ab, welches Familienmitglied ihm Futter gibt. Wenn der Hund nicht reagiert, wenn ein fünfjähriges Kind ihm das Futter hinstellt, sondern einfach losstürzt und fressen will, dann müssen die Erwachsenen eingreifen. Er hat auch einem fünfjährigen Kind zu gehorchen«, sagte sie und sah dabei Neros Besitzerin an.

»Die Spielübung ist ebenso einfach und ebenso wichtig.

Lasst euch auf den Boden fallen und spielt mit dem Hund. Spielt richtig los. Lasst ihn an euch herumknabbern und knabbert zurück, wenn es euch nichts ausmacht, den Mund voller Hundehaare zu haben. Plötzlich springt ihr dann auf, geht in die Küche und macht euch einen Kaffee, und dabei überseht ihr den Hund total. Kein Klaps, kein Blick. Anfangs wird er fiepen und quengeln und kratzen und euch ins Hosenbein beißen, aber ihr ignoriert ihn. Das erzählt ihm bis tief in seine Instinkte hinein, wer hier bestimmt.«

Nach einer langen Fragerunde und vielen Einzelgesprächen winkte sie den Autos zum Abschied zu und stieg die Treppe zur Praxis hoch. Der Andrang von Patienten ohne Termin ließ nach, sie hatten abends von sechs bis acht geöffnet, aber noch immer saßen vier im Wartezimmer. Zwei mit Katzen im Korb, eine riesige Promenadenmischung von Hund, und ein Mädchen mit einem Bichon frisé, der offenbar Läuse oder Ohrenmilben hatte, jedenfalls kratzte er sich ununterbrochen.

Im Pausenraum war niemand, alle drei Behandlungszimmer waren in Betrieb. Als Sigurd, einer der drei Tierärzte, zusammen mit einem hinkenden Hund mit kreideweißem Verband um die Vorderpfote herauskam, ging sie hinein, um vor dem nächsten Patienten aufzuräumen. Eigentlich war sie an den Abenden, an denen sie Kurse abhielt, keine Sprechstundenhilfe, aber als Mitbesitzerin fühlte sie sich verantwortlich und half, wo immer sie konnte. Rasch säuberte sie den Behandlungstisch und entfernte die blutigen und provisorischen Verbände, die der Hund offenbar gehabt hatte, die Instrumente nahm sie zum Desinfizieren mit. Als Anja mit einer betäubten Katze auf den Armen aus dem anderen Behandlungszimmer kam, wiederholte sie ihre Routine auch dort. Auf dem Tisch lag ein großer blutiger Holzspan, der vermutlich aus der Katze herausgezogen worden war, aus dem Mund, nahm Torunn an.

Sie war müde, sie hatte den ganzen Tag gearbeitet, und ihr Kopf war voller Gedanken, die die Arbeit auf Distanz zu halten halfen. Jetzt drängten sie sich ihr auf, ihr grauste davor, ihr Telefon einzuschalten. Sie ging ins Pausenzimmer und stellte neuen Kaffee auf, zündete die Kerze auf dem Tisch an und füllte den noch immer dort stehenden Weihnachtskorb mit Pfefferkuchen zum halben Preis, ehe sie ihr Telefon zum Leben erweckte und mit Warten begann.

Es gab zwei Nachrichten ihrer Mutter, eine als SMS und eine auf dem Anrufbeantworter. Die SMS sagte, er dürfe sich ja nicht einbilden, dass er zurückkommen könne, wenn er die Sache satt hätte. Sie hörte den Anrufbeantworter ab, dort waren Tränen und Wut gespeichert, aber Torunn brauche nicht zu kommen und sie zu trösten, sie werde ihn schon *loskriegen.* Wenn die Mutter zu nordnorwegischen Ausdrücken griff, wurde Torunn ein wenig gelassener. Dann war sie eher wütend als verzweifelt.

Die Mutter und Gunnar waren über Weihnachten und Neujahr auf Barbados gewesen, und dort hatte Gunnar eine andere Frau kennengelernt. Sie waren seit dreiunddreißig Jahren verheiratet, seit Torunn vier Jahre alt war, und jetzt saß die Mutter als verlassene Frau da, mit fünfundfünfzig Jahren. Seltsamerweise war die neue Frau keine junge Göre, sondern eine erwachsene Person von zweiundvierzig. Gunnar passte sich also nicht dem üblichen Klischee an, hatte Torunn gedacht, als die Mutter ihr zu Neujahr gleich nach ihrer Rückkehr die ganze Geschichte serviert hatte. Er hatte gestanden, saubere Kleidung in einen Koffer gepackt und war verschwunden. Aber dass die andere eben keine junge Göre war, machte die Sache für die Mutter womöglich noch schwerer, es gab der Angelegenheit eine größere Seriosität.

Es war hart genug zu verstehen, dass ein Mann nach dreiunddreißig Jahren weggeht, aber die andere Sache war, dass die Mutter hysterisch gewesen war bei der Vorstellung, dass sie es sich auf Barbados am Strand gemütlich gemacht hatte und dabei hinter ihrem Rücken betrogen worden war. Zeit genug hatte er gehabt, da er an einem starken Sonnenekzem litt und tagsüber andere Dinge unternahm und nur Cissi zuliebe solche Ferienziele aufsuchte. Er hatte ihr sogar von allen möglichen Erlebnissen erzählt, von Busausflügen und Museumsbesuchen, aber das alles war ja wohl gelogen, sagte die Mutter. Gunnar seinerseits behauptete Torunn gegenüber, die andere erst fünf Tage vor der Abreise kennengelernt zu haben. Torunn hatte sich in einem Café mit ihm getroffen, ein scheußliches Gespräch, unwirklich, sie hatte sofort gesagt, dass sie nicht als Vermittlerin fungieren wollte, aber Gunnar wollte nur seine Erklärungen loswerden, das sei alles, sagte er, sie solle keine schlechte Meinung von ihm haben, es sei Liebe auf den ersten Blick gewesen, er habe so etwas noch nie erlebt, nicht einmal mit Cissi, das müsse sie ihm glauben. Er sei zu alt, um sich diese Gelegenheit entgehen zu lassen. Du bist so alt wie Cissi, hatte Torunn eingewandt, fünfundfünfzig sei nicht gerade alt. Er wolle Kinder, sagte er, und Marie wolle das auch.

Marie. Sie hatte schon zwei erwachsene Kinder, wünschte sich aber einen Nachkömmling. Torunn war beeindruckt davon, wie viel Gunnar und diese Frau in so kurzer Zeit geklärt hatten, und sagte das auch. Worauf Gunnar antwortete, es sei ja längst nicht sicher, dass sie wirklich zusammenbleiben würden, aber er müsse die Gelegenheit nutzen, deshalb müsse er Cissi verlassen. Nach dreiunddreißig Jahren, hatte sie geantwortet, und vielleicht stehst du in ein paar Monaten allein da, wenn die Verliebtheit sich gelegt hat. Aber das Risiko musste er eingehen, und Cissi würde keinerlei finanzielle Einbußen erleiden, sie würde vielleicht im Gegenteil aufblühen und einen neuen Mann finden, sich noch einmal verlieben. Torunn hatte nichts mehr gesagt, sie wusste, es wäre vergeblich, sie sah seinen Egoismus, den monomanen Egoismus, der immer mit einer Verliebtheit einherging. Sie wusste aus eigener Erfahrung, dass Verliebtheit zu einer Art Psychose wurde, in der nichts anderes noch eine Rolle spielte. Sie fragte, ob Gunnar Cissi gesagt habe, dass er mit dieser Frau Kinder plane, aber das hatte er nicht. Das dürfe er auch nicht sagen, noch nicht, das würde sie nicht überleben.

Die Mutter war in all ihren fruchtbaren Jahren der Kinderfrage aus dem Weg gegangen. Torunn glaubte, dass das in vieler Hinsicht damit zusammenhing, dass sie vier Jahre als alleinstehende Mutter gelebt hatte. Rational war das nicht, aber es war eine Tatsache.

Seither hatte sie nicht mehr mit Gunnar gesprochen, aber sie hatte einige Male bei der Mutter übernachtet und viel mit ihr geredet. Die Trennung war noch zu frisch, erst vierzehn Tage alt, sie hatte es wohl noch nicht ganz erfasst. Glücklicherweise hatte sie gute Freundinnen, die zur Stelle waren und mit ihr und für sie Gunnar heruntermachten. Torunn wünschte, die Mutter hielte sich mehr an diese Freundinnen, statt sie mit SMS zu überhäufen und hysterische Mitteilungen zu hinterlassen. Sie brachte es nicht über sich, die Mutter anzurufen, sie wollte mit den Kollegen Kaffee trinken und sich ein wenig entspannen, ehe sie nach Hause fuhr.

Die dritte SMS kam von einer unbekannten Nummer. Sie las. *Kommst du morgen mit auf einen Ausflug? Können uns hinten in Maridalen treffen, bei Skar.*

Das musste Christer sein, den sie zu Silvester kennengelernt hatte. Der Hundeschlittenfahrer. *Vielleicht,* antwortete sie. Seine Antwort erreichte sie sofort. *Warme Kleidung. Sei um 6 da.* Gefolgt von einem Smiley.

Plötzlich war sie nicht mehr erschöpft. Sigurd kam herein und ließ sich aufs Sofa sinken.

»Frisch gekochter Kaffee? Genau das, was ich gerade brauche. Aber die Pfefferkuchen hab ich zum Kotzen satt.«

»Ich geh morgen auf Hundeschlittentour«, sagte sie.

»Ach was, solche Leute kennst du? Ich dachte, du hältst

dich an die gestriegelten und dressierten Hundeleute, deren Tölen brav an der Leine gehen müssen.«

»Ich hab ihn zu Silvester kennengelernt. Bei Freunden auf einer Hütte – gestriegelten Freunden. Er kam einfach vorbei, er wohnt in einer Hütte in der Nähe und hatte gehört, dass gefeiert wurde.«

»Sei bitte vorsichtig, Torunn«, sagte Sigurd, und seine Stimme klang ernst. Sigurd stand ihr hier in der Praxis am nächsten, und über Torunns Neigung zu hoffnungslos falschen Männern hatten sie schon oft diskutiert.

»Wir sind nicht zusammen oder so«, sagte sie. »Er hat mich nur zu diesem Ausflug eingeladen.«

»Solche Hundeschlittenleute sind total verrückt und durch und durch Macho«, sagte er.

»Davon hast du keine Ahnung. Und wenn er total verrückt ist, geh ich einfach wieder.«

»Solange du dich nicht verliebst. Jetzt gib mir schon Kaffee, steh nicht einfach nur mit der Kanne in der Hand da und mach ein blödes Gesicht.«

Auf der Heimfahrt rief sie ihn an und ließ sich genau erklären, wo sie halten sollte. In der Gegend sei der Handyempfang gut, sagte er, kein Problem, sich aufeinander einzupeilen. Er werde mit sieben Hunden kommen, sie werde auf dem Schlitten sitzen.

Seine Stimme gefiel ihr. Ein Bär von Mann, der plötzlich mit einer schneeweißen Huskyhündin auf den Armen in der Hüttentür gestanden hatte. Auf den Armen, wirklich, wie ein Schoßhund. Der Hund hatte knallblaue Augen.

»Ich habe hier wildes Hundegebell gehört, da wollte ich die Polizei einschalten«, hatte er gesagt.

»Die Polizei?«, hatten Torunn und die anderen wie aus einem Munde gefragt. Sie saßen mit Bier und Rauchfleisch und Knäckebrot um den Kamin.

»Ja«, hatte er geantwortet und den Hund auf den Boden

gelassen. »Aber jetzt sehe ich ja, dass alles bestens ist. Ist ja weit und breit keine Töle zu sehen.«

»Die haben wir in den Hundehof hinter dem Haus gesteckt, und zwei sitzen im Käfig«, hatte Aslak gesagt, der Bruder von Margrete, der Gastgeberin.

»Was sind das denn für Hunde?«, hatte er gefragt, während die weiße Hündin den Boden beschnüffelte.

»Zwei Boxer, ein Vorsteher und zwei Mischlinge. Möchtest du vielleicht ein Bier?«

»Gern. Ich heiße Christer. Und das hier ist Luna. Sie wiegt nur zweiundzwanzig Kilo, aber sie ist meine Leithündin, und ich kann euch sagen, die sorgt für Ordnung.«

»Dann hat sie denselben Job wie Torunn«, sagte Aslak und grinste.

Sie schloss die Tür auf, riss sich alle Kleider vom Leib und trat unter die Dusche. Der Geruch von Medikamenten und Desinfektionsmitteln setzte sich in Haut und Haaren fest. Sie schloss die Augen unter dem fließenden Wasser und dachte, dass es gut tun würde, etwas ganz anderes zu tun als sonst, etwas ganz anderes, als sie tun müsste. Im dunklen Januar hinter sieben Hunden auf einem Schlitten zu sitzen, mit einem Mann, der sich um alles kümmert. Sie freute sich und wusste, dass sie an diesem Abend ihren Vater anrufen müsste, fragen, wie er das mit der Haushaltshilfe sah, die Margido besorgt hatte und die am nächsten Morgen erstmals kommen würde. Und die Mutter, auch die wartete auf einen Anruf.

Vor einem Monat waren beide allein zurechtgekommen, ganz ohne ihre Hilfe, aber plötzlich steckte sie bis zum Hals in der Verantwortung.

Erlend nannte das »selbst auferlegte« Verantwortung, aber was half das, solange sie es so empfand. Er wollte sie und die Mutter nach Kopenhagen einladen, sagte, sie hätten vor, Cissi so viel Champagner einzuflößen, dass es ihr wie Schuppen von den Augen fallen und sie entdecken würde, dass es auf der

Welt von feschen Männern nur so wimmelt. Sie sprach oft mit Erlend, freute sich immer, wenn sie seine Stimme hörte, es machte Spaß, von allem zu erfahren, was er so machte, keine zwei Tage waren sich da gleich. Jetzt musste er unbedingt ausgestopfte Nutztiere auftreiben, echt mussten sie sein, sie bezweifelte nicht, dass er sie auch bekommen würde, sogar einen Pferdekopf brauchte er, mit ein bisschen Hals. Noch immer kam er auf das Gespräch zurück, das er angeblich zu Silvester um Mitternacht mit Margido geführt hatte, aber Torunn glaubte ihm nicht. Margido sei betrunken gewesen und habe ihn Brüderchen genannt und damit geprahlt, dass er bei einem *date* sei. Torunn ging davon aus, dass Erlend hier der Betrunkene gewesen war. Ihr war jedenfalls nichts aufgefallen, als sie mit Margido wegen der Haushaltshilfe telefoniert hatte, mit der jetzt alles geklärt war. Margido wollte den verlangten Eigenanteil übernehmen, es war nicht viel.

Sie trocknete sich gründlich ab und rieb sich mit Bodylotion ein, merkte, wie sie sich entspannte. Sie wollte ein Glas Rotwein trinken und sich ein Käsebrot machen, wie nur sie es gern aß, in der Mikrowelle aufgewärmt, mit grobem Käse und Schinken in der Mitte. Und dann beschloss sie, an diesem Abend weder Vater noch Mutter anzurufen. Ein erwachsener Mann musste eine Haushaltshilfe wohl ohne moralische Unterstützung empfangen können, und die Mutter sollte lieber bei ihren Freundinnen heulen und jammern. An diesem Abend wollte Torunn schwänzen. Die Verantwortung schwänzen, Bademantel und dicke Socken anziehen, essen und Wein trinken, sich eine idiotische Fernsehsendung ansehen, früh schlafen gehen und sich auf morgen Abend freuen. An Christer und seine zierliche kleine Leithündin mit den blauen Augen denken und an seine Hände.

An die konnte sie sich am besten erinnern, breit und gefurcht, stark. An die Hände und an seinen Geruch, als er sie umarmt hatte, ehe er gegangen war, nachdem sie stundenlang über Hunde gesprochen hatten, nur mit vagen Andeutungen über private Umstände, gerade genug, um ihr klarzumachen, dass auch er frei und ungebunden war. Er musste sich ziemliche Mühe gegeben haben, um sich ihre Telefonnummer zu besorgen, dachte sie, dann fiel ihr plötzlich ein, dass er sie nach ihrem Nachnamen gefragt hatte. Er hatte also schon in diesem Moment vorgehabt, sie anzurufen.

Aber sie wusste nichts über ihn, nur, dass Sigurd gesagt hatte, Leute wie er seien total verrückt.

Das musste erst einmal reichen.

Das hier wollte er nicht. Er zog ein frisches Hemd an und verzichtete auf die Strickjacke, die war vorn nicht ganz sauber. Dann setzte er sich zum Warten in die Küche. Sie hatte sich für eins angesagt. Der Vater saß im Wohnzimmer und las in einem seiner ewigen Kriegsbücher, hielt das Vergrößerungsglas zitternd über jedes einzelne Foto.

Er trommelte mit den Fingern auf dem grau marmorierten Resopal und reckte den Hals über die Nylongardine vor dem Fenster, obwohl er wusste, dass er das Auto rechtzeitig hören würde. Das Wetter war klar. Halbherziges Januarlicht und eine lächerliche niedrige Sonne, die eher störte als nützte. Der Schnee war hart und blank, nachdem er aufgetaut und wieder gefroren war. Nein, das hier wollte er wirklich nicht. Wenn er doch nur in den Stall gehen und sich diesen Ärger ersparen könnte, aber irgendwer musste sie ja in Empfang nehmen.

Dass Margido zu dermaßen gemeinen Tricks greifen würde, das hätte er ihm nicht zugetraut. Zu verlangen, dass Tor sich Torunn zuliebe mit der Haushaltshilfe abfand. Sie würden es sich also gefallen lassen müssen, dass wegen Torunn ein wildfremder Mensch im Haus herumschnüffelte. Wo Torunn doch da unten in Oslo war.

»Scheiße!«, sagte er und schlug mit der flachen Hand auf den Tisch.

Der Vater zuckte im Wohnzimmer zusammen. »Ist sie da?«, fragte er.

»Nein.«

»Ach.«

»Klingt so, als ob du dich gefreut hättest und jetzt enttäuscht bist.«

»Nicht doch.«

»Denn das wird kein Vergnügen, das kann ich dir sagen«, sagte Tor. »Und jetzt hältst du den Mund. Du hast genug gesagt.«

Aus dem Wohnzimmer war kein Laut mehr zu hören. Tor stand auf und trat in die Türöffnung, betrachtete die zusammengesunkene Gestalt im Sessel, das Vergrößerungsglas, die fettigen grauen Haarsträhnen, die seitlich über dem kahlen Schädel lagen.

»Hättest es ja wohl mir sagen können«, sagte er. »Dann hätte ich nicht von Margido erfahren müssen, dass du ins Heim willst.«

»Ich habe es Torunn gesagt. Sie hat …«

»Torunn kann doch nicht von Oslo aus dafür sorgen, dass du ins Heim kommst. Das musst du doch begreifen. Außerdem bist du nicht krank. Du bist nur alt, das ist nicht dasselbe.«

»Ich dusche nicht«, flüsterte der Vater.

»Duschst nicht? Reicht auch nicht als Grund, um ins Heim zu kommen. Aber nur, weil du so rumgenervt hast, kriegen wir jetzt eine Hausfrauenvertretung. Alles nur deine Schuld. Wir könnten es hier sehr gut haben, ohne solchen Blödsinn.«

Er bohrte die Hände in die Taschen und ging zurück in die Küche. Holte Atem und starrte das leere Vogelbrett an, trat dann wieder in die Türöffnung.

»Ist nicht alles deine Schuld. Macht mich nur so fertig, daran zu denken, dass jetzt Fremde hier rumrennen werden. Einmal die Woche. Einmal im Monat hätte ja wohl gereicht.«

Der Vater nickte zustimmend, aber Tor wusste, dass jedes

einzelne Nicken gelogen war. Der Vater freute sich auf Besuch, er war zu Weihnachten aufgeblüht, als alle da gewesen waren, hatte Schnaps bekommen, hatte über den Krieg reden dürfen, hatte rote Wangen gehabt, ganz anders als sonst, und hatte es nicht geschafft, über Dinge die Klappe zu halten, die niemals hätten herauskommen dürfen, Wahrheiten, mit denen er sie hätte verschonen müssen.

Jetzt hörte er ein Auto, er schaute aus dem Fenster. So ein Auto, wie der Däne in Værnes gemietet hatte, nur weiß. Mit Buchstaben auf der Tür.

»Herrgott«, sagte er.

»Was?«, fragte der Vater.

»Ist ja bloß ein kleines Mädchen. So etwas dürfen die uns doch nicht schicken.«

Er hatte sich eine üppige ältere Frau vorgestellt. Die Kleine nahm hinten Dinge aus dem Auto, Eimer und Besen und weiße, vollgestopfte Plastiktüten. Sie hatte dunkle, kurze Haare und Jeans, eine rote Lederjacke. Er sah zu, wie sie schwer beladen auf den Anbau zukam, sie war fast schon angekommen, als er zur Tür ging, um aufzumachen.

»Hallo, hier bin ich. Ich hab so allerlei mitgebracht, weißt du, wo ich zum ersten Mal hier bin, aber ich lasse es dann hier. Da ich doch herkommen muss, werdet ihr es hinter meinem Rücken ja bestimmt nicht aufbrauchen.«

Sie lachte laut und übermütig, ihr eines Ohr war von kleinen Silberringen perforiert, sie zwängte sich an ihm vorbei und ging gleich weiter in die Küche, als sei sie schon zahllose Male im Haus gewesen. Ihre Ladung ließ sie auf den Boden fallen, dann hielt sie ihm die Hand hin.

»Camilla Eriksen heiße ich.«

»Tor Neshov.«

»Seid ihr nicht zu zweit?«

»Er sitzt im Wohnzimmer.«

Sie lief hinüber und hielt dem Vater, der jetzt aufstand, die Hand hin.

»Bleib du nur sitzen. Ich heiße Camilla Eriksen, und wenn ich hier bin, brauchst du einfach nur die Füße zu heben, solange ich unter deinem Sessel staubsauge.«

»Tormod Neshov«, sagte der Vater und lächelte. Zum Glück trug er beide Gebisshälften.

»Tor und Tormod. Wie witzig. Aber so ist es wohl auf dem Land, dass man nacheinander heißt. Die Pflanzen da sind tot.«

Sie zeigte auf die Fensterbank.

»Die können stehenbleiben.«

»In dem Zustand? Kannst du nicht einfach neue kaufen? Dann werfen wir die da weg.«

»Die können stehenbleiben.«

»Na gut. Aber du, apropos Staubsauger, ich muss mal nachsehen, ob eurer richtig funktioniert. Wenn nicht, muss ich einen mitbringen.«

»Der steht im Treppenhaus«, sagte Tor. »Unter der Treppe.«

Sofort lief sie hinaus.

»Ich muss die Saugwirkung testen«, rief sie. »Wo ist eine Steckdose?«

»Hinter den Kleidern, die da hängen!«

»Himmel, die stinken vielleicht!«

»Möchtest du einen Kaffee?«, fragte er, das könnte sie vielleicht ein wenig beruhigen.

»Ihr habt einen Stall, stimmt. Das hatte ich vergessen. Ja, einen Kaffee trinke ich gern. Darf ich hier rauchen?«

Ehe er antworten konnte, heulte der Staubsauger auf. Das Geräusch hob und senkte sich immer wieder, als ob sie die Hand vor das Mundstück hielt, und vielleicht tat sie das auch.

»Total super, der Gute«, rief sie.

Er verspürte eine gewaltige Erleichterung, als ob er eine Prüfung bestanden hatte. Es war ein achtzehn Jahre alter Elektrolux. Er füllte kochendes Wasser in den Kessel, damit der Kaffee schneller fertig sein würde, und starrte den Haufen auf dem Boden an. Da stand sie wieder vor ihm, sie kam ihm vor wie ein Wiesel, wie sie hier hin und her eilte.

»Du bist sehr jung«, sagte er.

»Ich muss mein Studiendarlehen aufbessern«, sagte sie. »Ich war dreizehn, als meine Mutter gestorben ist, und ich habe noch kleine Geschwister, deshalb musste ich putzen gehen, das ist gar keine schlechte Arbeit. Aber ich mache nicht alles. Darf ich also hier rauchen?«

Er holte eine Untertasse und stellte sie vor sie hin, sie gab sich Feuer, als ob sie in der nächsten Sekunde an Nikotinmangel gestorben wäre, und zog energisch an der Zigarette. Dann legte sie den Kopf in den Nacken und stieß den Rauch genüsslich zur Decke aus.

»Aber also, es gibt Dinge, die ich nicht mache.«

»Ach?«, fragte er.

»Ich kaufe nicht ein, ich will nichts mit Geld zu tun haben. Nicht dass ich vor Geld Angst hätte, im Gegenteil.«

Wieder dieses hysterische Lachen.

»Aber nur für den Fall«, sagte sie dann. »Alte Leute… ja, ich meine das nicht so, wirklich nicht. Aber die haben oft viel Bargeld zu Hause und suchen sich dauernd ein neues Versteck dafür und vergessen es dann auch gleich wieder, und die Haushaltshilfe muss sich dann anhören, dass sie gestohlen hat. Deshalb will ich gar nicht erst mit Geld in Berührung kommen. Das ist ein Prinzip, das ihr nicht persönlich nehmen dürft.«

Er nickte ernst und dachte an die zwanzig Tausender in seiner Nachttischschublade. Von denen übrigens nur noch fünfzehn übrig waren nach dem Besamen und Kastrieren und Nähen und einigen Rechnungen, die schon angemahnt worden waren.

»Ich putze«, sagte sie mit plötzlichem Ernst, wie um die Bedeutung zu betonen. Im Kessel rauschte es, wenn er nur bald kochte.

»Aha.«

»Ich säubere das Haus. Aber nicht die Menschen.«

Wieder lachte sie und sagte: »Dann braucht ihr einen Heimpflegedienst.«

Sie nickte stumm zum Wohnzimmer hinüber.

»Es geht schon. Wir kommen zurecht«, sagte er.

Wenn der Vater jetzt auch nur ein Wort sagte, würde er ihn aus dem Fenster werfen, auf den hartgefrorenen Schnee. Aber alles, was er hörte, war ein gründliches und umständliches Räuspern.

Endlich kochte das Kaffeewasser, er goss gemahlenen Kaffee hinein und rührte mit der Gabel um, hielt den Kessel unter den Wasserhahn und ließ einen eiskalten Spritzer hineinlaufen.

»Ich seh mal nach, ob wir noch Kuchen haben«, sagte er. »Ich glaube, wir haben ...«

»Nicht für mich, ich will abnehmen.«

Ja, da war viel Speck zu finden. Sie wog nicht mehr als fünfundvierzig Kilo, das wusste er mit Sicherheit, er sah das Schlachtgewicht schließlich mit geübtem Blick.

»Aber ein Stück Zucker.«

»Bist du verrückt!«

Er brachte dem Vater eine Tasse Kaffee und zwei Stück Zucker ins Wohnzimmer und war froh darüber, dass dieser aus alter Gewohnheit dort blieb. Er hörte alles, was gesagt wurde, das musste reichen. Camilla Eriksen wollte wissen, was für Tiere sie im Stall hatten und ob er es nicht grauenhaft fand, dass die Schafzüchter Wölfe abschießen wollten, und ob er glaubte, dass der Kabeljau Schmerzen empfinden kann.

»Der Kabeljau?«

»Fische eben.«

»Davon habe ich keine Ahnung«, sagte er und starrte demonstrativ die Wanduhr an.

»Dann sollte ich wohl mal loslegen«, sagte sie, schlug sich auf die Oberschenkel und lächelte strahlend. Er war so erleichtert, dass er fragte: »Was studierst du eigentlich?«

»Jura, Grundstudium. Wie viel Liter fasst der Heißwassertank?«

Er hatte um diese Zeit im Stall keine Aufgabe, ging aber trotzdem hin, als sie mit Putzen anfing. Er konnte die Stalltür gar nicht schnell genug hinter sich zumachen.

Die Schweine dösten vor sich hin. Er machte die Ferkelkoben sauber, die Kleinen schauten gleichgültig auf und schliefen weiter, spürten intuitiv, dass es noch lange kein Futter geben würde.

Er gab Wasser auf ein Stück Papier, das er von einem Futtersack abgerissen hatte, und rieb Spinnweben vom Fenster der Waschküche, von dort konnte er in den Anbau blicken. Der Plastikflickenteppich aus der Küche lag draußen auf dem Boden. Musste das denn sein? Sie hatten den Küchenboden doch zu Weihnachten geputzt. Ihm fiel plötzlich ein, dass sie nicht gesagt hatte, wo sie putzen wollte, deshalb lief er ganz schnell zurück über den Hofplatz.

»Du«, sagte er, als sie gerade die Teppiche aus dem Wohnzimmer herausbrachte.

»Camilla«, sagte sie.

Sie hatte die rote Lederjacke abgelegt und trug ein T-Shirt mit einem Männergesicht über ihren Alltagskleidern. »Robbie« stand in roten Buchstaben unter diesem Gesicht.

»Du brauchst die Schlafzimmer oben im Haus nicht zu putzen, nur das Badezimmer.«

»Okay. Kein Problem. Ich putze nur da, wo ihr es sauber haben wollt.«

»Das wollte ich nur schnell sagen.«

Er lief zurück über den Hofplatz und schloss sich im Stall ein. Jetzt wollte er Siri wecken, auch wenn sie stocksauer sein würde, weil er keinen Leckerbissen für sie in der Tasche hatte.

Als sie gerade beim Essen waren, kam Margido. Der weiße Citroën-Lieferwagen bog auf den Hofplatz ein. Tor und der Vater saßen gerade am Küchentisch und aßen gebratene Wurstscheiben auf Knäckebrot. Die Würste hatten ihr Verfallsdatum um drei Tage überschritten, aber sie hatten nicht gestunken, als er sie in die Bratpfanne gelegt hatte. Sie tranken dazu kaltes Wasser, und jeder hatte einen Klecks Ketchup auf dem Tellerrand. Es schmeckte gut, und die Küche roch nach grüner Seife und Salmiak.

»Margido«, sagte der Vater.

»Ich bin nicht blind.«

Was für ein Aufstand, dachte er, jetzt braucht nur noch Torunn anzurufen, um zu fragen, ob sie es überlebt hatten, dass ein Mensch zum Putzen gekommen war.

Margido schloss die Tür auf.

»Hab gerade genug für uns gekocht«, sagte Tor. »Mehr gibt's nicht.«

»Ich habe bei der Arbeit gegessen«, sagte Margido. »Wie war's?«

»Hier ist es sauber«, sagte Tor. Der Vater sagte nichts, zersägte die Brotstücke zu kleinen Würfeln und führte sie zum Mund. Das Radio brachte die Nachmittagssendungen von NRK Sør-Trøndelag, die dicken Autoschrotthändler aus Namsos spielten. Margido zog einen Stuhl unter dem Tisch hervor und setzte sich darauf, mitten in die Küche. Er sieht müde aus, dachte Tor, müde und grau, so wird man wohl, wenn man es dauernd mit Toten zu tun hat. Aber dann fielen ihm die Mutter und die Beerdigung ein, und er bereute diese Gedanken.

»Setz den Kessel auf«, sagte er. »Da ist noch was drin. Gib Wasser dazu.«

Margido erhob sich und tat wie ihm geheißen. Auch das war seltsam, dass Margido herkam und Befehle ausführte.

»Muss bald in den Stall«, sagte Tor.

»Das weiß ich«, sagte Margido. »Ich war gerade in der Nähe und wollte wissen, wie es gelaufen ist.«

Das hatte er ja schon gesagt, also schwieg er.

»Hat Torunn etwas gesagt? Du sprichst doch mit Torunn?«, fragte Margido, noch immer dem Herd zugewandt. Was machte er da nur? Starrte er in den Kessel?

»Gesagt? Worüber denn? Hier gibt es nur Generve über Heim und Haushaltshilfe und was weiß ich nicht alles.«

Der Vater räusperte sich. »Danke für das Essen.«

»Wohl bekomm's«, sagte Tor.

»Dann sehe ich ein bisschen fern.«

»Tu das«, sagte Tor. »Margido bringt dir dann nachher den Kaffee.«

Der Vater stand auf und trottete ins Wohnzimmer, nach vielen Versuchen schaffte er es, den Fernseher einzuschalten. Es war ein wenig zu laut, also machte er sich wieder daran zu schaffen, um ihn leise zu stellen. Es war ein altes Gerät ohne Fernbedienung.

»Ach, vergiss es«, sagte Margido.

»Was meinst du, was Torunn gesagt haben sollte?«, beharrte Tor.

»Ob sie mit Erlend gesprochen hat.«

»Ich verstehe hier überhaupt nichts«, sagte Tor. »Wovon redest du?«

Margido drehte sich zu ihm um und legte hinter sich die Hände auf den Herdrand. Er stand so seltsam da, ganz anders als sonst, wie auf dem Sprung zu etwas, sein Gesicht war vollkommen fremd, erfüllt von einer Art intensiver *Verklärung.* Es war das einzige Wort, das Tor einfiel, als er einige Stunden darauf im Bett lag und darüber nachdachte.

»Ich ...«, sagte Margido.

»Ja?«

»Ich hatte für eine Weile Christus aus den Augen verloren. Was ihr aber nicht gewusst habt. Jetzt ist Er wieder da.«

»Und das hast du Erlend erzählt? Ausgerechnet dem?«

»Nein. Aber …«

»Ich muss in den Stall. Jetzt sag schon, was du zu sagen hast.«

»Ich bin fehlgetreten.«

»Wie das denn?«, fragte Tor. Margido beging doch keine Fehltritte, wann hätte er dazu die Gelegenheit finden sollen?

Margido drehte sich wieder zum Kaffeekessel um. »Ich bin fehlgetreten«, flüsterte er. »Ich habe mich von Satan führen lassen. Ich habe mich in Versuchung führen lassen.«

»Wann ist das denn passiert? Und was hast du gemacht?«

»Ich wollte es nur erwähnen. Nicht davon erzählen. Und ich glaube, dass Gott mich auf die Probe gestellt hat. Die habe ich nicht bestanden. Jetzt muss ich seine Vergebung erflehen. Jesus muss mich wieder aufnehmen.«

»Wird er bestimmt. Hat er nicht für alle Sünder auf der Welt am Kreuz gehangen? War das nicht der ganze Sinn der Sache?«

»Tor! Du darfst nicht so reden, als ob … Als ob das etwas ganz Alltägliches gewesen wäre.«

»Ich bin müde.«

»Du glaubst, du hast es schwer, aber Christus wird immer für dich da sein, Tor. Für dich und für mich. Ich bete für uns alle.«

Tor erhob sich. »Keine Ahnung, wovon du hier redest. Ich habe keinen Fehltritt begangen, also bete du für dich. Und jetzt muss ich in den Stall. Du musst deinen Kaffee allein trinken. Oder mit … deinem Vater.«

Jetzt wussten die Schweine, was passieren würde, jetzt stimmte alles. Die Dunkelheit hinter den Stallfenstern, seine Geschäftigkeit, dass die Tür zur Futterkammer sperrangelweit aufgerissen wurde, dass seine Stiefel wütend auf den klebrigen Betonboden knallten.

»Ihr kriegt alle was«, rief er, wie immer. Und die Ferkel wedelten mit den Schwänzen, die Sauen schnauften mit gurgelnden Geräuschen, sogar die Säugeferkelchen wuselten durcheinander, um ja nichts von dem Spaß zu versäumen. Alle waren froh, nur Tor nicht.

Es hatte eine solche Unruhe gegeben! Könnte man zum Teufel nicht endlich bald mal ein bisschen Frieden auf diesem Hof haben? Falls Torunn anrief, wenn er aus dem Stall kam und nur lauwarmen Kaffee trinken und sich entspannen wollte, dann würde er ihr wirklich unter die Nase reiben, was sie hier angerichtet hatte.

Eigentlich hätte er auch gern eine Katze dabeigehabt, aber da legte Marketingchef Poulsen sein Veto ein. Er wollte keine weinenden Kinder vor seinen Schaufenstern sehen. Und was die Mäuse anging, so mussten es braune Wildmäuse sein, wie er sie nannte, keine weißen. Bei ausgestopften Schmusetieren verlief die ethische Grenze, fand Poulsen.

Erlend hatte zwei Assistenten aus der Firma mitgenommen, und sie arbeiteten Tag und Nacht. Die ganze Szene wurde auf einem zusätzlichen Boden aufgebaut, der sich auf kleinen Gummirädern bewegen ließ. Wenn alles fertig wäre, würden sie die Ausstellung einfach ins Fenster schieben können, das jetzt von Packpapier verdeckt war. Erlend hatte den Präparator schon zum Wahnsinn getrieben, weil er neue Augen für die Tiere verlangt hatte. Die ursprünglichen Augen der Schafe, Ziegen und des Pferdekopfs hatten ihn zu sehr an alte Ivo-Caprino-Filme erinnert.

Die Ausstellung war genial, eine exakte Kopie eines Fotos, das er in einem Buch über das Leben auf dem Lande um 1900 gefunden hatte, nachdem er tagelang in der Bibliothek gesessen und in Büchern gestöbert hatte, die ein bedauernswerter Bibliothekar für ihn herbeischaffen musste, in der stetigen Hoffnung, bald das Gewünschte zu finden. Und dann blätterte er um, und da war es. Balken, Boden, Licht, das durch die Brettertür fiel, Strohballen, Werkzeug, der hereinlugende Pferdekopf. Die anderen Tiere fügte er selbst hinzu. Eine angebundene Ziege, mit listiger Miene unter einem dunklen Stirnpony, ein Schaf mit zwei Lämmern. Und die Mäuse. Fünf braune Mäuse, arrangiert wie im wilden Spiel, in der Ecke hinter dem Strohballen, wo die Benetton-Kinder sie nicht sehen konnten. Und die Kinder waren natürlich Puppen und keine ausgestopften Kinder, Schaufensterpuppen, gekleidet in *The United Colors of Benetton*. Sie standen nicht einfach nur da, um Kleider vorzuführen. Das eine hielt einen Melkeimer in der Hand, das zweite einen Spaten, ein drittes streichelte die Ziege, und das vierte streckte dem Pferd die Hand entgegen. Ein Mädchen saß mit einem angeklebten Strohhalm im Mund auf dem Boden.

Eine Katze, die auf der anderen Seite des Strohballens lag und die Mäuse belauerte, wäre das Tüpfelchen auf dem i gewesen. Aber das Allerbeste war der Pferdekopf, die Miene, die der Präparator am Ende erzielt hatte, als wiehere es den Kindern gutmütig zu! Poulsen war außer sich vor Glück, als die Szene endlich ihre endgültige Form annahm. Die Assistenten hatten Wände und Boden getischlert, auf Erlends genaue Anweisungen hin. Das Material stammte aus einem Abbruchhaus, es waren echte Bretter mit Kerben und Rissen und alten Holzwurmlöchern. Sie stellten Strohballen auf und streuten Strohreste auf den Boden, hängten altes Pferdegeschirr an die Wand. Erlend übernahm die Beleuchtung selbst, es war eine Höllenarbeit, den Eindruck zu erwecken, dass durch die undichte Brettertür Sonnenstrahlen hereinfielen, während die Szene selbst in strahlendes Licht getaucht sein sollte.

»Die Kleider müssen doch im Mittelpunkt stehen«, sagte Poulsen.

»Da irrst du dich, mein Guter«, sagte Erlend. »Es ist das totale Erlebnis nostalgischen Glücks, das hier im Mittelpunkt stehen soll.«

»Aber es muss doch nicht gleich nach Laura Ashley aussehen«, sagte Poulsen.

»Darüber mach du dir mal keine Sorgen. Dieses Fenster wird Aufsehen erregen, und damit tun das auch die Kleider.«

»Wenn wir nur keinen Ärger mit Tierschützern kriegen.«

»Alle Genehmigungen sind durch, darum hat sich die Firma gekümmert. Die Tiere sind gekauft und bezahlt und schonend und respektvoll eingeschläfert worden. Und der Bauer hat gewusst, was wir damit wollten. Wenn wir außerdem noch eine Katze hätten …«

»*In your dreams*«, sagte Poulsen.

»Da gibt es kaum jemals Katzen«, sagte Erlend.

»Wenn nur niemand das Pferd erkennt. Woher kommt das eigentlich?«

»Das ist ein Traber aus Südjütland, dem bei einem Rennen das Bein abgerissen wurde. Es hatte vier Besitzer, die dick daran verdient haben. Wenn von denen einer hier vor dem Fenster schluchzend zusammenbricht, dann, weil sie in ihrem Pferd eine gute Milchkuh verloren haben, im wahrsten Sinne des Wortes.«

An dem Vormittag, an dem das Packpapier abgerissen und die Fensterscheibe sorgfältig geputzt wurde, dirigierte Erlend zufrieden und erregt alle, die die Ausstellung an Ort und Stelle schieben sollten.

»Passt auf die Leitungen auf. Nicht so schnell, sonst kippt die Ziege um!«

Und endlich konnte er auf die Straße hinaustreten und sich sein Werk ansehen, und bei diesem Anblick traten ihm Tränen des Glücks in die Augen. Perfekt. Es war wahrlich ein Meisterwerk.

»Jetzt los«, sagte er zu dem einen Assistenten. »Knipsen!«

Alle neuen Fenster mussten für die Kundenmappe der Firma ausgiebig fotografiert werden.

»Gratuliere«, sagte Poulsen und schlug ihm auf die Schulter.

»Ich habe hier zu gratulieren«, sagte Erlend. »Zur Einweihung eines phantastisch schönen Fensters. Die Rechnung kommt nächste Woche.«

»Ich hoffe, der Voranschlag wird nicht überstiegen.«

»Wir werden sehen. Wenn es zu teuer wird, kann ich ja einfach kommen und … zum Beispiel das Pferd entfernen.«

»Nein, spinnst du! Ich kriege ja beim bloßen Anblick schon Lust zum Reiten. Und dabei kann ich das nicht mal. Wir werden uns über den Preis schon einigen.«

»Noch etwas. Wenn andere Benetton-Läden die Idee kopieren wollen, dann liegt das Copyright bei uns. Natürlich können sie die Idee nutzen, aber das kostet.«

»Viel?«

»Wir werden uns über den Preis schon einigen«, sagte Erlend.

Da er auf Provision arbeitete, verspürte er jetzt den heftigen Drang zu feiern. Und zwar sofort. Er überredete Poulsen und die Assistenten zu einem Abstecher in die nächste Kellerkneipe. Die Assistenten waren ein Paar aus Fünen, blitzschnell in ihrer Auffassungsgabe, präzise und tüchtig bei ihrer Arbeit. Sie arbeiteten für durchschnittlichen Lohn, und da musste man ihren Einsatz durchaus honorieren.

Er bestellte Mittagessen für alle. Bauernfrühstück mit Spiegelei, Roter Beete und Roggenbrot, dazu Bier und Gammel Aalborg.

»Kein einziges gestresstes Elternpaar in Kopenhagen kann an diesem Fenster vorübergehen, ohne vor schlechtem Gewissen krank zu werden, weil sie ihren Kindern so viel ländliche Ruhe und Harmonie vorenthalten«, sagte Erlend und hob voller Pathos sein Bierglas. »Das ist pure Psychologie. Gebt ihnen die Möglichkeit, das Unmögliche zu erlangen, und sie greifen begierig zu.«

»Das Fenster ist ein Traum«, sagte Poulsen.

»Genau. Ein Traum, der gekauft werden kann«, sagte Erlend. »Prost!«

Sie tranken und wischten sich Schaum von der Oberlippe.

»Du bist genial«, sagte Poulsen.

»Ja, das bist du wirklich«, sagte Agnete, der weibliche Teil des Fünener Paares.

»Wir lernen unglaublich viel von dir«, sagte der männliche, der Oscar hieß.

»Aber, aber«, sagte Erlend. »Jetzt wollen wir doch mal klarstellen, dass das Fenster ohne euch niemals das Licht der Welt erblickt hätte. Ihr habt wie die Sklaven geschuftet. Danke. Morgen werden euch im Büro zwei Kisten hervorragender Rotwein erwarten. Danach könnt ihr euch zwei Tage freinehmen.«

»Wirklich?«, fragte Oscar, der schon mit fünfundzwanzig anfing, die Haare zu verlieren. Er sollte sich alles abrasieren, dachte Erlend, dann würde er super aussehen.

»Aber natürlich! Leistung wird belohnt. Verbringt diese Tage im Bett, mit dem Wein. Das ist mein bescheidener Rat. Und noch einmal Prost!«

In der fachlichen Euphorie, die ihn gerade erfüllte, hätte er gern mit ihnen über alle seine neuen Ideen für andere Fenster gesprochen, aber das wagte er nicht. Poulsen könnte sich vor anderen verplappern, und schon wären die Ideen gestohlen und in die Tat umgesetzt. Und Erlend wollte weiter in Form von Szenen denken und nicht nur in produktfokussierten Ausstellungen. Er wollte Erlebnisse kreieren, die bei den Betrachtern eine Menge Assoziationen auslösten.

Unmittelbar vor Weihnachten hatte er für einen Goldschmied ein Fenster dekoriert, und die Schmuckstücke waren wirklich schön arrangiert gewesen. In der rechten Fensterecke hatte er ein Miniaturtableau gezeigt, zwei halbvolle Champagnergläser und einen hingeworfenen Damenslip. Auf diese Weise hatte er die Dankbarkeit der Frau für ein kostbares Geschenk angedeutet. Das war frech, aber der Goldschmied war hin und weg gewesen. Bald würden sie eine neue Fensterdekoration brauchen, und wenn der Besitzer auf seine Vorschläge einginge ... Er war sicher, dass sie dann in der *BT* landen würden. Krumme würde das verlangen, obwohl er mit Erlend zusammenlebte.

Zwei Männer, natürlich Schaufensterpuppen, sollten einander an einem Küchentisch gegenübersitzen, in Jeans und weißen T-Shirts, die Sonnenbrillen in die Haare hochgeschoben. Sie mussten ein bisschen grob gestylt werden, fand Erlend. Ringe in die Ohren, aufgemalte Tattoos, schmutzige Turnschuhe. Auf dem Tisch wollte er eine Whiskyflasche und Gläser haben, einen vollen Aschenbecher und eine Zigarette zwischen den Fingern des einen Mannes. Die Situation sollte sofort ins Auge stechen, hier taxierten zwei Diebe ihre Beute. Eine zerbrochene Jalousie an der einen Wand hinter ihnen, und Schmuckstücke sowie Armbanduhren überall auf dem Tisch und in dem offenen Jutesack, der auf dem Boden lag. Um die Sache aufzupeppen, sollten in der Ecke hingeworfene Sträflingsanzüge liegen, wie man sie aus Hollywoodfilmen kennt, schwarz-weiße, quergestreifte lange Unterhosen. Vielleicht auch eine Kugel mit einer abgesägten Kette? Es waren frisch ausgebrochene Häftlinge. Und die Beleuchtung musste perfekt sein, die Männer in dunklem Schattenlicht, und ganz schmale Spots auf die Schmuckstücke und die Uhren. Gott, wenn er den Goldschmied dazu überreden könnte. Es wäre kriminell raffiniert, eine Sensation. Aber jetzt konnte er nicht darüber reden, stattdessen brach er eine Diskussion vom Zaun, die gerade in New York toste. Agnete und Oscar waren darüber informiert, Poulsen dagegen nicht.

»Moralistische Kreise haben zum Ladenboykott aufgerufen, weil die Dekoration zu gewagt sei«, sagte Erlend. »Die haben fast nackte Schaufensterpuppen genommen, stellt euch das vor, und zwar bei Henri Bendel!«

»Boykott? Dann verlieren die doch Geld«, sagte Poulsen.

»Der Umsatz steigt«, sagte Agnete. »Boykott ist eine super PR.«

»Die überschreiten in New York jetzt überall die Grenzen, sogar H&M zeigen in ihren Unterwäscheausstellungen Sexspielzeug. Die Fensterscheiben sind dick beschlagen vom Hecheln der Kundschaft ... Ganz normale Leute reden darüber und haben eine Meinung, in Kopenhagen ist das ja doch anders.«

»Die Amerikaner sind Puritaner, und wir sind das nicht«, sagte Poulsen und leerte sein Glas. Erlend winkte dem Kellner um mehr.

»Nein, hier würde darüber niemand auch nur eine Augenbraue heben«, sagte Erlend. »Auch Sexshops sind in den USA ein Wagnis, aber dass die großen Läden, Saks Fifth Avenue und H&M und Bendel und Victoria's Secret sich trauen, das ist neu. Die Frau, die die ersten erotischen Fenster für H&M gestaltet hat, war auch Stylistin für Sex & Singlelife, sie ist es also gewöhnt, Grenzen zu überschreiten.«

»Was würde denn in Kopenhagen schockieren?«, fragte Oscar.

»Das weiß ich genau«, sagte Erlend. »Eines der feinen Herrenkonfektionsgeschäfte, sagen wir auf Strøget, kleidet zwei männliche Puppen in Calvin-Klein-Anzüge und lässt sie einander küssen. Vielleicht sitzt der eine breitbeinig auf einem Stuhl, der andere kehrt uns den Rücken zu, beugt sich über ihn, hält sich an den Armlehnen fest und legt den Kopf ein wenig zur Seite. Wir sehen, was er macht, auch wenn es Puppen sind. Einen richtig tiefen Zungenkuss.«

»Das würde einen Höllenaufschrei geben«, sagte Poulsen.

»Genau«, sagte Erlend. »Es wäre ein Verkaufsmagnet für den Laden und für Calvin Klein. Aber kein Ladenbesitzer würde sich das trauen.«

»Sei dir da nicht so sicher sein. Ich bin froh, dass ich Kinderkleider verkaufe«, sagte Poulsen.

»Kinder kommen auf so viele Ideen«, sagte Erlend. »In einer Scheune. Vielleicht auf einem Strohballen, beim Doktorspiel. Angezogen oder teilweise eben nicht mehr, mit *United Colors of Benetton*.«

Poulsen sah ihn entsetzt an.

»Untersteh dich«, sagte er.

»Ich könnte mich unterstehen, du aber nicht«, sagte Erlend.

Er ging zu Fuß nach Hause, wollte die Lunge mit frischer Luft füllen. Bei der Arbeit rauchte er immer zu viel. Er fühlte sich durch und durch glücklich, bis hinunter in seine von Nikotin durchsetzten Lungenspitzen. Er liebte diese Arbeit so sehr, er liebte sein ganzes Leben so sehr. Er konnte sich nicht vorstellen, auch nur ein Detail daran zu ändern. Doch, vielleicht den Kamin zu Hause, es war ein teurer Gaskamin mit Glasscheibe. Aber vor kurzem hatte er über den letzten Schrei gelesen: Hologrammkamin. Das perfekte Kaminfeuer, das illusorisch brannte, man konnte die Hand hineinhalten, ohne sich zu verbrennen, denn die Wärme stammte von Strahlen aus einem Rahmen rund um die Kaminöffnung. Wenn man davor saß, konnte kein Mensch auf der Welt den Unterschied entdecken. Kein Dreck, keine Asche, und viel spannender als ein Gaskamin. Er wollte es Krumme gegenüber vorsichtig zur Sprache bringen, ein Hologrammkamin kostete das Weiße aus den Augen und außerdem etwas von dem Blauen.

Er zog sein Telefon hervor, das er auf »lautlos« gestellt hatte, drei SMS von Torunn und eine von Krumme, die las er zuerst. Bei Krumme würde es spät werden, aber er würde etwas Leckeres zu essen mit nach Hause bringen. Das war Erlend nur recht, er wollte sofort nach Hause und ins Bett, sie hatten bis zwei Uhr nachts an dem Schaufenster gearbeitet und am Morgen um sieben weitergemacht. Das eine Bier und der Schnaps zusammen mit Poulsen und den Assistenten trafen voll in sein Schlafherz, er sah schon das Muster der Bettwäsche vor sich, weiße Mondsicheln auf schwarzem Grund.

Er las Torunns Mitteilungen mit einer Mischung aus Neid und Sorge. Sie war durch und durch und Hals über Kopf verliebt in diesen Typen, den sie zu Silvester kennengelernt und mit dem sie vierzehn Tage zuvor das erste Date gehabt hatte. Erlend machte sich Sorgen, weil er nicht wusste, wie sie sich in Sachen Männer verhielt, es kam ihm so intensiv vor, ganz anders als die Torunn, die er kennengelernt hatte. Und sie öffnete sich ihm total, schickte SMS und erzählte offenherzig von diesem Christer, dem Sohn der Wildnis. Sie erwähnte Tor kaum noch. Er hörte derzeit auch nicht viel über Torunns Mutter, die verschmähte Madame aus Røa. Eigentlich müsste er also für Torunn froh und erleichtert sein. Aber nun … so? Nein, er war besorgt. Jetzt schrieb sie, er sei zu ihr in die Praxis gekommen, nur um zu sehen, wo sie arbeitete, damit er wüsste, wie es um sie herum aussah, wenn sie miteinander telefonierten. Und in der zweiten SMS stand ganz einfach: Er = perfekt. Für mich.

Andererseits, wenn er alle Besorgnis verdrängte, war er entsetzlich neidisch. Ein echter Kerl, der einen mit sieben Schlittenhunden von einem januardunklen Parkplatz abholt und im Schein der Kopflampe durch die weite Landschaft unter Sternenhimmel fährt, ein Rentierfell auf dem Schnee ausbreitet und Zimtbrötchen und heißen Kakao aus der Thermoskanne serviert …

Natürlich war es mit erotischen Ausschweifungen geendet, alles andere wäre doch ein Skandal gewesen. Auf einem Rentierfell … Das war ihm noch nie passiert. Ob das nicht ein bisschen ranzig und tierisch roch? Er sah sich und Krumme zwischen vielen Fellen, während der Große Wagen über sie dahinzog und in der Ferne die Wölfe heulten. Himmel, nein, dann lieber Whirlpool und Fußbodenheizung, dachte er und schickte ihr eine SMS: Amüsier dich und take care. Kuss vom Onkel, der soeben eins seiner bahnbrechenden Fenster enthüllt hat. Benetton Rules!

Aber die eigentliche Verliebtheit, nach der sehnte er sich nicht. Er konnte sich zwar wie ein Wilder für andere Männer begeistern, aber das war immer nur physisch, und dann galt es einfach, die nächste Toilette anzusteuern. Allein.

Viele Schwulenpaare hatten *carte blanche* für rasche Ficks mit zufälligen Bekanntschaften, die sie in einer Bar oder Sauna aufrissen, und hielten das nicht für Untreue. Bei ihm und Krumme war das anders. Kein, absolut kein anderer durfte die Wärme von Krummes festem runden Bauch spüren oder die Wonne genießen, eine tränenfeuchte Wange daran zu schmiegen. Und der Preis, den er für diese Exklusivität bezahlte, war natürlich, dass sich auch kein Fremder an seinem eigenen Bauch zu schaffen machen durfte.

Er schloss die Tür auf, zog sich aus und ließ die Kleider auf den Badezimmerboden fallen, duschte und ging nackt ins Bett, ohne auch nur den Anrufbeantworter zu überprüfen. Das Schlafzimmer war kalt und schön. Krumme nannte es nur kalt, er verabscheute es, bei offenem Fenster zu schlafen, aber er hatte sich mit Erlends norwegischen Gewohnheiten abgefunden. Außerdem hatten sie eine Doppeldecke und teilten ihre Körperwärme großzügig. Im Moment aber war Erlend zu müde, um sich nach Krummes Körper zu sehnen. Oder seinem Schnarchen. Er liebte Krummes Schnarchen, es hörte sich an wie das Geräusch eines Gänsezugs, es war ein schnatterndes, zusammenhängendes Gurgeln, das Erlend wie einen Stein in den Schlaf fallen ließ.

Er fuhr aus dem Schlaf, als eine Hand nach seiner griff.

»Krumme, du bist zu Hause, ich war so müde, bin einfach ins Bett gegangen. Wie gut, dass du da bist, was hast du zu essen …«

»Erlend.«

»Ja?«

Er stützte sich auf die Ellbogen, das war schrecklich anstrengend, aber Krummes Stimme war nicht in Ordnung.

»Ich …«

»Aber was ist denn los, Krumme?«, fragte er und schaltete die Lichter über dem Kopfende ein.

Krumme bot einen entsetzlichen Anblick: Blut von einer Wunde am Kinn, der Matrixmantel auf der einen Schulter grau vor Schmutz, die Haare zerzaust und Tränen in den Augen.

»Aber Herrgott, Krumme, was ist denn? Was ist …«

Er sprang aus dem Bett und nahm Krumme in die Arme. Kumme brach in trockenes Schluchzen aus. Erlend versuchte, irgendein vernünftiges Wort aus ihm herauszubekommen.

»Bist du niedergeschlagen worden? Hat irgendwer …«

»Angefahren. Fast umgekommen«, sagte Krumme.

»Aber … HIER? HIER vor dem Haus?«

»Nein. Vor zwei Stunden, gleich vor der Redaktion. Die Polizei hat mich zur Notaufnahme nach Bispebjerg gefahren, aber die meinten, ich sei total in Ordnung. Auch keine Gehirnerschütterung. Und das am Kinn braucht nicht mal genäht zu werden. Mir geht's also gut, aber …«

Erlend schaute rasch auf den Radiowecker, er hatte mehrere Stunden geschlafen. Er nahm Krumme fester in den Arm und führte ihn ins Badezimmer, zog ihm Mantel und Kleider aus und schob ihn unter die Dusche, ging mit ihm zusammen hinein, ließ das Wasser laufen und behielt ihn im Arm. Krumme weinte und plapperte wild durcheinander, und er zitterte am ganzen Leib wie Espenlaub. Erlend spürte, wie sehr er diesen Mann liebte, über alles auf der Welt, den kleinen dicken Krumme, der aussah wie Karlsson vom Dach.

»Ich dachte, ich müsste sterben. Nein, ich wusste, dass ich sterben müsste … Ich lag mit dem Gesicht auf dem verdreckten nassen Pflaster und sah alles von der Seite, die Menschen, die Autos, ich lag einfach da. Und dann kam in hohem Tempo ein weiteres Auto, ich sah, wie Stoßdämpfer und Reifen sich näherten. Es … konnte anhalten. Die Bremsen kreischten, und es blieb schräg stehen, genau vor der Stelle, wo ich … lag. Wo ich lag, Erlend, auf der Straße.«

»Jetzt bist du hier, mein Krumme, ich habe dich im Arm, und du bist hier.«

»Ich wusste, dass ich sterben müsste, und ich dachte …«

»Aber, aber.«

»Ich dachte… was ist mit dem Rest meines Lebens? Was ist damit?«

»Ich bin doch hier. Und du lebst.«

»Ich will, dass wir ein Kind bekommen, Erlend. Ein Kind.«

»Was?«

»Ich habe schon lange darüber nachgedacht. Lange.«

Erlend lockerte seinen Griff und strich Krumme Wasser aus den Haaren. Krumme hatte die Augen geschlossen und ließ die Arme hängen, war nur Körper und Haut unter strömendem Wasser. Die Wunde am Kinn blutete nicht mehr, aber blaue Flecken zeigten sich auf Schulter und Oberarm. Wovon redete er da, ein Kind, was war hier los, schlief er noch immer und befand sich mitten in einem Alptraum?

»Ein Kind«, wiederholte Krumme.

»Aber… woher?«, fragte Erlend. »Und warum? Du hast doch mich.«

Krumme öffnete die Augen nicht, er stand einfach unter dem Wasser und sagte: »Ich habe keine Ahnung, woher, das ahne ich wirklich nicht. Von einer Leihmutter, wie so viele andere Schwulenpaare das machen, oder von einer Frau, der es geht wie uns… Ich weiß es nicht! Aber ich will, dass wir ein Kind bekommen. Erlend. Ein Kind, das uns gehört. Ich liebe dich, ich wäre fast gestorben, ich könnte jetzt tot sein, ich will, dass wir ein Kind bekommen. Es geht um den Rest unseres Lebens, Erlend. Da muss es mehr geben als das, was wir jetzt haben. Mehr. Etwas, das weiter reicht, über uns hinaus. Weiter. Ein Leben.«

»Jetzt dreh ich das Wasser aus«, sagte Erlend. »Dann trocknen wir uns ab und ziehen den Morgenrock an. Und dann machen wir ein Feuer im Kamin und entspannen uns ein wenig. Du stehst unter Schock, Krumme.«

»Ja, das tu ich bestimmt. Aber darüber bin ich eigentlich auch ein bisschen froh.«

Krumme öffnete die Augen, die waren dunkel und aufmerksam. Normalerweise waren sie blau und froh. Erlend durchfuhr ein Schauer, obwohl das Wasser heiß war. Was war hier los, was musste er sich da anhören, wo er doch sein Leben liebte, seine Arbeit und Krumme. Nichts fehlte, nichts! War das ein Omen, weil er noch vor wenigen Stunden in Gedanken mit dem Schicksal gespielt und nicht auf Holz geklopft hatte bei der Feststellung, wie glücklich und zufrieden er war?

»Du zitterst, Krumme, komm, ich trockne dich ab, dann wird alles wieder gut«, sagte er. »Ich mache uns Irish Coffee. Drei für jeden. Auf nüchternen Magen, dann wird alles wieder gut, du wirst schon sehen.«

Margido, hier ist eine Dame, die mit dir sprechen will, soll ich sie reinschicken?«, fragte Frau Marstad.

»Wer ist das denn? Ich habe jetzt keine Zeit, ich habe tausend andere Dinge zu erledigen.«

»Wir hatten im Herbst ihren Mann hier. Selma Vanvik.«

»Ach so. Ja, jetzt, wo du es sagst, kann ich mich an sie erinnern.«

»Kann ich sie reinschicken? Oder soll sie hier auf dich warten?«

»Bitte sie herein. In … In fünf Minuten.«

Frau Marstads Kopf verschwand, er hörte, wie sich ihre Schritte in Richtung Empfangszimmer entfernten.

»Herr, mein Gott, blicke in Gnade auf mich herab, sei mir jetzt nah«, flüsterte er, schloss seinen Füllfederhalter und legte ihn vorsichtig in die schmale Rinne in seiner Schreibgarnitur. Er saß so gut in seinem Sessel, hatte gerade noch daran gedacht, dass sich der hohe Preis für einen Håg-Sessel wirklich gelohnt hat. Rückenlehne und Sitz und Armlehnen ließen sich perfekt einstellen. Hier hatte er gesessen, hoch zufrieden, alles für überstanden gehalten und den Komfort eines Sessels genossen. War das auch eine Probe, auf die er gestellt, Konflikte, in die er Hals über Kopf hineingestürzt wurde?

Er faltete die Hände und saß hinter dem Schreibtisch, als sie das Zimmer betrat und die Tür energisch hinter sich zuzog. Er hob nicht den Blick, aber als die Tür zuknallte, krampfte sich sein ganzer Körper zusammen. Selig sind die geistig Armen, denn ihrer ist das Himmelreich, sagte er in Gedanken, ich bin arm. Aber er war auch reich, er war reich im Glauben. Eigentlich hätte er fast dankbar sein müssen. Sie redete, er hörte nicht so ganz, was sie sagte, aber was hatte er da eben noch gedacht? Richtig, dass er dankbar sein müsste. Selma Vanvik war die Probe, auf die Gott ihn stellte, aber sie war auch ein Mensch, obwohl sie Gottes Werkzeug war. Und Werkzeuge waren sie alle, also musste er sie voller Erbarmen betrachten. Er hob den Kopf und blickte sie an, sie stand dicht vor seinem Schreibtisch, viel zu nah, sie trug etwas Grünes, ihr Mund öffnete und schloss sich, er wollte nur ihren Mund oder ihre Augen sehen. Er schaute kurz in ihre Augen, dann konzentrierte er sich wieder auf ihren Mund. In ihre Augen konnte er nicht blicken, die waren schwarz und fremd, er musste hören, was sie sagte. Sie sprach jetzt laut, was, wenn Frau Marstad oder Frau Gabrielsen hereinkamen und sich einmischten, in diesem Büro redete man immer leise.

»Ich habe nicht richtig verstanden, was du gesagt hast«, sagte er und schaute aus dem Fenster.

Sie ließ sich in den Besuchersessel vor seinem Schreibtisch fallen und fing an zu weinen.

Er entspannte sich ein wenig, mit Tränen kannte er sich aus. Weinende Menschen waren berechenbar. Er ließ sie eine Weile weinen, dann sagte er: »Tut mir leid. Das, was geschehen ist, tut mir leid, Selma. Sehr leid.«

»Aber wieso denn? Es war doch schön, Margido. Du machst alles nur schlimmer, wenn du es auf diese Weise sagst …«, klagte sie mit einer Kleinmädchenstimme, die die Luft um ihn herum stillstehen ließ. Wenn er nur anderswo sein könnte, egal wo, und sei es in einem finsteren Grab.

»Du hättest nicht herkommen sollen«, sagte er. »Wenn Frau Marstad oder Frau Gabrielsen erführen …«

»Na und? Bist du vielleicht mit denen verheiratet? Hast du kein eigenes Leben?«

Er hätte beide Fragen sehr gut mit Nein beantworten können, hörte aber mit steigender Beängstigung, dass sich in ihr eine neue Wut aufbaute. Er hatte die Sache nicht gut im Griff. Wenn sie keine Frau wäre, die soeben eine schreckliche Trauer durchlebt hatte, dann wäre alles viel einfacher.

»Was dir leidtun sollte, ist, dass du nicht mit mir reden willst. Seit einem Monat rufe ich an und schreibe sogar Briefe! Was glaubst du, wie mir da zumute ist! Zuerst habe ich gedacht, du brauchtest einfach Zeit. Wie konnte ich nur so dumm sein!«

»Pst, nicht so laut, ich höre dich.«

Da fing sie glücklicherweise wieder an zu weinen, er wagte nicht, sie anzusehen, ihre Hände vor dem Gesicht, das Grüne war ein Wollhut, an dessen Krempe eine weiße Stoffblume befestigt war. Ihre Tasche war ebenfalls grün, sie hatte sie auf dem Schoß stehen, ließ die Ellbogen darauf ruhen.

»Das kannst du einfach nicht machen«, flüsterte sie durch ihre Finger. »Mit einer Frau schlafen und dann verschwinden, behaupten, du hättest zu tun, wenn ich anrufe. Ich weiß, dass du lügst, du hast mir gesagt, dass du immer das Telefon ausschaltest, wenn du etwas Wichtiges erledigen musst.«

Diese verdammten Mobiltelefone, früher, ohne sie, war alles einfacher, umständlicher, aber einfacher.

»Ich dachte, wir wären uns nahegekommen, Margido. Das habe ich wirklich gedacht.«

»So einfach ist es nicht. Ich bin ein zutiefst gläubiger Mensch, Selma.«

»Pa! So hast du dich zu Silvester aber nicht gerade aufgeführt.«

»Ich kann keinen Alkohol vertragen, ich trinke nie. Deshalb.«

Die Wut war wieder da, sie sprang auf, beugte sich über den Schreibtisch, er wich unwillkürlich zurück, der teure Sessel passte sich seinen Bewegungen an.

»Im Suff immer druff, was? Willst du mir das sagen?«

Er schloss die Augen. Wie vulgär. Sie war zu einer anderen geworden, jetzt war Schluss mit munteren Scherzen und Kokettieren, die Frau, die hier vor ihm stand, war grob und plump geworden, und das machte alles so viel leichter. Er erhob sich ebenfalls und schaute ihr in die Augen.

»Geh jetzt bitte, Selma. Es tut mir leid, wirklich. Du bist eine sehr… anziehende Frau. Aber eine Beziehung zu dir wäre mit meinem Glauben nicht zu vereinbaren.«

»Bist du etwa ein Mönch? Ein katholischer Priester? He? Du arbeitest in einem verdammten Bestattungsunternehmen, ich kann mir nicht vorstellen, dass du dir Frauen von den Bäumen pflücken kannst. Aber für mich warst du ein wunderbarer Mann, einer, der mir Geborgenheit schenkte, deine Ruhe hat mich fasziniert. Ich hätte begreifen sollen, dass diese Ruhe einfach nur schnöde Passivität war. Du bist ein feiger Arsch, Margido Neshov. Und jetzt gehe ich. Von jetzt ab bleibe ich dir erspart.«

Als alle Aufgaben dieses Tages erledigt waren, die Papiere in Ordner sortiert, wichtige Anrufe getätigt und die Beerdigung in der Kirche von Ila am nächsten Tag bis ins Detail geplant war, fuhr er direkt nach Hause, obwohl es erst halb vier war. Den Damen gegenüber gab er vor, beim Sarglager vorbeischauen und die Bestände überprüfen zu wollen, er hörte selbst, wie dumm das klang, weil Frau Marstad alles im Computer hatte, und deshalb fügte er hinzu, er halte einen Sarg für eine Fehlproduktion, ein Griff sitze offenbar locker, er wolle sehen, ob er den selbst reparieren könne, um sich nicht die Mühe der Rücksendung machen zu müssen.

Eigentlich hatte er für eine Woche Lebensmittel einkaufen wollen, das machte er donnerstags immer, aber als er sich ins

Auto setzte, ging ihm auf, dass er das nicht über sich bringen würde. Wenn Frau Marstad und Frau Gabrielsen auch nur den geringsten Verdacht geschöpft hatten, dass etwas nicht stimmte… Wie peinlich! Er brauchte ihren Respekt, war davon abhängig, er war derjenige, der niemals etwas Falsches oder Unethisches tat.

Er schloss die Wohnungstür auf und hinter sich zu, jetzt war er über den Festanschluss erreichbar, er schaltete das Mobiltelefon aus und atmete auf, als das Display schwarz wurde. Sie hatte auch seine Privatnummer, aber nun war er immerhin auf einem Kanal weniger zu erreichen. Obwohl er ihr eigentlich glaubte; sie würde sich nicht mehr bei ihm melden.

Feige, dachte er, dass sie ihn feige genannt hatte, wo er doch hocherhobenen Hauptes der Sünde ins Auge geblickt und seine eigenen Bedürfnisse beiseitegeschoben hatte. Stärke war das doch, auch wenn er sich weigerte, bei diesem Gedanken Hochmut zu verspüren. Die Stärke war eine Selbstverständlichkeit, sie war die Bestätigung dafür, dass Gott und Jesus Christus in seinem Gemüt, seiner Seele anwesend waren. Nicht aus ihm selbst kam die Stärke, sie war ein direktes Ergebnis des Glaubens. Das würde sie niemals verstehen, sie mit ihrem Rotwein und ihrer *Familienpackung.*

Er machte sich ein Spiegelei und briet dazu eine halbe Hammelwurst, zerschnitt eine Tomate, legte sie zusammen mit einer Scheibe Graubrot auf einen Teller, ging mit einem Glas zum Kühlschrank und füllte es mit Milch, trug alles ins Wohnzimmer und aß im Sessel, mit dem Teller auf den Knien, ohne den Fernseher einzuschalten. Als er gegessen hatte, stellte er Teller und Glas auf den kleinen Beistelltisch und ließ sich zurücksinken.

Es war so still. Draußen schneite es jetzt. Er schaute hinaus auf die Zypresse, die in einem Topf auf der Veranda stand. Der Schnee war schön vor dem grünen Hintergrund. Immer wieder freute ihn dieser Anblick, an diesem Tag aber nicht. Er wollte umziehen, wollte sich eine Wohnung mit einer Sauna oder Platz für eine Sauna kaufen. Er stand auf, holte die Tageszeitung und schlug die Immobilienanzeigen auf. Da klingelte das Telefon, und sein Puls jagte hoch, seine Ohren dröhnten, seine Hände zitterten, als er zum Hörer griff.

»Ich bin's«, sagte Frau Gabrielsen.

»Ach, du bist's.«

»Eben kam ein Anruf, Randi Lagesen, Randi und Einar Lagesen, die mit dem plötzlich gestorbenen Kind, das wir gestern zurechtgemacht haben und das am Montag begraben werden soll.«

Frau Gabrielsen hatte die unangenehme Unsitte, ihm Selbstverständlichkeiten mit dem Teelöffel zu servieren. Es hätte gereicht zu sagen, Lagesen, er hatte ja noch vor wenigen Stunden Korrektur für das Liederheft gelesen.

»Sicher, ich weiß, wen du meinst.«

»Sie wollen jetzt doch eine Andacht bei der Bahre. Seine Eltern sind heute Nachmittag aus Oslo gekommen. Ich habe das Krankenhaus angerufen, die Kapelle ist heute frei, morgen ist sie ausgebucht. Glaubst du, du kannst das heute übernehmen? Die Kapelle ist um sieben Uhr frei.«

»Ja, das kann ich. Sag ihnen Bescheid. Das schaffe ich gut.«

Er faltete die Zeitung sorgfältig zusammen und holte sich noch ein Glas Milch. Das hier war Wirklichkeit, die Wirklichkeit, die ihn umgab. Und von der Selma Vanvik offenbar nicht das Geringste begriff.

»Großer Gott, der du uns siehst und kennst, komm zu uns mit deinem Trost.«

Beide Eltern des Kindes waren gläubig. Darüber freute er sich, sicher machte der Glaube es leichter, ihre Trauer zu ertragen. Es war ihr erstes Kind, das erste Enkelkind auf beiden Seiten. Die Eltern standen dicht nebeneinander, mit gefalteten Händen, die beiden Großelternpaare streichelten ihnen abwechselnd über den Rücken oder fassten sich an den Händen. Vor ihnen stand der offene Kindersarg mit dem drei Monate alten Mädchen in einem selbstgestrickten rosa Anzug. Auch die Mütze war rosa und weiß, mit einem rosa Seidenband unter dem Kinn. Die Augenhöhlen dunkelten schon, aber er hatte sie vor dem Eintreffen der Angehörigen mit etwas Creme überdecken können. Die weißen Kerzen brannten und warfen flackernde Schatten an die Wand. Der kleine Sargdeckel lag daneben auf einem Stuhl.

Alle lauschten auf seine Worte, es tat gut, sie aussprechen zu können, diesen Menschen etwas zu geben, sie einen kleinen Schritt weiterzubringen. Viel zu lange hatte er bei solchen Gelegenheiten die Hohlheit seiner Worte empfunden, jetzt wärmten sie ihn, so sehr, wie sie Eltern und Großeltern trösteten.

»Lasset uns hören, wie Jesus Gottes Reich den Kindern öffnet.«

Er hob den Blick, und sie sahen ihn an. Die Augen der Mutter waren rot und erfüllt von einer unendlichen Trauer und einer Art physischen Sehnsucht, wie er sie immer bei Müttern sah, die ein Baby verloren hatten.

»Sie trugen die kleinen Kinder zu ihm, auf dass er sie berührte, aber die Jünger wollten sie abweisen. Als Jesus das sah, geriet er in Zorn und sagte zu ihnen: Lasset die Kindlein zu mir kommen und wehret es ihnen nicht. Denn Gottes Reich gehört solchen wie ihnen. Wahrlich, ich sage euch: Wer nicht Gottes Reich annimmt wie ein kleines Kind, wird dort keinen Einlass finden. Und er holte sie zu sich, legte ihnen die Hände auf und segnete sie… Jesus sagt: Ich bin der gute Hirte. Ich kenne die Meinen, und die Meinen kennen mich. Und ich gebe ihnen das ewige Leben, sie werden in der Ewigkeit nicht verloren gehen, und niemand wird sie aus meiner Hand reißen. Mein Vater, der sie mir gegeben hat, ist größer als alle, und niemand kann jemanden aus meines Vaters Hand reißen.«

Die Mutter schluchzte, und der Arm ihrer Mutter legte sich um sie.

»So lautet das Wort des Herrn.«

Er legte einige Sekunden Pause ein, dann fügte er hinzu:

»Lasset uns beten, wie der Herr uns zu beten gelehrt hat.«

Die Angehörigen ließen einander los, falteten die Hände und senkten die Köpfe. Sie alle waren gläubige Menschen, und zum Glück war das Kind getauft, erst vor zehn Tagen hatten sie die Taufe gefeiert. Das kleine Mädchen hatte den Namen Sara Emilie erhalten.

Margido schloss die Augen, er spürte, dass ihn eine tiefe Feierlichkeit erfüllte, weil er das Gebet des Herrn mit ihnen sprechen durfte.

»Vater unser im Himmel, geheiligt werde dein Name, dein Reich komme, dein Wille geschehe wie im Himmel also auch auf Erden, unser tägliches Brot gib uns heute, und vergib uns unsere Schuld, wie auch wir vergeben unseren Schuldigern. Und führe uns nicht in Versuchung, sondern erlöse uns von dem Bösen, denn dein ist das Reich und die Kraft und die Herrlichkeit in Ewigkeit. Amen.«

»Amen«, flüsterten die anderen.

Er holte den Sargdeckel und hielt ihn hoch.

»Wollt ihr ihr Gesicht bedecken?«, fragte er leise.

Die eine Großmutter öffnete das Seidentuch, das neben dem Gesichtchen auf dem Kopfkissen gelegen hatte und breitete es über das Gesicht, nachdem sie die eine Wange gestreichelt hatte. Sie ließ ein trockenes Schluchzen hören.

»Meine Kleine … Ich hab dich ja gar nicht richtig kennenlernen können.«

Es war ganz still, als Margido den Deckel auf den Sarg legte und der Vater des Kindes die Schrauben anzog.

Sie gaben ihm danach alle sechs die Hand, mit echter und inniger Wärme.

»Sie haben das alles so schön gesagt«, sagte der eine Großvater. »Es war gut für uns zu erleben, dass der Herr mit seinem Trost in der Nähe ist. Das ist er doch. Vielen, vielen Dank, jetzt werden wir auch die Beerdigung überstehen.«

Er musste den Wagen vom Schnee befreien, er fegte mit langsamen Bewegungen und nahm dabei eine Art Glück wahr. Führe uns nicht in Versuchung… Aber das war geschehen. Es war geschehen und konnte nicht rückgängig gemacht werden. Trotzdem wusste er, dass er jetzt heimgekehrt war, zurück in Gottes Herde, er war freigelassen, war wieder einer von unendlich vielen, er war nicht allein.

Er war ganz anders als alle Männer, mit denen sie bisher zusammen gewesen war, und deshalb versuchte sie Sigurd klarzumachen, dass er ganz beruhigt sein könne. Sigurd behauptete, sich wirklich Sorgen zu machen, und das machte sie wütend, aber sie versuchte, es nicht zu zeigen. Sie wusste ja, dass es daran lag, dass sie ihm wichtig war, so unsinnig er sich auch verhielt.

»Freu dich lieber ein bisschen für mich, ich schwebe doch auf Wolke sieben.«

»Danke, das sehe ich, das sehen wir alle.«

»Du hast doch gesehen, dass er weder ein Horn auf der Stirn noch ein Uzi-Gewehr unter der Jacke hatte, als er hier war. Er ist ein anständiger Mann, und ich bin ...«

»... bis über beide Ohren verliebt. Er macht einen sehr sympathischen Eindruck, aber du kennst ihn doch erst seit ...«

»... drei Wochen. In drei Wochen kann man sehr viel feststellen. Und ich habe ihn schon zu Silvester kennengelernt, das macht also fünf.«

»Aber du hebst dermaßen ab, Torunn. So wie gestern bei der Besprechung, da hast du immer wieder dieselben Fragen gestellt. Der arme Buchhalter hätte fast den Verstand verloren.«

»Wirklich? Ach, sieh das doch nicht so eng«, sagte sie. »Wir schreiben doch tiefschwarze Zahlen, die muss der Typ ja wohl ein paarmal wiederholen können. Und die Beziehungen, die ich in den letzten Jahren hatte, fingen auch immer gut an, aber dann ging es den Bach runter, weil ich angefangen habe, die Typen rumzukommandieren, und sie ließen sich rumkommandieren, und da habe ich die Achtung vor ihnen verloren, und sie haben sich mit anderen Frauen eingelassen, um bestätigt zu werden. Psychologische Kurzfassung. Aber Christer lässt sich nicht rumkommandieren.«

»Ich wünschte, du gingst das ein bisschen lockerer an. Ich will doch nur, dass es dir gutgeht, Torunn.«

Er nahm sich einen Pfefferkuchen, erinnerte sich zu spät daran, dass er die satt hatte, und schnitt eine Grimasse.

»Weihnachten dauert bis Ostern«, sagte er. »Aber ehrlich, Sigurd, es geht mir wunderbar, du brauchst nicht auf mich aufzupassen. Eigentlich ist er ein ziemlich normaler Typ, auch wenn er mit sieben Kötern durch das stockfinstere Maridalen fährt. Aber wenn du mir so zusetzt, muss ich ihn doch loben. Verstehst du das nicht? Halt dich an die Tatsachen.«

»Und die sind?«

»Dass das hier nicht so ist wie meine früheren Beziehungen. Das hier ist gesund für mich. Du brauchst dir keine Sorgen zu machen.«

»Unter einer Bedingung: Dass du diese Pfefferkuchen in eine Schüssel gibst und für besuchende Hunde ins Wartezimmer stellst und wieder Maryland Cookies kaufst.«

»Aber sicher, die Pfefferkuchen werde ich wegwerfen. Aber Cookies kannst du selber kaufen.«

Was ihr nicht gefiel, war, dass Margrete immer wieder über diese neue Beziehung zu Christer redete. Alles ging zu schnell, sie habe sich zu rasch und intensiv auf ihn eingelassen. Aber wie hätte sie das vermeiden sollen? Mit Christer zusammen zu sein, war wie nach Hause zu kommen, auch wenn das für andere wie ein Klischee klang. Und dass sie ihn überhaupt kennengelernt hatte, war wie sechs Richtige im Lotto. Er zog nicht durch Kneipen, er verkehrte nicht in ihren Kreisen. Er war ab und zu in Majorstua, in seiner Wohnung im Bogstadvei, ansonsten war er in seiner Hütte im Wald. Es war verboten, solche Hütten das ganze Jahr über zu bewohnen, deshalb hatte er diese Wohnung in Majorstua, an die seine Post geschickt wurde. Und in der er amtlich gemeldet war.

»Nicht mal Luna war schon mal da«, sagte er. »Aber es ist ja auch eine Investition, steigt wie blöd im Wert. Ich krieg Klaustro, wenn ich da nur die Tür aufschließe. Komisch, dass es von Leuten wimmelt, die in Schuhkartons übereinander wohnen wollen.«

»So wie ich«, sagte ich. »Wenn ich in meiner Wohnung bin, vergesse ich ganz, dass über und unter mir noch jemand haust.«

Aber natürlich gefiel ihr seine Hütte viel besser als ihre eigene Wohnung, das war ja wohl klar. Sie hätte gern so gewohnt, wenn sie gekonnt hätte. Eine scheinbar schlichte Hütte, wenn man sie von außen sah, aber ziemlich groß, und innen war sie perfekt. Schieferboden mit Fußbodenheizung, Badezimmer mit Palisadenwänden und Holzofen, ein riesiger blauer Esstisch, großer Kamin, alte, tiefe Sessel voller Lammfelle, eine Küche mit gemütlichem Chaos und ein Holzofen wie auf Neshov. Die Wohnzimmerwände waren bedeckt von Regalen mit Büchern und alten Jagdzeitschriften und *Reader's Digest*. Das war echte Hüttenstimmung, bis man die Tür zum Computerraum öffnete. Drei Bildschirme, Drucker, Faxgerät und Uhren, die die Zeit in London, New York und Tokio zeigten. Als sie dieses Zimmer betreten durfte, bei ihrem zweiten Besuch in der Hütte, hatte sie sich zu ihm umgedreht und gefragt: »Um Himmels Willen, was machst du eigentlich?«

Darüber hatten sie noch nicht gesprochen, sie hatte noch keine Gelegenheit zum Fragen gefunden. Sie hatten über Hunde und noch mehr Hunde geredet und zwischendurch dann gar nicht, sie waren einander nur nahe gewesen, hatten sich geliebt, hatten einander durch Geruch und Geschmack und Berührung kennengelernt. Rein physisch hatte er sie auf eine Weise in Besitz genommen, von der sie in der Pubertät geträumt hatte. Inzwischen hatte sie jedoch die Hoffnung aufgegeben, dass so etwas jemals geschehen könnte. Sie hatte es als törichten Jungmädchentraum abgeschrieben.

»Was ich mache? Ich verdiene Geld.«

»Womit denn?«

»Aktien. Aktienfonds. Kauf und Verkauf.«

»Allein? Nur du? Arbeitest du irgendwo?«

»Hier. In meinem Haus im Wald.«

Er hatte mehrere Jahre als Fondsmakler in einer Bank gearbeitet, ein Rattenrennen, wie er das nannte, und sie hatte keinen Grund, das zu bezweifeln. Zugleich hatte er sich immer mehr für Schlittenhunde interessiert und schließlich eingesehen, dass beides miteinander immer weniger zu vereinbaren war. Nachdem er zum ersten Mal das Finnmark-Rennen gefahren war, beschloss er am dritten Tag, während er vier erwachsene Schlägertypen mitten auf der Piste voneinander trennen musste und das Zaumzeug sich total verheddert hatte, dass er immer so leben wollte. Er war nach Haue gefahren, hatte Hemden und Anzüge der Heilsarmee geschenkt, hatte nur einen schwarzen Bossanzug behalten, von dem er meinte, er könne ihn gebrauchen, falls er auf eine Beerdigung müsste.

»Alles geht per Computer. Und da kann ich eigentlich arbeiten, wo ich will. Von mir aus in einer Trapperhütte auf Svalbard.«

»Aber kostet das denn nicht wahnsinnig viel? Braucht man nicht Kapital und so?«

»Doch, aber das habe ich inzwischen erarbeitet. Da hab ich keine Probleme. Und ich verteile sorgfältig zwischen hohem und geringem Risiko. In letzter Zeit tendiere ich zum hohen, wenn ich ehrlich bin. Aber es läuft gut, es läuft super.«

Danach wollte er nicht mehr über seine Arbeit sprechen, er schloss die Tür zum Computerzimmer und umarmte Torunn, hob sie hoch, küsste sie auf Hals und Stirn und sagte, sie könnten doch im Kamin ein Feuer machen, wenn sie bei ihm übernachten wollte. Das wollte sie, die Straße führte hinter der Hütte vorbei, dort stand ihr Auto, zur Arbeit würde sie nur ein wenig mehr als eine halbe Stunde brauchen.

Wenn sie nur ganz und gar in dieser Liebe leben könnte, ohne Stress, aber das ging nicht. Die Mutter nervte. Der Vater nervte nicht, was fast noch schlimmer war. Immer musste sie anrufen, nie war es umgekehrt. Er hatte etwas Märtyrerhaftes. Früher hatte er ab und zu angerufen, um zu plaudern, aber damit war Schluss. Jetzt schien er beweisen zu wollen, dass er gut zurechtkam, und deswegen würde er verdammt nochmal nicht anrufen und sie brauchen. In der Praxis hatte sie alle Hände voll zu tun mit kranken Tieren und Dressurkursen. Viel lieber hätte sie sich mit Christer eingeschlossen, hätte ihr Telefon ins Klo geworfen und wäre erst im Frühling wieder aus dem Bau gekommen.

»Und noch etwas, Sigurd. Es macht ja solchen Spaß, mit Hunden zu fahren. Stell dir vor, die hören auf mich. Das gibt eine ganz besondere Art von … Rausch. Und um uns herum der schwarze Wald und die offenen Flächen und kein anderes Geräusch als das Keuchen der Tiere und der Schlitten, der über den Schnee saust.«

»Die kriegen wir sicher nicht als Patienten, diese Hunde«, sagte er. »Solche Leute nähen ihre Hunde selbst, und wenn sie schlimmere Verletzungen davontragen, dann geht's auf der Stelle in die ewigen Jagdgründe.«

»Ja, das ist schon eine andere Art von Umgang mit Hunden«, musste sie zugeben.

Schlittenhunde waren Gebrauchshunde, auch wenn Christer, soweit sie das beurteilen konnte, zu jedem eine besondere Beziehung hatte. Luna war sein Liebling, die kleine zarte Luna, vor der Meute, in der alle größer waren als sie. Und wenn etwas im Gespann nicht stimmte, fuhr sie herum und bellte einige Kraftsalven, die nur Hunde verstanden und die jedenfalls wirkten. Einmal waren zwei Rüden aufeinander losgegangen.

»Jetzt pass auf«, sagte Christer und ließ das Gespann anhalten. Er ließ die Rüden kämpfen, rannte an ihnen vorbei und schirrte Luna ab. Wie ein weißer Wirbelwind fuhr sie zwischen die Rüden, fauchte in beide Richtungen und stellte sich fast auf die Hinterbeine, während sie die Gefährten mit den Vorderpfoten anstieß. Sofort hörten die beiden auf, sanken in sich zusammen, worauf Luna sie noch ins Ohr biss, um nachdrücklich ihren Standpunkt klarzustellen, und wütend knurrte. Die Rüden heulten wie die Welpen.

»Verletzt sie sie?«, rief Torunn.

»Sie rührt sie kaum an, sie heulen nur, um zu sagen, dass sie sich geschlagen geben.«

Ehe Luna fertig war, lagen auch die anderen Hunde flach im Schnee und Torunn konnte geradezu sehen, wie sie fromm und brav zu wirken versuchten. Als Luna wieder angeschirrt wurde, schüttelte sie sich heftig und schnaubte zufrieden, und sie schaute sich immer wieder rasch über ihre Schulter um.

»So eine Hündin ist ihr Gewicht in Gold wert«, sagte Christer, bevor er das Gespann wieder antrieb: »Hüüü-ja!«

Aber an diesem Tag war sie nicht mit ihm verabredet, sondern mit ihrer Mutter. Deshalb musste sie zusammen mit Sigurd im Pausenraum Zeit schinden. Sigurd war verheiratet und Vater von vier Kindern, er war seit tausend Jahren mit seiner Frau zusammen, was konnte der noch über Verliebtheit wissen. Am Ende rief die Mutter an und fragte, wo sie bleibe.

»Ich bin schon unterwegs, wurde hier aufgehalten. Soll ich unterwegs irgendwas für dich einkaufen?«

Was das denn wohl sein solle?

»Ich weiß nicht. Etwas Leckeres? Etwas, worauf du Lust hast?«, fragte Torunn.

Die Mutter hatte auf gar nichts Lust.

Sie öffnete in ihrem weißen Seidenschlafanzug die Tür.

»Hallo, meine Liebe«, sagte sie und umarmte Torunn kurz, ehe sie sich umdrehte und durch die Diele zurückging.

»Hast du geschlafen?«

»Nein. Hatte mich nur noch nicht angezogen.«

»Himmel, Mutter. Es ist neun Uhr abends!«

»Dann lohnt es sich nicht mehr, sich anzuziehen. Wo ich doch in ein paar Stunden wieder schlafen gehe.«

»So geht das nicht, Mutter, so geht das einfach nicht.«

»Sag du mir nicht, was geht und was nicht geht, du bist ja noch nicht mal eine halbe Minute hier. Zieh erst mal den Mantel aus, bevor du mich mit deinen Lebensweisheiten überschüttest.«

»Wenn du gemein sein willst, dann gehe ich einfach wieder. Eigentlich bin ich ziemlich müde.«

Sie könnte zu Christer fahren, ihn überraschen, Pizza und Leckereien mitnehmen. Die Mutter blieb mitten im Wohnzimmer stehen, schlug die Hände vors Gesicht und schluchzte laut auf.

»Verzeihung, Herzchen. Verzeihung. Ich weiß ja, dass du nur mein Bestes willst.«

Und dann war alles wieder beim Alten, sie musste die Mutter trösten, obwohl die Beleidigung doch eigentlich von ihr ausgegangen war. Sie lief zu ihr und zog sie an sich.

»Aber, aber, Mutter, nicht weinen. Du musst mehr unter Leute gehen. Du kannst nicht nur zu Hause herumsitzen, vielleicht sollten wir einen Ausflug nach Kopenhagen machen? Erlend will doch unbedingt, dass wir ihn besuchen. Ich könnte ein langes Wochenende organisieren.«

»Ja, vielleicht ... Auch wenn er zur Neshov-Familie gehört, dieser verdammten Bande. Aber dieser Erlend scheint wirklich nett zu sein.«

»Das ist er absolut, Mutter. Du wirst von ihm begeistert sein. Er kennt alle schönen Läden, in denen du einkaufen kannst.«

»Einkaufen … Aber wozu? Wenn ich mir das genauer überlege, kann ich mir ja nicht mal einen Ausflug nach Kopenhagen leisten.«

Torunn ließ sie los, setzte sich in einen Sessel, legte den Mantel ab und ließ ihn neben dem Sessel auf den Boden fallen.

»Gunnar wird dich doch finanziell nicht im Stich lassen«, sagte sie.

Die Mutter wischte sich mit raschen Handbewegungen die Tränen ab und schlug dramatisch die Arme übereinander.

»Er kann mich nicht für den Rest des Lebens versorgen. Aber ich war doch nicht mehr berufstätig, seit ich ihn kennengelernt habe, Torunn. Und das ist, wie du weißt, schon sehr viele Jahre her. Und wie du auch weißt, habe ich keinerlei Ausbildung. Er will, dass wir das Haus verkaufen.«

»Ach.«

»Ach? Das ist alles, was du dazu sagst? Mein Zuhause seit über dreißig Jahren!«

»Es ist auch Gunnars Zuhause. Und diese Villa ist sicher ein Vermögen wert. Du könntest dir eine schöne Wohnung kaufen und …«

»Sag mal, stehst du auf seiner Seite? Hältst du zu ihm?«

»Mutter. Kannst du nicht ein bisschen realistisch sein? Du kannst nicht allein in einer zweistöckigen Villa in Røa wohnen, während Gunnar in …«

Sie unterbrach sich, sie hatte keine Ahnung, wo Gunnar wohnte. Marie konnte sogar eine Dachwohnung im Nobelviertel Akerbrygge haben, wo Gunnar jetzt mit teuren Zigarren und Tiefgarage logierte, was wusste sie schon.

»Ich halte zu dir, Mutter. Ich will, dass es dir gut geht. Dass du … darüber hinwegkommst.«

»Aufgibst, meinst du.«

»Nein, im Gegenteil. Dass du eben nicht aufgibst«, sagte Torunn.

»Ich soll Gunnar aufgeben, meinst du.«

Torunn starrte sie an. »Aber du hast doch tausendmal gesagt, dass du ihn nie im Leben zurückhaben willst, selbst wenn er mit eingekniffenem Schwanz angekrochen kommt.«

»Na ja. Seiner ist nicht so lang, dass er den rückwärts zwischen …«

»Mutter! So etwas will ich nicht hören.«

»Ach, du meine Güte. Was für ein zartes Seelchen. Eine Tasse Tee, Herzchen?«

Sie konnte sich erst gegen halb eins losmachen. Sofort rief sie Christer an, nachdem sie sich in ihr Auto gerettet hatte. Er meldete sich nach einer Ewigkeit und sagte, er sei in Arbeit vertieft.

»Um diese Zeit?«

In Shanghai sei es halb acht Uhr morgens.

»Shanghai?«

In Shanghai passiere eben alles.

»Was denn alles?«, fragte sie.

Investitionen, sagte er, dieses Jahrhundert gehöre China, die USA und Japan könnten sie einfach vergessen, Geld müsse in China investiert werden. In einen Turbokapitalismus, wie ihn die Welt nicht gesehen hatte, seit Hongkong für westliche Investitionen freigegeben worden war. Trotzdem sei das hier noch einen Tick wilder.

»Ich glaube dir.«

Seine Stimme klang anders, für einen Moment konnte sie ihn nicht vor einem Hundegespann vor sich sehen. Eher in Anzug und weißem Hemd mit blankem Seidenschlips. Dem schwarzen Anzug, den er für Beerdigungen aufbewahrte. Sie hatte gehofft, er werde sagen: Komm. Komm, egal, wie spät es ist, und obwohl du früh raus musst, Torunn. Aber das sagte er nicht, er klang beschäftigt, aber natürlich konnte er nicht alles stehen und liegen lassen, nur weil sie angerufen hatte. Von diesen Dingen lebte er schließlich.

»Na, bis dann«, sagte sie.

»Bis dann«, sagte er. »Und vergiss nicht, was ich dir gesagt habe. Wenn du fünfzigtausend übrig hast, dann werde ich die zum Brüten bringen. Ich arbeite normalerweise nicht mit so kleinen Summen, aber für dich mache ich eine Ausnahme.«

»Ich hatte voriges Jahr wirklich fünfzigtausend und noch ein bisschen mehr übrig, aber wir stecken alles in die Praxis, investieren in das neue digitale Röntgensystem, und vielleicht stellen wir noch jemanden …«

»Denk trotzdem daran, was ich gesagt habe. Bis dann.«

Sie legte auf. Sie dachte: Er arbeitet und hat gewusst, dass ich heute Abend etwas anderes vorhatte, er ist in einer anderen Stimmung, deshalb kann ich ihm keine Vorwürfe machen, wenn ich gleich hingefahren wäre und an die Tür geklopft hätte, hätte er sich sicher schrecklich gefreut.

Als sie ihre leere Wohnung aufschloss, kam ihr das Alleinsein plötzlich ungewohnt vor. Es war seltsam. Sie schloss sonst immer so gern auf, in dem Wissen, dass das hier ihre eigene kleine Höhle war. Sie kochte Teewasser, zog sich aus und hüllte sich in ihren Morgenrock, sah die Post durch und sortierte Werbung aus. Rechnungen und eine Einladung zu einem Treffen der Hausgemeinschaft, sie hatte keinen Nerv, die Tagesordnungspunkte zu lesen. Sie schaute aus der Wohnungstür, um nachzusehen, ob aus Margretes Wohnung Licht fiel, aber da war alles dunkel. Als sie ihre Tür wieder zuzog, war sie erleichtert, denn worüber hätte sie mit Margrete sprechen sollen? Konnte sie verflixt nochmal in einem Alter von siebenunddreißig keine Affäre mit einem alleinstehenden Mann im selben Alter haben? Gott sei Dank, dass sie ihrer Mutter nichts von Christer erzählt hatte. Aber wie hätte sie das auch tun können? Ihr erzählen, dass sie unsterblich verliebt war, während die Mutter davon ausging, dass Torunns Leben ein Echo ihres eigenen lieblosen Daseins sei.

Sie hatte Lust, ihn noch einmal anzurufen, hielt schon das Telefon in der Hand, ließ seine Nummer im Display aufleuchten, drückte aber nicht auf den grünen Knopf. Da war jedenfalls seine Nummer. Wenn sie drückte, würde auch seine Stimme da sein.

Erlend. Es war immer schön, mit ihm zu sprechen. Aber es war spät. Es war mitten in der Nacht. Trotzdem schickte sie Erlend eine Test-SMS. *Kann ich dich anrufen?*

Okay, antwortete er, nach einigen Minuten.

»Ich bin's. Ich weiß, dass es spät ist, aber in Shanghai ist es jetzt acht Uhr morgens.«

Ach, sieh an. Sie habe wirklich den globalen Überblick.

»Ihr seid auch noch so spät auf?«

Krumme nicht. Nur er selbst.

»Und was machst du so?«

Nichts Besonderes, er sitze nur mit einem Cognac da und schaue auf die Lichter von Kopenhagen.

»Klingt wunderbar.«

Ja, es sei gar nicht so schlecht.

»Du hörst dich… ein bisschen traurig an? Ist was passiert?«

Nichts sei passiert. Er habe eine neue Falte entdeckt, unter der einen Hinterbacke, ausgerechnet, aber er erzählte das ganz ohne sein übliches Temperament und dramatisches Mitgefühl.

»Du bist irgendwie nicht du selbst, Erlend, ist irgendwas? Abgesehen von dieser Falte, meine ich.«

Sie solle einfach ganz ruhig bleiben und sich nichts einbilden. Am Vortag hatte er sein Aladdin-Sane-Plakat vom Rahmen abgeholt, es war phantastisch geworden, gar nicht mehr zerknittert, und es war am Rand beschnitten worden, um Löcher von Heftzwecken und Klebebandreste zu entfernen. Jetzt hing es in feuerrotem Rahmen im Schlafzimmer. Und er hatte eine Menge unterschriebener Papiere an Anwalt Berling nach Trondheim geschickt, jetzt könne Tor bald als rechtmäßiger Besitzer auf dem Hof hausen.

»Wie schön«, sagte sie und dachte: Morgen muss ich unbedingt meinen Vater anrufen. »Gibt's sonst was Neues?« Tja, Krumme wäre fast ums Leben gekommen, aber er habe nur ein paar Schrammen und blaue Flecken davongetragen, der Wagen habe im letzten Moment noch anhalten können.

»Aber Herrgott! Und das erzählst du mir erst jetzt? Hatte er nicht schreckliche Angst? Ach, der arme Krumme.«

Plötzlich senkte Erlend die Stimme, sagte, jetzt stehe Krumme offenbar wieder auf, er höre ihn im Badezimmer.

»Habt ihr euch gestritten?«, flüsterte sie zurück. »Wo du flüsterst?«

Das hätten sie nicht, aber die Lage sei … gerade ein wenig angespannt.

»Angespannt? Nein, jetzt machst du Witze. Du und Krumme, ihr seid doch … Das geht doch einfach nicht!«

Doch, das gehe, aber es werde auch vorübergehen, daran brauche die kleine Nichte nicht mehr zu denken, und er müsse jetzt auflegen, sie könnten später weiterreden.

Sie legte sich in ihr eiskaltes Bett, krümmte sich in Embryohaltung zusammen und kniff die Augen zu. Aus einem offenen Fenster hörte sie verzweifeltes Kinderweinen, und unten auf dem Fußweg waren einige Jugendliche in eine laute, schrille Diskussion vertieft. *Ein wenig angespannt …*

Es war windstill, vom Wetter war kein Laut zu hören. Sie schlief gern bei Wind oder Regen ein, wenn die großen Birken raschelten und sie in den Schlaf sangen. Ein warmes Bett fühlte sich so viel besser an, wenn draußen richtiges Scheißwetter war. Aber in Sovner war es windstill und trocken. Sie stand auf, schaltete ihr Handy ein und schickte ihm eine SMS. »Sehn mich. Sehen uns morgen?« Sie blieb liegen und sah den roten Digitalziffern auf ihrem Radiowecker zu, bis diese 02.43 zeigten, dann schlief sie ein, und Christer hatte noch immer nicht geantwortet.

Als er wie immer um halb sieben aufstand und in die Küche hinunterging, sah er, dass das Thermometer draußen zwölf Grad minus zeigte. Sofort wurde er nervös. Er hatte zwei frische Würfe, der jüngere war gerade mal fünf Tage alt. Eins von sieben Ferkeln war in der ersten Woche gestorben, das war, statistisch gesehen, Durchschnitt, aber er fand es schrecklich, wenn es zu seiner eigenen Wirklichkeit wurde. Die Kälte war eine tückische Feindin. Wenn es kalt war, herrschte die Natur.

Nachdem die Mutter vor einigen Jahren beschlossen hatte, die Milchquote zu verkaufen und auf Schweinezucht umzusteigen, hatte er den Stall umgebaut, hatte sich aber Fußbodenheizung unter den Koben nicht leisten können. Die Jungen schliefen in Wurfkästen in der Ecke, die Lampen darüber wärmten sie, und sie lagen auf dicken Strohschichten. Doch wenn die Sau ruffelte und grunzte und zum Essen rief, mussten sie über den Betonboden und danach wieder zurücklaufen. Es war für so einen winzigen Wicht nicht immer ganz einfach, sich um das Gebirgsmassiv von Mutter zu manövrieren, das zwischen Kälte und Wärme aufragte. Und wenn sie ohnehin schon ein bisschen schlapp waren, dann dauerte es nicht lange, bis sie fast erfroren und antriebslos waren. Es war ein Teufelskreis.

Aber zuerst brauchte er Kaffee. Ohne Kaffee schaffte er gar nichts.

Er heizte im Holzofen ein, während der Kaffee aufkochte, dann heizte er auch im Wohnzimmer. Der Vater stand immer erst spät auf und genoss deshalb das Privileg, zu warmen Zimmern und warmem Kaffee nach unten zu kommen. Als die Mutter noch gelebt hatte, hatte sie Feuer gemacht, und er selbst war in die Wärme nach unten gekommen. Und zu Tassen auf dem Tisch, zu Würfelzucker, selbstgebackenen Haferkeksen mit Käse. Er konnte so früh noch nicht richtig essen, das wusste sie. Das änderte sich dann, wenn er hungrig wie ein Wolf nach der Morgenrunde aus dem Stall kam.

Er trat ans Fenster und trank den Kaffee, noch ehe der Satz gesunken war. Der Himmel war lila und sternenklar, im Osten lag nur ein winziger Streifen Morgengrauen. Ihm grauste davor, in die beißende Kälte hinauszumüssen, er hasste Kälte wie die Pest. Nicht nur, weil sie sich in die Häuser hineinfraß, sondern weil alles so schwierig wurde, seine Finger waren betäubt, der Traktor wollte nicht anspringen, wenn er zum Laden wollte, und dahin musste er an diesem Tag. Der Kühlschrank war fast leer. Er fuhr nie mit dem Volvo zum Laden, der stand trocken und geborgen in der Scheune und wurde nur angelassen, wenn er in die Stadt musste, und das kam nicht oft vor. Den Diesel konnte er von der Steuer absetzen, und da war es doch klar, dass er kein teures Benzin für die Fahrten zum Supermarkt ausgab wie irgendein Bonze.

Aber das war er jetzt doch eigentlich. Ein Bonze. Der Hof gehörte ihm. Oder… gehörte war vielleicht zu viel gesagt, weder Margido noch Erlend hatten sich ausbezahlen lassen, deshalb gehörte der Hof ihm noch nicht ganz. Aber immerhin war er jetzt auf ihn überschrieben worden. Zum ersten Mal würde er nicht alle Jahresabrechungen und die Steuererklärung ins Wohnzimmer zum Vater bringen müssen und zusehen, wie der mühevoll seinen Namen darunterkritzelte.

In diesem Jahr würde er seinen eigenen auf alle gepunkteten Linien schreiben.

Hatte er Freude empfunden, an dem Tag, an dem die Post

die Unterlagen gebracht und Margido angerufen hatte, um zu gratulieren? Er wusste es nicht so recht. Und dass Margido das Wort »gratulieren« benutzt hatte, das war ihm über alle Maßen idiotisch vorgekommen. Der Hof bedeutete doch Verantwortung, war kein Geschenk, das ihm in den Schoß gelegt worden war, um ihm eine Freude zu machen.

Der Schnee knirschte unter den Holzschuhen. Er ging vorsichtig, um nicht zu stürzen. Er hätte von der Kälte nicht überrascht sein dürfen, es war Mitte Februar, nur hatte der Januar sie mit unnatürlich mildem Wetter an der Nase herumgeführt. Sogar Scharen von Austernfischern waren unten bei Gaulosen beobachtet worden, das hatte er im Supermarkt gehört.

Er zog Overall und Stiefel an und ging in den Stall, schaltete die Leuchtröhren unter der Decke ein. Augen starrten ihn frisch erwacht aus allen Koben an. Die Sauen erhoben sich und grunzten einen Willkommensgruß. Er ging in die Hocke und betastete den Boden. Er war kalt, ja. Er musste jede Menge Stroh holen. Die Sauen lagen strotzend vor Milch da, auch denen tat die Bodenkälte nicht gut. Es war schrecklich viel Arbeit, so viel Stroh immer wieder wechseln zu müssen, aber da half alles nichts.

Er lief zu den jüngsten Würfen. Das Licht hatte beide Sauen dazu veranlasst, zum Essen zu rufen. Er sah sich die Jungen sorgfältig an. Jedes hatte seine Zitze, es dauerte einige Tage, bis die Rangordnung unter den Jungen festgelegt war und jedes sich seine private Zitze reserviert hatte. Wenn sich dann eins irrte, wurde es von den beleidigten Geschwistern wütend angegriffen. Die Sauen hatten Zitzen für alle, es waren junge Sauen, die Würfe fielen deshalb relativ klein aus: Elf oder zwölf Ferkel, nicht mehr. Im Moment sah er sich den jüngsten Wurf an, die Sau hieß Trulte und war ein ruhiges Tier, in das er große Hoffnungen setzte. Selten hatte er beim Werfen ein so gelassenes Verhalten gesehen, höchstens

Siri konnte es in dieser Hinsicht mit ihr aufnehmen, aber Siri hatte doch ein Junges totgelegen. Er schaute zu dem Koben hinüber, in dem die Ferkel von Siri und Sara zusammen hausten, sie waren seit vierzehn Tagen entwöhnt. Sie starrten ihn jetzt an, eins neben dem anderen, während sie die Schnauzen in die Luft streckten, als könne sein bloßer Geruch erklären, warum er hier glotzend herumstand, wo sie doch so entsetzlichen Hunger hatten.

Sara war, einige Tage nachdem er ihr die Jungen weggenommen hatte, vom Schlachterwagen nach Eidsmo gebracht worden. Sie hatte nur einen einzigen Wurf gehabt und bei der Geburt neun Junge getötet. Mit einer so tückischen Sau konnte man einfach nicht weitermachen. Sie war zwar mitten im Wurf davon erschreckt worden, dass der Rettungshubschrauber auf dem Weg zum St. Olavs Krankenhaus viel zu niedrig über die Häuser geflogen war, aber trotzdem. Sie war zu Salami und Hackfleisch geworden. Jetzt wollte er zwei Sauen aus einem der beiden neuen Würfe auswählen und sie sich zu Zuchtsauen entwickeln lassen. Zuchtsauen wurden anders gefüttert als Schlachtschweine, langsamer, weil sie ja nicht innerhalb eines bestimmten Zeitrahmens das volle Schlachtgewicht erreichen mussten. Sie sollten stattdessen gesunde Sauen sein, die richtig wuchsen. Wie er sie wohl nennen sollte? Vielleicht Dolly und Diana. Ja, das waren schöne Namen. Er gab ihnen gern Namen und nicht bloß Produktionsnummern.

Zwei von Trultes Jungen machten einen schlappen Eindruck. Sie aßen nicht so energisch wie die anderen. Es waren die beiden kleinsten. Als sie fertig gesäugt hatten, hob er das eine am Hinterbein hoch. Es zitterte.

»Du hast ja wirklich noch nicht viel Speck. Und frieren tust du auch.«

Er legte es mitten unter die Wärmelampe. Wenn die Jungen sich stritten, waren sie durchaus in der Lage, eins wegzuschieben, auch wenn sie schlafen wollten. Die Hackordnung galt hier wie überall sonst.

In Trines Wurf waren alle gesund und munter. Er sah keinerlei Anzeichen von Schwäche. Sie waren aber auch schon acht Tage alt und hatten das Schlimmste hinter sich. Sogar die Kleinsten wirkten aufgeweckt und energisch und machten sich nichts daraus, dass die Welt hinter den Granitmauern zwölf Grad unter null aufwies.

Er machte in allen Koben sauber und verteilte Futter und Torf. Er kraulte die Schweine hinter den Ohren, wenn sie die Schnauzen in die Futterkörner tunkten, er plauderte mit den Sauen und nannte sie beim Namen, er lächelte über die Ferkel, die aufeinanderkletterten, um als Erste an die Reihe zu kommen und König im Koben zu werden.

»Braucht keine Angst vor dem Frieren zu haben, nein, so wie ihr hier herumturnt. Aber ihr kriegt jetzt auch noch Stroh, da habt ihr was zum In-die-Luft-Schmeißen.«

Er zog zwei große Strohballen in den Mittelgang, riss sie auf, packte die Heugabel und verteilte großzügige Portionen starres Stroh. Die kleinen Schweine warfen sofort Strohreste in die Luft und jagten hintereinander her. Die Sauen grunzten zufrieden und stupsten das Stroh an. Siri stand wie immer da und wartete auf mehr als Stroh, und er steckte ihr eine gekochte Kartoffel vom Vortag zu, die sie mit lärmendem Genuss verzehrte.

»Und weil es so kalt ist, kriegst du auch noch Stroh.«

Siri hatte schon einen neuen Wurf im Bauch, er wünschte sich einen großen, und die neuen Zuchtsauen hätte er am liebsten von Siri gehabt. Er stopfte besonders viel Stroh in die Wurfkästen und klopfte es zurecht. Das musste reichen.

Als er seine Pflicht getan hatte und es im Stall von Schmatzen und Rascheln nur so widerhallte, ging er hinaus in die Waschküche, um in einer Nuckelflasche eine lauwarme Zuckerlösung zuzubereiten. Er hatte Angst um Trultes zwei kleine Schwächlinge. Die Zuckertüte im Schrank war feucht geworden, er holte sich einen Schraubenzieher und hackte drauflos, kochte Wasser auf einer einfachen Kochplatte und vermischte alles. Als der Zucker sich aufgelöst hatte, füllte er kaltes Wasser dazu, bis die Mischung lauwarm war, dann ging er zurück zu Trultes Wurfkoben.

Genau wie er sich das vorgestellt hatte, die beiden Kleinsten waren schon an den Rand des Gewimmels aus schlafenden Ferkeln unter dem roten Licht gedrängt worden. Er hob das eine hoch, es schlief und ließ sich fast nicht wecken. Er musste sich alle Mühe geben, um den Nuckel an den kleinen Mund zu halten, ehe endlich die Instinkte erwachten und das Ferkelchen die Flasche packte und drauflos saugte.

»So, ja, das ist lecker, was? Aber jetzt reicht's, deine Schwester will auch noch was abhaben.«

Das Junge zitterte noch immer, auch, als er es wieder unter die Wärmelampe legte. Vierunddreißig Grad war die Idealtemperatur für neugeborene Ferkel, und er glaubte, dass sie die auch hatten, aber wenn die Kälte sie erst erfasst hatte, dann verbrauchten sie ungeheuer viel Energie zur Bewahrung ihrer Körpertemperatur. Er hob das andere hoch und gab ihm den Rest der Zuckerlösung. Plötzlich fiel ihm ein, dass er vor einiger Zeit einen Bericht über einen Schweinezüchter gelesen hatte, der Neugeborene in einer dottergelben Schwimmweste in einen Eimer voll warmem Wasser steckte. Er hatte über dieses Bild herzlich gelacht, und in den Fernsehnachrichten war es auch gezeigt worden. Es war dabei um die Verlustzahlen bei neugeborenen Schweinen gegangen.

Eine gelbe Schwimmweste hatte er nicht, aber Eimer und warmes Wasser konnte er anbieten. Und zwei Hände.

Er holte einen Eimer mit warmem Wasser und einige trockene Lappen und hob das Junge an einem Hinterbein hoch. Er packte es um die Schultern und hielt es ins Wasser. Es zappelte wie besessen und heulte, als sollte es auf einen Spieß aus glühendem Stahl gesteckt werden. Der restliche Stall war plötzlich still, horchte und wartete ab.

»Hör doch auf, ich bring dich ja nicht um. Ich lebe von dir, du kleiner Trottel.«

Und schon nach wenigen Sekunden verstummten die Proteste, und das kleine Gesicht des Ferkels nahm einen seligen Ausdruck an. Nach ebenso vielen Sekunden hing es schlaff und schlafend in seinen Händen im warmen Wasser.

Er stand unbequem da. Wie lange hatte das Ferkel mit der gelben Schwimmweste wohl im Wasser gelegen? Daran konnte er sich nun wirklich nicht erinnern, falls es überhaupt erwähnt worden war.

Er hätte sich auf einen Strohballen setzen müssen, noch vor dem Eintunken des Jungens in den Eimer. Jetzt war es zu spät. Bis das Junge warm war, musste er den Rücken gekrümmt halten, dann erst konnte er sich aufrichten, das Ferkel in einen trockenen Lappen wickeln und es abtrocknen. Es erwachte nicht, als er es zu den anderen legte, mitten in den Haufen, er schob einige widerstrebende Ferkel beiseite. Er ging in die Waschküche und gab mehr heißes Wasser dazu und wiederholte das Manöver mit dem anderen Kleinen, dann schob er es hinein in den Ferkelhaufen unter der Lampe, neben das erste. Das mussten sie einfach hinnehmen, die wohlgenährten und warmen Geschwister, dass hier andere bestimmten.

Er fegte im Mittelgang das Stroh zusammen, kippte das heiße Wasser über den Boden und fegte hinterher, blieb stehen und stützte sich nachdenklich auf den Besenstiel. Der ganze Stall hätte ausgespült werden müssen, Boden, Wände und Decke, wenn ein Inspektor zu Besuch käme, würde das sicher angemahnt werden. Aber bei dieser Kälte konnte er das vergessen. Trotzdem, der plötzliche Gedanke an einen Inspektor versetzte ihm einen kleinen Schrecken. Er riskierte verminderten Schlachtpreis, wenn er nicht alle Anforderungen an gesunde Fleischproduktion erfüllte. Deshalb füllte er den Eimer noch mehrere Male, goss ihn aus und fegte das braune Wasser so gründlich fort, wie er nur konnte. Danach spülte er den Besen sorgfältig aus und hob ihn zur Decke, um Spinnweben zu entfernen. Er zog ihn auch an den Neonröhren entlang und fand sofort, dass alles jetzt besser aussah. In der Waschküche fuhr er mit dem Lappen, mit dem er die Ferkel abgetrocknet hatte, über die Bänke, blieb stehen und sah sich die Kochplatte an. Sie sah nicht gut aus, irgendwann einmal war sie weiß gewesen. Er öffnete einen Schrank und tastete mit der Hand darin herum. Wie er erwartet hatte, fand er eine uralte Flasche Ata. Die blaue und silberfarbene Pappe war vor Feuchtigkeit runzlig, und kein einziges Ata-Korn ließ sich herausschütteln. Er schnitt die Spitze ab und betrachtete die Klumpen aus weißem Pulver, dann griff er zum Lappen. Mit Ata und warmem Wasser rieb er schließlich an der Kochplatte herum und merkte, dass ihm das gefiel, er war der Situation gewachsen, er kam sehr gut alleine klar. Die Ata-Flasche erinnerte ihn an alte Zeiten, solche Flaschen wurden jetzt nicht mehr verkauft. Heutzutage nahmen die Leute ein flüssiges Mittel namens Jif. Die Mutter hatte sich immer an Stahlwolle und Stücke Sunlichtseife gehalten, und auch davon war alles sauber geworden.

Als er das Waschpulver wieder in den Schrank gestellt hatte, blieb er stehen und sah sich das unterste Fach an. Dort standen eine halbe Flasche Aquavit, die noch einen Rest enthielt, eine hohe dunkle Flasche dänischer Schnaps mit einem ähnlichen Rest auf dem Boden und einige Bierflaschen, die von Weihnachten übriggeblieben waren und die er hergebracht hatte, um sie für sich zu haben.

Er hob die eine Bierflasche hoch. Wie er befürchtet hatte, war sie schon fast gefroren, hinter dem braunen Glas schwammen Eisstücke herum. Er trug alle Bierflaschen in den Stall und stellte sie in den Mittelgang vor den einen Wurfkoben.

Bevor er die Waschküche verließ, ließ er das Wasser in einem dünnen Strahl aus dem Hahn laufen. Auf diese Weise konnten die Rohre nicht gefrieren. Jetzt wollte er ausgiebig frühstücken und sich den Wetterbericht anhören, ehe er mit dem Traktor zum Laden fuhr.

Am nächsten Tag kam die Haushaltshilfe. Es war zehn Grad unter null. Das Erste, was sie sagte, als sie die Küche betrat, war:

»Heute ist mein letzter Tag hier.«

»Aber…«

»Klar kriegt ihr weiter Hilfe, nur tauschen wir die Routen, ihr kriegt also eine andere.«

Er hatte sich an sie gewöhnt. Sie schnüffelte nicht herum, sie tat nur, weshalb sie gekommen war, und verschwand dann wieder. Und während sie putzte, trug sie Hörstöpsel in den Ohren, lauschte der Musik und summte dazu. Der Vater ärgerte sich immer darüber, er wollte plaudern. Er begriff nicht, dass ein junger Mensch wie sie sich nicht anhören wollte, wie ein alter Kerl über Wetter und Krieg und alte Zeiten auf Byneset berichtete, und sich darüber beklagte, wie schrecklich es doch war, dass in Spongdal auf gutem Ackerboden ein Golfplatz angelegt worden war.

»Dann verzichten wir lieber auf die Hausfrauenvertretung«, sagte Tor.

»Was für ein Unsinn, hier muss doch sauber gemacht werden. Heute werfe ich eine Maschine mit Stallkleidung an, bring mir alles, was du gewaschen haben willst. Und außerdem heißt es Haushaltshilfe, Hausfrauenvertretung war früher. Ja, eigentlich heißt es auch nicht Haushaltshilfe, sondern Reinigungseinheit. Aber das klingt so blöd, dass nicht einmal ich es so nenne, und dabei bin ich es doch.«

»Dann verzichten wir aber lieber. Egal, wie es heißt.«

Im selben Moment fiel ihm ein, dass Margido den Eigenanteil bezahlte und es merken würde, wenn sie die ganze Sache einstellten. Er fluchte in Gedanken, so würde das also nicht gehen. Torunn zuliebe…

»Und wen kriegen wir also?«, fragte er.

»Keine Ahnung. Das wirst du ja sehen, wenn sie kommt. Hol jetzt deinen Stallanzug. Und Socken und so etwas, während ich diesen scheußlichen Plastikflickenteppich rauswerfe.«

Als er mit dem Stalloverall in der Hand dastand und ganz kurz durch die Tür zu den Schweinen hineinschaute, um sich davon zu überzeugen, dass alles seine Richtigkeit hatte, sah er sie. Drei fette Ratten ganz hinten im Mittelgang, sie fraßen Futterkörner, die er bei der Morgenfütterung verloren hatte.

»JA, ZUM TEUFEL NOCHMAL!«

Die Ratten jagten an der Wand lang und in die Futterkammer, er setzte in langen Sprüngen hinterher, aber sie waren verschwunden. Es gab überall Risse in der Wand, offener Durchgang zur Scheune, dem alten Klohäuschen und der Silotreppe.

»RATTEN! Ich will verdammt nochmal keine RATTEN bei meinen Schweinen haben!«, rief er und schlug mit der Faust gegen die Wand. Allein schon der Gedanke, was ein Inspektor dazu sagen würde… Mäuse waren auf einem Bauernhof ja nicht zu vermeiden, aber Ratten!

Er rannte mit dem Stalloverall zur Hausfrauenvertretung und rannte wieder hinaus und war schon unterwegs zum Traktor, aber dann besann er sich. Er konnte im Supermarkt kein Gift und keine Rattenfallen kaufen, das Gerücht würde sich ausbreiten. Er würde in die Stadt fahren müssen, zu Østerlies Farbenhandel, da konnte er direkt vor dem Laden halten. Mit schweren Schritten ging er zurück zum Haus und die Treppe hoch, um sich im Badezimmer ein wenig zurechtzumachen. Wenn nur der Volvo bei dieser verdammten Kälte ansprang…

»Ich schau mal kurz in der Stadt vorbei, du bist sicher hier fertig, wenn ich zurückkomme. Dann danke ich dir für deine Hilfe«, sagte er, als er nach unten kam und seinen Parka anzog. Sie putzte gerade den Küchenboden und reagierte nicht, als er sie ansprach. Er musste ihre Schulter mit dem Finger antippen, damit sie einen Ohrstöpsel herauszog. Er war winzig klein und blieb an einem schwarzen Kabel hängen. Unglaublich, dass ein so kleines Teil Geräusche machen konnte.

»Hast du was gesagt?«, fragte sie.

»Ich schau mal kurz in der Stadt vorbei, du bist sicher fertig, wenn ich zurückkomme, vielen Dank.«

»Keine Ursache. Das ist doch mein Job. Take care, du!«

Er nickte und ging. Der Vater saß im Wohnzimmer und hatte bestimmt alles gehört, also brauchte er sich nicht doppelt zu verabschieden.

Der Fjord lag eiskalt und spiegelglatt da, nicht eine einzige Welle. Stadsbygda auf dem anderen Ufer zitterte hinter einem blauen Frostnebel, die Hurtigrute hielt auf den Flakkfjord zu, weiß und langgestreckt mit gepunkteten Fensterreihen. Die Sonne stand winterweiß jeden Tag höher am Himmel, besonders warm war sie jedoch noch nicht. Er fragte sich, was wohl die Austernfischer machten, die waren sicher erfroren. Er sah vor sich, wie die dünnen roten Beine bei zwölf Grad minus durch Eiswasser wateten. Die Kolben im Motor bewegten sich unregelmäßig, sie waren noch nicht warm, er musste die Windschutzscheibe immer wieder von innen abkratzen, bis Rye hinter ihm lag.

Neue Hausfrauenvertretung. Und Ratten im Stall.

Erst gestern hatte er die alte Freude empfunden, den Tag zu meistern, zu spüren, dass alles lief wie geschmiert. Was war er doch für ein Trottel. Man sollte den Tag nicht vor dem Abend loben, es war nicht der Sinn der Sache, dass alles glatt lief.

Erlend stand vor dem Glasschrank und betrachtete seine Swarovski-Figuren. Hundertdrei winzige Figuren aus Kristall mit Facettenschliff, kleine Wunderwerke von Schönheit, angestrahlt von kleinen Scheinwerfern, aufgebaut auf Spiegel und Glas. Miniaturen von Tieren und Blumen, die Champagnergläser nur wenige Zentimeter hoch, Insekten mit Beinen und witzigen silbernen Fühlhörnern, bis ins kleinste Detail perfekte Kopien von Alltagsgegenständen, unter anderem ein Mobiltelefon aus Kristall und Gold, nur vier Zentimeter lang. Mit Hilfe eines Vergrößerungsglases konnte man die Zahlen lesen und den Swarovski-Schwan im Display erkennen.

Der Schrank stand da als Symbol für seine große, leidenschaftliche Sammlermanie, und das Schachbrett aus klarem Kristall und schwarzem Jetkristall war im mittleren Fach untergebracht. Mit Hilfe einer Schachaufgabe in *BT* hatte er die Figuren so hingestellt, dass Schwarz in zwei Zügen matt sein würde. Krumme hatte die Aufgabe natürlich sofort gelöst. Aber als Krumme am Neujahrstag vorgeschlagen hatte, eine Kristallpartie zu spielen, hatte Erlend ihm klargemacht, dass davon niemals die Rede sein könne. Sie müssten das alte hölzerne Schachbrett benutzen und die Holzfiguren. Das Kristallbrett könnte Kratzer abbekommen, und außerdem würde er verlieren, das tat er immer. Aber vor diesem Schachbrett, das glitzerte und funkelte, würde er immer der Sieger sein, denn es gehörte ihm.

Er war allein zu Hause und würde das noch viele Stunden sein. Krumme hatte Spätschicht, sie arbeiteten schon an den Osterbeilagen, alles von Reportagen über Sitte und Brauch um den Osterhasen und die bunten Eier bis hin zu Interviews mit Trends setzenden Promis, die ihr Haus schon Ende Februar für das Osterfest schmückten, um ihr Gesicht in die Zeitung zu bringen.

Er hatte ein Stück Quiche gegessen, das er im Kühlschrank gefunden hatte, und dazu Rotwein getrunken und sich eine Tasse Espresso gekocht. Er hielt die Tasse in der Hand und trank winzige Schlucke, während er die Unmenge unnützer Schönheit betrachtete, die ihm solche Freude schenkte. Die ihm solche Freude geschenkt hatte, viel größere als jetzt.

Alles hatte irgendwie seinen Schwung verloren, seit Krumme ihm mit diesen Elternträumen gekommen war. Ein Mensch musste doch von einem Auto angefahren werden können, ohne sich deshalb plötzlich unbedingt vermehren zu wollen, dachte er. Ja, ja, wenn er ehrlich sein sollte, dann wollte sich gar nicht Krumme vermehren, er wollte vielmehr, dass Erlend der Vater wäre, er behauptete, Erlend habe bessere Gene, er brauche sich doch nur vor einen Spiegel zu stellen, und dann wäre klar, wer hier der Vater sein sollte, hatte er gesagt.

Kinder. Er kannte keine Kinder, sah niemals Kinder, hatte keine Beziehung zu Kindern, abgesehen von den steifen und kalten Schaufensterpuppen von Benetton. Und die Swarovski-Sammlung, vor der er hier stand – er würde einen Wassergraben um den Schrank anlegen und lebendige Alligatorenkinder darin aussetzen müssen. Kinder und Alligatoren sollten zusammen aufwachsen dürfen, es tat Kindern doch so gut, mit Tieren zusammen zu sein, hatte er gehört.

Es war nicht so sehr, dass Krumme sich Kinder wünschte, was ihn dermaßen umgeworfen hatte, sondern dass Krumme insgeheim das Gefühl hatte, ihr Leben sei nicht vollkommen.

Ganz im Geheimen hatte er also das Gefühl gehabt, dass etwas fehlte und ihre Zweisamkeit nicht alles war.

Das war das Entsetzliche.

Und noch entsetzlicher war der Gedanke, dass Krumme ihn sicher verlassen würde, vielleicht, um sich eine Frau zu suchen, die ihm Kinder schenken würde. Krumme war mit zwei Frauen zusammen gewesen, ehe er Erlend kennengelernt hatte. Natürlich auch mit Männern, aber eben auch mit zwei Frauen, die Vorstellung würde ihm also nicht ganz fremd sein, wenn diese Kinderhysterie überhand nähme.

Sie sprachen nicht mehr darüber. Erlend hatte den Verdacht, dass Krumme ihm Bedenkzeit geben wollte, aber Erlend dachte nur daran, dass etwas in ihrer Beziehung sich verändert hatte oder zerbrochen war. Früher war er immer mit allem herausgeplatzt, was ihm gerade durch den Kopf ging, doch seit kurzem wog er jeden Gedanken vorher ab. Er sorgte dafür, dass kein Satz ein Thema oder einen Ausdruck enthielt, der das Gespräch auf das Thema Kinder lenken würde.

Er ging mit seiner Tasse zum Kamin, setzte sich, ohne das Gasfeuer um die künstlichen Holzscheite anzuzünden. Er war nicht glücklich, und das fand er schrecklich. Er wollte glücklich sein! Er dachte an den grausamen Abend, an dem Krumme angefahren worden war. Wenn man ein paar Stunden aus der Vergangenheit herauszupfen und dann einfach damit fertig sein könnte, dann würde er jene Stunden nehmen. Er würde viel dafür geben, vielleicht sogar das Schachbrett. Und an den Hologrammkamin wollte er nicht einmal mehr denken. Wenn er nicht davon geträumt hätte, wäre Krumme sicherlich nicht überfahren worden. So etwas rächte sich. *Viel* will *meh*r haben. Der Teufel verlangt das Seine.

Die Arbeit lief jetzt auch nicht gut. Meistens fuhr er auf Autopilot. An das Fenster mit den Dieben für den Goldschmied durfte er gar nicht erst denken, solange ihm so zumute war. Der Goldschmied nervte wegen eines neuen Fensters, aber Erlend bestand darauf, dass das Interesse an der Neuheit mindestens noch zwei Wochen anhalten würde, was natürlich eine glatte Lüge war. Er hatte allerlei Agnete und Oscar überlassen, aber im Kaufhaus *Illum* in der vergangenen Woche hatte er sich konzentrieren können und eine Superidee gehabt. *Illums* Geschenkabteilung wollte ihre Bandbreite in allen Preisklassen signalisieren, teure Dinge und billiger Kleinkram, der das Tüpfelchen auf das i setzte, und deshalb hatte er ein passendes Fenster geschaffen. Er hatte im Hintergrund einen schwarzen Samtvorhang aufgehängt und unter dem Stoff zwei kleine Podien aufgebaut. Auf das eine hatte er eine handgemachte Schüssel aus dem Schloss Steninge zu siebenunddreißigtausend gestellt, auf das andere einen Serviettenring aus Bast, umkränzt von kleinen blauen Stoffherzen, zu vierzehn Kronen. Schüssel und Serviettenringe bekamen jeweils ein großes Preisschild. Er leuchtete Schüssel und Serviettenring an wie Popstars, und das war alles. Der Effekt war überwältigend, auch wenn *Illum* nach nur drei Tagen keine Serviettenringe mit blauen Herzen mehr hatte und diesen durch einen dunklen Ring aus Holz mit Goldpunkten zu dreiundzwanzig Kronen ersetzen musste.

Sie waren mit seiner Lösung also zufrieden. Aber für dieses Fenster konnte er ihnen natürlich keine fette Rechnung schicken.

Plötzlich glaubte er, das Geräusch eines anhaltenden Fahrstuhls zu hören, und er sah auf die Uhr. Kam Krumme schon nach Hause? Er lauschte. Es war ganz still. Es mussten die Nachbarn von unten gewesen sein. Und in diesem Moment packte ihn die Erkenntnis: Er war erleichtert darüber, dass es nicht Krumme war, der kam. Er fing an zu weinen.

Fieberhaft schenkte er sich einen großzügigen Cognac ein, nahm sich mehr Espresso und ging mit Zigaretten und einem sauberen Aschenbecher in das Gästezimmer, das sie als Büro nutzten. Er stellte alles neben die Tastatur, rieb sich mit beiden Händen die Augen trocken, ohne darauf zu achten, dass sein Kajal verschmieren würde, leerte das Cognacglas, holte sich Nachschub, legte Donna Summer ein und schaltete die Lautsprecher auf das Büro über, dann ließ er sich in den Sessel vor dem Computer sinken. Sie würden über alles sprechen müssen. Alles war unter den Teppich gekehrt worden. Es war unmöglich, über einen Teppich mit so vielen Ausbeulungen zu gehen. Er würde der Sache ins Auge schauen müssen, und dieser Gedanke machte ihm eine Höllenangst.

»Ach, verdammt«, flüsterte er und suchte sich Swarovskis Onlineladen. Die Startseite füllte den Schirm. Als Mitglied in Swarovskis Sammlerklub bekam er Sonderangebote für Figuren, die in begrenzter Auflage hergestellt wurden. Er loggte sich ein und sah sofort »The Eagle« von 1995, den er schon hatte, »Peacock« von 1998, den er ebenfalls hatte, und »The Bull« von 2004. Den hatte er nicht. Er drückte auf »Add to shopping cart« und surfte weiter. Er kam zur Jahresfigur, von der jedes Mitglied nur ein Exemplar kaufen durfte – zwei Clownsfische, die mit einer Seeanemone in Symbiose lebten. Er beugte sich zum Schirm vor und nippte am Cognacglas, die Figur war einfach erlesen, es gab zwei Ausgaben, eine bunte und eine klare, er entschied sich für die klare, »Add to shopping cart«, er fühlte sich ein kleines bisschen wohler, bald würde er einen neuen Glasschrank kaufen müssen, einen mit Wassergraben und mehreren Alligatoren.

Er klickte das Fenster für »Neuheiten« an. Ein Einsiedlerkrebs. Der kroch mit seinem gestohlenen Schneckenhaus seiner Wege und wurde auf dem Bildschirm aus drei verschiedenen Winkeln gezeigt. »Add to shopping cart«. Vielleicht jetzt »Go to check out«? Nein, das nun wirklich nicht, wozu auch, seine Laune besserte sich doch zusehends. Wie wäre es mit einem Einhorn? Krumme hatte ihm ein Swarovski-Einhorn geschenkt, aber das hatte er zerbrochen, als er vor Weihnachten den Schrank gesäubert hatte, er würde sich ein neues kaufen. Jawohl, das würde er, Krumme sollte machen, was er wollte, er hätte ja eins besorgen können, um Erlend eine Freude und eine Überraschung zu bereiten. Donna Summer dehnte ihre Stimmbänder bis zum Zerreißpunkt, während er nach »unicorn« suchte und ins Wohnzimmer rannte, um sich mehr Cognac zu holen. Als er zurückkam, füllte es den Bildschirm aus, mit geschwungenem Horn und erhobenem Vorderfuß. Nur neunzehnhundert Kronen, ein Schnäppchen. »Add to shopping cart« und »Go to check out«.

Konnte Krumme nicht bald kommen? Sie mussten reden, so wollte er nicht weitermachen. Krumme behauptete, mit ihm könne man nicht reden, er reagiere zu emotional, aber wie sollte man denn sonst reagieren, wenn das ganze Leben auf den Kopf gestellt und über den Fußboden gekippt wurde? Wenn er nur den Kerl erwischen könnte, der Krumme angefahren hatte. Den würde er zu Brei schlagen und ihm die Eier abschneiden. Doch jetzt würde er bald einen Stier, zwei Clownsfische mit Anemone, einen Einsiedlerkrebs und ein Einhorn bekommen, die waren schon unterwegs, dieser Gedanke wärmte ihn ein bisschen. Er dachte an die Einsiedlerkrebse im seichten Wasser von Øysand in Gaulosen, wie sie durch das Wasser schnellten. Er und Großvater Tallak hatten darüber gelacht, wie frech die wurden, wenn sie alte, gestohlene Schneckenhäuser abwarfen, weil die zu klein waren, und neue und größere an sich rissen. Großvater Tallak hatte ihm immer geholfen, sie in einem Eimer zu fangen. Sie hatten viele leere Schneckenhäuser gesammelt und beim Anblick der Krebse gelacht, die splitternackt herumwuselten und neue Häuser probewohnten, um sich ein Bild von Form und Geräumigkeit zu machen. Sie mühen sich ab, um das richtige zu finden, und sie werden nervös, weil sie zu viele Häuser zur Auswahl haben, hatte Großvater Tallak erklärt, sie bilden sich ein, dass sie sich im alten nicht mehr wohlfühlen, wenn sie ein neues sehen. Erlend ließ sich von der Tatsache faszinieren, dass sie dazu geboren waren, andere Häuser zu stehlen, um überleben zu können. Dass sie ganz ohne Schutz geboren worden waren.

Damals waren sie, er und der Großvater, durch das Wasser gewatet, und ihre Hosenbeine waren nass geworden. Der Großvater. Ja, so habe ich dich genannt, dachte er, schloss die Augen und erinnerte sich an die Wellen, die sich in den Sand der Insel einfraßen, an die Zehen, die im Salzwasser weiß und runzlig wurden.

Er war in dem einen Sessel vor dem Kamin eingeschlafen, als Krumme ihn weckte, indem er ihm rasch die Wange streichelte und ihn auf die Stirn küsste und sagte: »Ich habe Pizza mitgebracht. Wir hatten welche in die Redaktion bestellt, viel zu viel, hast du Hunger, Mäuschen?«

»Ich bin wohl eingeschlafen...«

Er hatte sich nüchtern geschlafen und verspürte sofort einen Stich von schlechtem Gewissen, weil er das Einhorn bestellt hatte. Er würde es verstecken müssen, es ganz nach hinten in ein Regalfach stellen. Krumme sah sich den Inhalt des Schranks nie genauer an, wenn Erlend ihn nicht davorschob, um seine Begeisterung mit ihm zu teilen.

Krumme roch nach Zigarren und Knoblauch und Bier. Der Matrixmantel hing über der Armlehne des Empiresessels in der Diele. Krumme und der Mantel waren inzwischen unzertrennlich.

»Was hast du denn heute gemacht?«, fragte Krumme.

»Nicht viel. Im Büro gearbeitet, neue Kataloge mit Requisiten bestellt, einen Plan über die Flohmärkte aufgestellt, die die Assistenten abklappern müssen, so was. Man weiß nie, was die an seltsamen Dingen finden, die wir für die Fenster brauchen können, weißt du. Am vorigen Samstag hat Sally, die Neue, eine unglaublich schöne, uralte schwarze Badewanne im Louis-Seize-Stil gefunden, mit Füßen aus echten Meeresschildkröten. Die können wir sicher verwenden, wenn wir mal etwas über Badezimmereinrichtung oder Badezimmerausrüstung machen müssen. Oder von mir aus auch scharfe Unterwäsche, wo die Puppen in eine Badeszene gestellt werden, wo sie sich sozusagen für ein Fest bereit machen. Es gibt so viele Möglichkeiten …«

Er plapperte immer weiter und hörte das selbst und spürte Krummes Blick.

»Was sollen wir zur Pizza trinken?«, fragte er, ging zum Kühlschrank und konnte Krumme den Rücken zudrehen. Pizza gab es bei ihnen nie; wenn sie sich etwas zum Mitnehmen kauften, dann afrikanisch oder chinesisch oder Thai oder Sushi.

»Rotwein vielleicht«, sagte Krumme und schob die Pizza auf ein Gitter aus dem Backofen. »Ich mach sie kurz unter dem Grill warm.«

Erlend trank eine Flasche Mineralwasser, nahm eine Flasche Rotwein aus dem Gestell, ohne auch nur zu sehen, welche Marke es war, und öffnete sie.

»Und was trinken wir also?«, fragte Krumme.

»Keine Ahnung«, sagte er und ließ sich auf den Hocker fallen. »Ich hab nicht nachgesehen, hab sie nur aufgemacht.«

»Nicht gerade in Form?«

»Nein. Das hier … macht mich total kaputt.«

Er fing an zu weinen, war wohl doch nicht ganz nüchtern. Er hatte nicht mehr als eine Stunde geschlafen, und die Leber brauchte länger für die vier Cognac, die er vorhin getrunken hatte.

»Aber mein Erlend …«

»WAS GLAUBST DU DENN, WAS DAS FÜR EIN GEFÜHL IST! PLÖTZLICH NICHT MEHR GUT GENUG ZU SEIN!«

»Gut genug? Aber du hast das doch ganz falsch verstanden, stellst alles auf den Kopf. Das Gegenteil ist der Fall. Ich wünsche mir nur so sehr ein Kind. Und wenn ich noch hinzufüge, dass du der Vater sein sollst, wie kannst du dann glauben, du seist nicht gut genug?«, fragte Krumme und setzte sich auf die andere Seite des Tisches.

Warum hatte er sich dorthin gesetzt, warum nahm er Erlend nicht in den Arm und tröstete ihn, vertrieb all diese dummen Gedanken?

»Unser Leben ist nicht gut genug, das willst du damit doch sagen. Unser Leben! DAS HIER!«, sagte Erlend und breitete die Arme aus. »Ich hatte gedacht, wir lebten füreinander! Für unsere Arbeit, unsere Liebe, unsere Reisen, unsere Freunde! UNSER LEBEN!«

»Ich bin dreiundvierzig«, sagte Krumme leise. »Du wirst in zwei Monaten vierzig. Ich dachte nur, das … das könnte uns auf eine neue Ebene heben. Es tut mir leid, dass ich dich so schrecklich verletzt habe. Nicht *ich* will das, ich wünschte nur, *wir* wollten das.«

»Aber ich will auf keine andere Ebene, Krumme. Und jetzt ist diese Ebene hier sozusagen … ruiniert.«

»Jetzt hör mal. Wenn du kein Kind willst, dann willst du eben kein Kind. So einfach ist das.«

»Das ist es NICHT! Du wirst mich verlassen!«

»Wieso denn?«

»Um dir ein Kind zu besorgen.«

»Dussel«, sagte Krumme.

»Und wie hast du dir das sonst vorgestellt? Das mit dem Kind?«

»Ich hab doch gesagt, dass ich das noch nicht weiß. Das müssen wir selber feststellen, falls du also auch willst. Jytte und Lizzi haben Ja gesagt, dass sie sich ein Kind wünschen, dass sie aber die Vorstellung, ihre Freiheit aufzugeben, nicht so ganz ertragen können. Wenn wir mit ihnen ein Kind bekämen, könnten wir die Verantwortung zu viert teilen. Wir könnten uns natürlich auch eine Leihmutter suchen, aber dafür müssten wir ins Ausland. Wir könnten natürlich noch etwas ganz anderes machen, nämlich adoptieren.«

»Das hast du alles schon gesagt.«

»Warum fragst du dann?«, fragte Krumme.

»Es riecht nach verbrannter Pizza.«

Krumme erhob sich und nahm sie aus dem Grill. »Die ist nur ein bisschen dunkel am Rand.«

»Ich bin so oder so am Arsch«, sagte Erlend. »Wenn ich Nein sage, dann wirst du mich hassen. Wenn ich Ja sage, dann werde ich mich hassen, weil ich eigentlich gar nicht will.«

»Aber wovor hast du denn solche Angst? Darf ich danach fragen? Was erschreckt dich so an der Vorstellung, Vater zu werden?«

Er konnte nicht antworten: Glasschrank, Kratzer auf dem Parkett, Dreck und Sauerei und achtzehn Jahre Arbeit, denn die ziehen ja wohl erst mit achtzehn von zu Hause weg?

»Die Verantwortung«, sagte er. »Und dass ich nichts über Kinder weiß. Ich kenne sie nicht, sehe sie nicht, denke nicht an sie. Sie interessieren mich nicht.«

»Du hättest jemanden zum Spielen. Du spielst doch so gern, Erlend.«

»Ich will mit dir spielen. Ich will mit dir spielen.«

»Iss jetzt ein Stück Pizza.«

Da saßen sie nun und aßen Pizzastücke, und er dachte, dass Eltern von kleinen Kindern so etwas sicher jeden Tag taten. In Norwegen war die Tiefkühlpizza Grandiosa das meistverkaufte Fertiggericht, hatte Torunn erzählt, weil die Eltern keinen Nerv hatten, Kartoffeln zu kochen. Er erwiderte Krummes Blick nicht, sie waren nicht weitergekommen, das ganze Gespräch über hatten sie sich im Kreis gedreht, Bestätigung und noch mehr Bestätigung dafür, dass Krumme etwas fehlte. Er legte die versengte Pizzakruste weg und leerte sein Rotweinglas.

»Ich denke an *La cage aux folles*«, sagte er. »Albin, der herumrennt und beweisen will, dass er eine Mutterfigur sein kann. Eine blöde Tunte, das bin ich. Ich bin sicher, dass du mich in Frauenkleidern vor dir siehst, wie ich einen Kinderwagen schiebe und dabei mit Piepsstimme rede.«

»Könnte witzig sein«, sagte Krumme. »Dann wäre ich Pierre. Fesch und maskulin.«

»Ich mache jetzt keine Witze, Krumme. Soll ich vielleicht eine Geschlechtsumwandlung vornehmen lassen? Und mir ein Kissen vor den Bauch binden, bis irgendeine Frau fertig gebrütet hat, und dann können wir sozusagen spielen, dass das Kind aus mir herausgerutscht ist?«

»Jetzt bist du vulgär. Willst du dich streiten?«

»Ich hab es satt, nicht glücklich zu sein!!!!!!«

»Wenn ich gewusst hätte, dass es so werden würde…«, sagte Krumme und schob die Pizza weg. Seinen Rotwein hatte er kaum angerührt, warum trank er nicht? Was war Krumme im Grunde doch für ein Idiot!

»Der Rest deines Lebens, meine Güte. Plötzlich war das hier nicht genug, nur weil dich fast ein Auto umgefahren hat. Was ist mit dem Rest meines Lebens? Hm? Weißt du, dass Kinder heutzutage in die Windeln pissen, bis sie vier Jahre alt sind? VIER JAHRE, Krumme! Das hat in deiner eigenen Zeitung gestanden! Und das willst du vier Jahre ertragen, bloß weil du das Straßenpflaster geknutscht hast. Ich glaube wirklich, du hast dir den Kopf gewaltig verletzt!«

»Wir reden nicht mehr davon. Wir bekommen kein Kind. Du willst keins, und dann will ich auch keins«, sagte Krumme.

»Hör doch auf, ich will deine väterlichen Instinkte nicht ersticken. Spritz doch in eine Kaffeetasse und gib sie Jytte und Lizzi. Wenn du dann Besuch von der Pissmaschine kriegst, kann ich ja verreisen, jedes zweite Wochenende zum Beispiel. Warum trinkst du deinen Wein nicht?«

Erlend schenkte sich abermals ein, sein Glas schwappte über.

»Hast du viel getrunken?«, fragte Krumme. »Ehe ich gekommen bin?«

»Keinen Tropfen. Aber ich habe eben Swarovski-Figuren für über sechstausend Kronen bestellt. Vielleicht ist mir das zu Kopf gestiegen.«

»Ich glaube, ich gehe schlafen«, sagte Krumme.

Nachdem er allein in der Küche gesessen und die Rotweinflasche und Krummes fast unberührtes Glas geleert hatte, ging er ins Wohnzimmer und legte sich mit zwei Wolldecken aufs Sofa.

»Scheiße«, flüsterte er. »Scheiße, Scheiße, Scheiße.«

Er dachte daran, was Krumme ihn gefragt hatte, wovor er solche Angst hatte, was ihn bei der Vorstellung, Vater zu werden, so verängstigte. Er kannte die Antwort: Er hatte keine Kindheit, die er weitergeben könnte, seine Kindheit hatte auf einer Lüge beruht. Er hatte nichts zu geben, er war ein Nichts, und jetzt würden auch er und Krumme zerstört werden. Das, was sie waren, *zusammen.*

Er fuhr beim Küster vorbei und ließ sich die Schlüssel geben, öffnete die eiskalte Kirche und sank auf die hinterste Bank gleich unter der Armentafel.

Das hätte er schon längst tun sollen, herkommen und sich in den Frieden des Gotteshauses fallen lassen, allein, ohne einer Kirche voller Trauernden, die Ansprüche an ihn stellten – Kranzschleifen sollten vorgelesen werden, Blumengebinde mit Karten und Namen mussten notiert werden, ein Sarg stand auf dem Katafalk, und er war dafür verantwortlich. Auch wenn er hier nicht oft Beisetzungen durchführte.

Die Kirche von Byneset war seine Lieblingskirche, er wusste alles über sie. Selbst der Nidarosdom kam in seinen Augen nur an zweiter Stelle. Der Nidarosdom war zu groß und majestätisch und eignete sich eher für Huldigung und Lobgesang als für Trauer. Trauer verlangte nach Bescheidenheit und engerem Kirchenraum, so wie hier, fast tausend Jahre Geschichte in den Wänden, Wänden, die beschützten und nicht mit pompösen Verzierungen prangten.

Er schob die Hände aneinander, bis seine Mantelärmel eine Art Muff bildeten, die Handschuhe hatte er im Auto liegen lassen. Draußen waren es sieben Grad unter null, das Tageslicht fiel wie staubweiße Säulen durch die hoch in den Wänden angebrachten Fenster, alle Winkel in der Kirche waren dunkel und eiskalt. Eine Leere, aber dennoch Gottes deutliche Anwesenheit. Er ließ Luft aus seiner Lunge entweichen, betrachtete seinen eiskalten Atem und musterte die abgegriffene schräge Platte vor sich, auf die er sein Gesangbuch legen könnte. Er hob den Blick und fixierte die Kalkmalerei an der Nordwand, die den Sündenmann darstellte, mit den sieben Todsünden, die in Form von fetten Schlangen aus dem Leib des Mannes quollen, jede Schlange mit einem Bund verängstigter Menschen im Maul. Welche dieser Todsünden hatte er wohl begangen im Laufe eines einzigen Abends? Völlerei jedenfalls. Und Wollust. Und vor allem Unzucht. Und die vielen Jahre, in denen er Gott aus den Augen verloren und sich eingebildet hatte, ohne Gott leben zu können: Hochmut.

Er zog die Bibel aus der Jackentasche und öffnete sie dort, wo das Lesebändchen zwischen den Seiten lag, bei Paulus' Brief an die Römer.

»Denn die Sünde soll nicht über euch herrschen, denn ihr steht nicht unter dem Gesetz, sondern unter der Gnade«, las er laut. »Aber Gott sei gedankt dafür, dass ihr, die ihr die Diener der Sünde wart, von Herzen nun gehorsam der Lehre gegenübersteht, der ihr preisgegeben seid. Und nun, da ihr von der Sünde befreit seid, seid ihr zu Dienern der Gerechtigkeit geworden... Denn der Lohn der Sünde ist der Tod, doch Gottes Gnadengabe ist ewiges Leben in Christus Jesus, unserem Herrn.«

Er schloss die Augen und lauschte seinen eigenen Worten, ihrem Echo zwischen den Steinmauern, der schlichten Logik darin und der Liebe. Er dachte an seinen letzten Besuch hier, geschäftig hatte er sich an dem Sarg der Mutter zu schaffen gemacht, bevor alle gekommen waren. Danach hatte er in der ersten Bank gesessen, zusammen mit Tor und Erlend, Torunn und Krumme und dem Alten. Wie seltsam, dass sie dort zusammen gesessen hatten, und wie unterschiedlich war bei ihnen allen die Trauer ausgefallen. Bei einigen so gut wie nicht vorhanden, das wusste er. Auch am Heiligen Abend war er hier gewesen, und davor: bei der Beerdigung von Lars Kotums siebzehnjährigem Sohn, der unmittelbar vor Weihnachten in seinem eigenen Bett Selbstmord begangen hatte. Jetzt wussten alle, warum. Die Gerüchte hatten zuerst behauptet, ein Mädchen, in das er verliebt gewesen war, habe ihn abgewiesen, aber in Wirklichkeit war es also ein Junge gewesen.

In den letzten Wochen hatte er viel an Erlend gedacht, welches Unrecht ihm widerfahren war. Er war unendlich dankbar dafür, dass er kein Geistlicher war. Ein Geistlicher musste für alle Welt eine Meinung zu dieser Frage haben und sich dann auch noch vom Bischof zur Rede stellen lassen, ihm selbst blieb das erspart. Denn wer könnte Erlend gerechterweise der Sünde anklagen? War nicht auch er ein Geschöpf Gottes? Hatte Gott ihn nicht auch mit dem Ziel erschaffen, dass er eben so sein sollte? Kein vernünftiger Mensch konnte doch behaupten, Erlend habe sich für diese Veranlagung entschieden, um sich der Unzucht zu ergeben. Schon als kleiner Junge war Erlend anders gewesen, mädchenhaft, das hatten alle gesehen. Und dann hatten sein Trotz und die Kraft, für sich einzustehen, ihn dazu gezwungen, einen Ort zu verlassen, an dem er verurteilt wurde.

Ja, verurteilt, dachte er. Denn damals hatten sie geglaubt, er wolle so sein, um zu provozieren. Aber das stimmte doch nicht. Er war Erlend.

Und dieser Junge von Lars Kotum… Wenn er die Wahl gehabt hätte, zwischen dem Tod und sich auf ungefährliche und akzeptable Weise in irgendein Mädchen zu verlieben… Aber er war nicht in der Lage gewesen, in der er die Wahl gehabt hätte. Er war nur er selbst gewesen. In aller Heimlichkeit und Erniedrigung und Scham. Und das hatte ihm das Leben gekostet.

Ja. Erlend war großes Unrecht angetan worden.

Er wusste auch nicht, ob die Weihnachtstage die Bitterkeit gemildert hatten, die Erlend sicherlich verspüren musste, auch wenn sich herausgestellt hatte, dass Erlends Geschichte in einem größeren Zusammenhang stand. Er hätte es ihm so gern gesagt, dass niemand ihn wegen irgendetwas verurteilte, aber das war sicher unmöglich nach diesem Anruf, bei dem er wie ein in die Irre gelaufener Idiot auf einer Mauer gesessen und in seinem Vollrausch geglaubt hatte, ein anderer geworden zu sein, ohne Verantwortung für die eigenen Taten.

Er schlug die Hände vors Gesicht, bohrte sich die Finger in die Augenhöhlen, drückte zu, bis es wehtat und er grüne und rote Ringe aus einem schwarzen Zentrum pulsieren sah. Das Seltsame war, dass er von sich selbst mehr verlangte als von Erlend. Er blieb lange mit den Händen vorm Gesicht dort sitzen und fragte sich, warum. Schließlich kam er zu dem Schluss, dass es daran liegen musste, dass er stark war, Erlend war das nicht. Aber jetzt hatte er auch gelernt, dass diese Stärke aus dem Glauben erwuchs. Er hatte Gott den Rücken gekehrt, als er sich Völlerei und Fleischeslust ergeben hatte, und Gott hatte weit gehen müssen, um ihm den richtigen Weg zu weisen.

Erst, als er spürte, dass seine Füße vor Kälte fast taub waren, stand er mit steifen Bewegungen auf, verließ die Kirche und schloss hinter sich mit dem riesigen handgeschmiedeten Schlüssel ab.

Tor saß am Küchentisch und las die Zeitung *Nationen*, der Alte saß im Wohnzimmer und las ein Buch, das Radio lief leise. Beide hatten eine leere Kaffeetasse vor sich stehen.

»Ach, du bist das«, sagte Tor.

»Ja. Habt ihr noch heißen Kaffee?«

»War hier draußen eine Beerdigung? Hab die Glocken gar nicht gehört.«

»Nein, ich wollte nur ein bisschen allein in der Kirche sitzen.«

»Warum? Hast du schon wieder einen Fehltritt begangen?«

»Tor ...«

»Wenn nicht heiß, dann doch auf jeden Fall lau.«

Der Kaffee war viele Male auf altem Satz neu aufgekocht worden, das schmeckte er.

»Du liest also noch immer die *Nationen*«, sagte er und setzte sich an den Küchentisch.

»Hab mich daran gewöhnt. Kommt ja auch jeden Tag. Die Bauernzeitung gibt's nur freitags.«

»Du möchtest nicht lieber eine Lokalzeitung?«, fragte Margido. »Nein. So etwas höre ich im Radio.«

»Und im Stall? Werden die Schweine fett und fesch?«

»Ja, sicher. Aber sie sollen nicht fett werden. Dann kriegen sie nur einen schlechten Preis. Brauchen den richtigen Fleischanteil.«

»Wie überprüfst du das?«

»Dafür sorgen Futterart und Futtermenge«, sagte Tor.

»Ich habe … Ich habe für Mutter einen Stein bestellt. Weißer Granit.«

»Bist du deshalb gekommen?«

»Aber wir stellen ihn erst im Frühling auf. Er hat auf jeder Seite eine Bronzerose, und der Name ist in schwarzem Lack eingelassen.«

Er sprach lauter, als wenn er hier allein mit Tor gesessen hätte, der Alte im Wohnzimmer sollte es auch hören.

»Klingt teuer«, sagte Tor.

»Kostet nicht wenig, ja. Aber es muss doch anständig aussehen.«

»Hat er noch Platz für weitere Namen?«, fragte Tor.

Margido nickte. Tor legte die Zeitung zusammen und ging zu dem Alten hinüber, der sofort die Zeitung an sich nahm, das Vergrößerungsglas beiseitelegte und stattdessen eine Brille aufsetzte. Margido fragte sich, wie lange er diese Brille wohl schon hatte, ob er vielleicht einen Termin bei einem Optiker vereinbaren sollte, schließlich herkommen und den Alten abholen, ihn vorher dazu zwingen sollte, sich zu waschen und saubere Kleider anzuziehen.

Tor füllte seine Tasse, am Ende kam nur noch Satz, aber

das schien ihm nichts auszumachen. »Hab Ratten«, sagte er und seufzte tief.

»Ratten?«

»Im Stall. Ein verdammter Mist. Ja, ich sag das ganz offen, auch für deine zarten Ohren. Ein verdammter Mist. Und in die Fallen gehen sie auch nicht, sind viel zu schlau. Aber sie fressen Gift und liegen in den Wänden und krepieren. Nur nicht schnell genug, es kommen immer neue dazu, hab schon auf dem ganzen Hof ihre Spuren gefunden.«

»Du musst eine Firma für Schädlingsbekämpfung kommen lassen.«

»Dann muss ich einen Vertrag abschließen. Hab mich schon erkundigt. Tausende von Kronen. Ein verdammter Mist. Nie im Leben«, sagte Tor und schüttelte den Kopf.

»Können die die Schweine nicht beißen? Oder mit irgendwas anstecken?«

»Hab ich auch sofort dran gedacht. Hab mir vorgestellt, wie sie die Zitzen der Sauen annagen, oh, Scheiße. Aber jetzt habe ich alle Zugänge zum Schweinestall verriegelt und zugenagelt, und in der Futterkammer erwischen sie nur das, was mir auf den Boden fällt, aber das nehme ich jetzt genau, fege alles zusammen und sorge für Sauberkeit. Dennoch, es ist natürlich die Wärme, weißt du, die Wärme der Tiere. Und sie vermehren sich so schnell …«

»Ich hab mal von einer schrecklichen Methode gehört, um Ratten loszuwerden«, sagte Margido.

»Ach?«

»Du fängst eine lebend und …«

»Nein danke.«

»Du fängst eine lebend«, beharrte Margido, »dann sengst du ihr die Augen aus und lässt sie laufen. Und ihr Geschrei vertreibt angeblich alle anderen.«

»Oh, verdammt. Das klingt aber nicht gerade nach Nächstenliebe.«

»Das sind doch Ratten«, sagte Margido.

»Sind aber sicher auch Geschöpfe Gottes«, sagte Tor und grinste.

Margido musste ebenfalls lächeln und spürte, dass er jetzt etwas sagen könnte im Schutz dieses Lächelns. Er senkte die Stimme, warf einen verstohlenen Blick hinüber ins Wohnzimmer, der Alte beugte sich über die Zeitung, sicherheitshalber lief Margido zum Radio und drehte es lauter. »Ich habe an Erlend gedacht«, sagte er.

»Wieso denn?«

»Dass wir ihn nicht gut behandelt haben. Auch ich nicht.«

»Sie durften doch zu Weihnachten beide hier sein«, sagte Tor. »Und als sie gefahren sind, habe ich dem Dänen die Hand gegeben und ihn für den Sommer eingeladen. Ich habe gesagt, dass es hier dann schön ist.«

»Hast du das wirklich gesagt?«

»Im Sommer ist es hier doch schön.«

»Nicht das. Dass du ihn eingeladen hast, meine ich.«

»Das habe ich.«

»Das war eine große Tat, Tor.«

»Aber du, wo du doch ein frommer Christ bist und überhaupt. Wie kannst du … Du musst doch eigentlich sagen, dass das nicht richtig ist. Und sündhaft und alles«, sagte Tor leise.

»Nein, dass muss ich nicht. Ich habe beschlossen, in dieser Frage dasselbe zu sagen wie Jesus.«

»Und was hat er gesagt?«

»Rein gar nichts«, sagte Margido.

Sie schwiegen eine Weile, starrten auf das leere Vogelbrett hinaus, wo schlaffe grüne Netze hingen.

»Ja, hier sitzen wir«, sagte Tor. »Wir haben niemanden, Erlend dagegen wohl. Schon komisch.«

»Und so wird es bleiben.«

»Du musst doch Frauen kennenlernen, Margido.«

Sie schauten noch immer das Vogelbrett an, als sie jetzt weiterredeten.

»Ja. Aber ich will keine. Ich will allein leben. Meine Ruhe haben.«

»Für den Rest deines Lebens?«

»Ja. Natürlich. Wo ich so weit gekommen bin, schaffe ich den Rest sicher auch.«

»Das stimmt. Aber es ist schon seltsam. Ich hatte doch Mutter.«

»Ja«, sagte Margido.

»Soll ich … mehr Kaffee machen, vielleicht?«

»Für mich nicht.«

»Wir haben eine neue Hausfrauenvertretung, sie haben die Routen verlegt, hast du schon mal solchen Unsinn gehört?«, fragte Tor und sprach jetzt nicht mehr leise.

»War die vorige besser?«

»Weiß nicht, die neue war noch nicht hier. Die vorige war schon in Ordnung, sie hat nur geputzt und war dann gleich weg.«

»Und das muss ich jetzt auch«, sagte Margido und erhob sich. »Danke für den Kaffee.«

»Komisch, dass du Zeit zum Herkommen hattest. An einem ganz normalen Werktag.«

»Wenig zu tun um diese Zeit. Ist immer mehr vor Weihnachten und gleich danach. In dieser Woche hab ich nur zwei Beerdigungen. Eine vorgestern und eine morgen.«

»Komisch«, sagte Tor. »Dass es für so etwas eine Saison gibt. Mutter auch … Aber die war ja vorher schon krank gewesen.«

»Die meisten sind vorher krank. Unglücke kommen eher selten vor.«

Er sagte Tor nicht, dass er los musste, weil er zu Hause einen Termin mit einem Makler hatte. Tor würde das mit der Sauna nicht verstehen, sicher hatte er niemals in einer gesessen und würde niemals diesen Drang verstehen, den Margido hatte, sich nach Beerdigungen alles aus dem Leib zu schwitzen, die Gerüche von Schnittblumen und tropfenden, qualmenden Kerzen aus dem Leib strömen zu lassen.

Die Wohnung war aufgeräumt und makellos sauber. Der komische junge Mann im dunkelblauen Anzug ging langsam durch die Zimmer und machte auf einem Klemmblock Notizen.

»Wir müssen das ein wenig dekorieren, für eine eventuelle Besichtigung. Die Zimmer aufpeppen.«

»Die Zimmer aufpeppen?«, fragte Margido und fand es überaus unangenehm, diesen Mann im Haus zu haben, eiskalt bewertend, mitten zwischen seinen eigenen Habseligkeiten. Sonst kam nie jemand her. Und wie jung der andere war, viel zu jung für dieses Selbstbewusstsein, das er an den Tag legte.

»Dafür sorgen wir. Da braucht man nicht viel.«

»Aber was meinen Sie?«, fragte Margido.

»Ein paar große Vasen mit Blumen, Obstschüsseln auf den Tischen, Tischdecken und Kerzen, Bilder, die wir aufhängen können, Ihre Wände hier sehen doch aus wie die Wände in einer Gefängniszelle. Wir müssen dafür sorgen, dass es gemütlich aussieht.«

»Sie reden über mein Zuhause. Ich fühle mich hier wohl.«

»Ja, sicher. Aber wir sind doch auf Ihrer Seite, nicht wahr, Herr Neshov? Die Leute sollen hereinkommen und sofort Lust haben, hier zu wohnen, in Gedanken schon einziehen. Auf diese Weise bekommen wir den bestmöglichen Preis. Und der Ausgangspunkt hier ist ja hervorragend, man kann im Grunde keinerlei Abnutzung sehen. Vielleicht auch noch Teppiche auf den Fußboden.«

»Teppiche? Aber der Fußboden ist doch in Ordnung.«

»Viel zu kalt und ungemütlich. Wir werden alles vor der Besichtigung bringen und bereiten die Zimmer vor, das ist im Preis inbegriffen, danach holen wir alles natürlich auch wieder ab. Was wollen Sie sich eigentlich stattdessen kaufen? Wir haben etliche Wohnungen, die ich Ihnen zeigen könnte, wenn Sie näher bei der Stadt wohnen wollen.«

»Ich will eine Sauna«, sagte Margido.

»Ist notiert. Und was sonst?«

»Sonst nichts. Der Rest ist egal. Deshalb will ich doch umziehen.«

»Nur deshalb?«

Der Mann blieb stehen und sah ihn an, mit einer Art Verblüffung, mit der Margido sich nicht abfinden wollte, so ungewöhnlich war es doch nun wirklich nicht, sich eine Sauna zu wünschen.

»Ja!«, sagte er.

»Verzeihen Sie, aber ... Das verstehe ich nicht so ganz. Es muss doch noch einen anderen Grund geben. Und wenn ich für Sie eine neue Wohnung finden soll, dann muss ich doch wissen ... Ist es hier vielleicht sehr hellhörig? Zu viele Familien mit kleinen Kindern?«

»Nein! Ich wünsche mir nur eine Sauna, das ist der einzige Grund, weswegen ich umziehen will!«

»Aber ...« Der Mann wirkte ratlos und fing an, auf unschöne Weise am Rand seines Nasenlochs herumzuzupfen. Margido konnte sich plötzlich nicht an seinen Namen erinnern. Christian oder Thomas oder Magnus, so hießen derzeit alle jungen Männer. Er hätte sich gern, hier und jetzt, an diesen Namen erinnert und ihn ein wenig zurechtgewiesen mit Hilfe des vollständigen Namens.

»Aber das verstehe ich noch immer nicht ganz. Warum legen Sie sich nicht einfach eine Sauna zu? Oder wollen Sie eine billigere Wohnung kaufen? Können Sie sich nicht leisten ...«

»Mir eine Sauna zulegen? Natürlich kann ich mir das leisten. Aber Sie haben doch selbst gesehen, wie klein die Küche ist, und die liegt gleich neben dem Badezimmer. Da ist einfach kein Platz!«, sagte Margido und musste sich alle Mühe geben, um seine Wut zu beherrschen. So ein Kinderarsch wollte ihm hier einreden, er könne einfach soundsoviele Quadratmeter herbeizaubern ...

»Aber das Badezimmer an sich«, sagte der Mann langsam.

»Da ist doch kein Platz für eine Sauna. Sie waren doch eben erst dort.«

War der Kerl blind?

»Natürlich ist da Platz«, sagte der Mann. »Sie haben doch eine Badewanne.«

»Und?«

Der Mann sah ihm ins Gesicht, schüttelte den Kopf, lächelte leicht töricht.

»Sagen Sie, haben Sie sich überhaupt über die Möglichkeiten informiert, im Badezimmer eine Sauna einzubauen? Sie könnten eine Sauna mit einem Dampfbad kombinieren.«

Margido starrte ihn nur an. Für ihn bedeutete eine Sauna, eine schwere Tür zu öffnen und einen Raum mit Bänken bis hinauf zur Decke zu betreten, mit einem großen Ofen auf dem Boden, wo man Wasser auf Steine goss, so, wie in der Sauna in der alten Badeanstalt unten in der Prinsensgate, die jetzt geschlossen war. Natürlich war ihm klar, dass er keine so große Sauna brauchte, aber deshalb gleich zu glauben, in seinem Badezimmer…

»Hören Sie«, sagte der Mann. »Ich will Ihre Wohnung ja gern verkaufen, aber wenn das Ihr einziger Grund ist, dann würde ich Sie betrügen, wenn ich das nicht sagte. Ihr Badezimmer misst mehr als acht Quadratmeter, das ist kein Problem. Erkundigen Sie sich im Badezimmerladen in der Fjordgate. Wenn Ihnen nicht gefällt, was Sie dort sehen, dann rufen Sie mich wieder an. Wenn ich nichts von Ihnen höre, kann ich mir in den Hintern treten, weil mir ein guter Verkauf entgangen ist. Aber ich kann einfach nicht glauben, dass das mit der Sauna der einzige Grund ist. Und es wäre doch nicht besonders lustig, wenn die neue Wohnung, die ich für Sie finden würde, ein ebenso kleines Badezimmer hätte. Nur eben mit Sauna.«

»Ehrlich währt am längsten«, sagte Margido kleinlaut.

»Darüber habe ich Gerüchte gehört, ja«, sagte der Mann.

Tags darauf besuchte er in der Mittagspause diesen Badezimmerladen und ließ sich Broschüren vorlegen. Er konnte seinen Augen kaum trauen. Jetzt hatte er jahrelang nur geträumt, statt sich über die Möglichkeiten zu informieren.

»Kompaktsauna«. Das war die kleinste, und sie brauchte nur ausreichend hohe Wände und eine Bodenfläche, die einer Badewanne entsprach. Ein an der Decke angebrachter Generator füllte den Raum mit Dampf, und man saß auf einer Holzbank und hatte die Füße auf eine Holzbank gestellt, außerdem hatte man Holzvertäfelung im Rücken. Wenn man fertig war, klappte man die Bank an der Wand hoch und stand plötzlich in einem Duschraum. Fliesen auf dem Boden und an den Wänden, elegante Duscharmatur. Wenn er noch dazu das Waschbecken ein wenig versetzte, würde er Platz für die noch geräumigere Eckvariante haben.

Als er den Laden verließ, empfand er eine gewaltige Erleichterung, gemischt mit kindlicher Erwartung, er spürte, dass er ein Lächeln nicht unterdrücken konnte, das hier war ein Wunder.

Jetzt würde er nicht umziehen müssen.

Sie würden genau Maß nehmen, es war nur eine Frage der Zeit, dann würde sein Traum in Erfüllung gehen, und er würde alles haben, was er auf dieser Welt benötigte.

Er hatte so viel, worüber er sich freuen konnte, das Gespräch mit Tor gestern, bei dem sie einander angelächelt hatten, dass Tor Krumme eingeladen hatte, dass es für sie vielleicht Hoffnung gab. Für einen Moment dachte er an den Silvesterabend, und seine Stimmung verdüsterte sich ein wenig, aber Erlend hatte es sicher vergessen, oder vielleicht hatte er es durch den ganzen Lärm gar nicht erst gehört.

Er wollte auf dem Weg ins Büro für den Nachmittagskaffee Kuchen kaufen. Die Damen würden sich freuen, sie arbeiteten hart, er müsste ihnen mehr zahlen, nicht viel mehr, aber so viel, dass sie begriffen, wie sehr er sie zu schätzen wusste. Er ging in die Bäckerei in Byhaven.

»Ich nehme drei von denen da mit Nüssen und Schokolade, und vielleicht auch noch drei Berliner. Mit Marmelade.«

Torunn wurde heiß, wenn er sie nur ansah, auf diese besondere Weise, die sie jetzt kannte, es war etwas mit den Augen, sie wurden schmaler und dunkler wie die Augen Styrks, dem jungen Rüden, der große Ähnlichkeit mit einem Wolf hatte. Nach der Nacht vor vierzehn Tagen, als sie zu Hause im dunklen Zimmer gelegen und gedacht hatte, nun sei Schluss, weil er ihre SMS nicht beantwortete, und als sie sich wie ein klammerndes und quengeliges Frauenzimmer vorgekommen war, auf das jeder Mann lieber verzichtet hätte, hatte sich etwas verschoben.

Später hatte er erzählt, dass er in dieser Nacht über zweihunderttausend Kronen verdient hatte. Sie konnte nicht begreifen, dass so etwas möglich war, man wusste zwar, dass es das gab, aber man glaubte es nicht so recht. Als er sie am nächsten Tag in der Praxis angerufen hatte, hatte sie gerade bei einer Augenoperation bei einer Boxerhündin assistiert, die sich die Hornhaut verletzt hatte. Sie hatte nur mit Mühe die Pinzette ruhig halten können, als Anja nähte. Sie hatte für ihn eine eigene Erkennungsmelodie programmiert, und das Telefon steckte in ihrer Hosentasche.

»Witzige Melodie«, sagte Anja und drehte die Operationslampe zurecht, ehe sie den ersten Knopf verlegte, der zwischen Nickhaut und Augenlid als Stoppscheibe für die Stiche fungieren sollte.

»Filmmusik«, sagte Torunn.

»Ich kenne sie ja auch, aber mir fällt nicht ein, woher.«
»The good, the bad and the ugly.«

Es ging immer von ihm aus. Er kochte für sie und ging davon aus, dass sie zu ihm kommen würde, sobald er anrief und sie bat, ihn zu besuchen, und dann kam sie auch. Wenn er sagte, er müsse noch arbeiten, ließ sie ihn in Ruhe, er musste doch Hunderttausende verdienen.

Jetzt brachte sie die letzten Kurven zwischen turmhohen Tannen hinter sich, frisch geduscht, saubere Jeans und Pullover, und mit einer nagelneuen The North Face Fleecejacke, die ein bisschen fetziger als ihre andere Freizeitkleidung war. Sie war sicher, dass sie ihm gefallen würde. Sie war ein bisschen spät dran, nachdem sie eine Beratungsstunde mit Neros gesamter Familie abgehalten hatte. Der Welpe hatte die Tochter der Familie gebissen und dann alle der Reihe nach wütend angeknurrt. Sie hatte ihnen geraten, ihn dem Züchter zurückzubringen, aber sie hingen schon zu sehr an dem Tier, deshalb wollten sie den Stier bei den Hörnern packen. Eigentlich hätte sie den Züchter gern angerufen und ihn ordentlich heruntergeputzt, er hätte doch schon von Anfang an sehen müssen, dass Nero ein dominierendes Alphatier war, und er hätte ihn nie im Leben einer Familie mit kleinen Kindern verkaufen dürfen, die sich ihren allerersten Hund zulegte.

Plötzlich sprang ein Hase auf die Straße, es ging um Zentimeter, als sie ihm auswich, aber im Spiegel sah sie, dass er ungestört und unversehrt weiterhoppelte. Zum Glück fuhr sie mit Schneeketten und hatte die vorderen Scheinwerfer gewaschen, hier gab es keine Straßenlaternen.

Sie nahm an, dass sie bei ihm übernachten würde, aber wenn er nachts arbeiten müsste …

Auch das war schon vorgekommen, dass abends für ihn eine E-Mail eingelaufen war und dass er diesen fernen Blick bekommen hatte. Den Geldblick, wie sie das insgeheim nannte. Wenn er wichtige E-Mails bekam, wurde das per SMS gemeldet, und sein Telefon schaltete er nur aus, wenn er mit den Hunden unterwegs war.

Gerade das konnte sie nicht verstehen. Er war doch aus dem Rattenrennen ausgestiegen, um sich den Hunden zu widmen. Sobald allerdings die Hunde im Hundehof standen und ihr Futter bekommen hatten, war er gleich wieder mit dem Kopf bei der Arbeit. War das Freiheit? Wenn irgendwo auf der Welt immer ein voller Arbeitstag war und er überall die Uhrzeit vor Ort kannte? Aber in den letzten vierzehn Tagen hatte sie nur drei Nächte in ihrem eigenen Bett verbracht, und sie trug ihn den ganzen Tag in Gedanken mit sich, wenn sie nicht zusammen waren. Sie erledigte jedoch ihre Pflichtanrufe bei der Mutter, ohne Christer zu erwähnen, und sie wiederholte bis zum Überdruss, dass Cissi sich besser fühlen würde, wenn sie und Gunnar das Haus verkauften und den Ertrag teilten. Dass es das Haus war, in dem sie ihre Kindheit verbracht hatte, war ihr nicht einen Gedanken wert. Sie war zu alt, um über sentimentale Werte aufzuheulen, obwohl es schon seltsam sein würde, den Dachboden auszuräumen, wo viele Kästen voller Kindheit standen. Schmusetiere und Kinderbücher, Schreib- und Zeichenhefte aus ihrer ganzen Schulzeit. Und auch Kleider, Skier und Schlittschuhe, Rodelbretter und ihr erster Schlitten, den Gunnar knallrot angestrichen hatte, damit er nicht gestohlen wurde.

Sie hatte seit dem Tag im Café, an dem er seine Verteidigungsrede gehalten hatte, nicht mehr mit Gunnar gesprochen. Sie brachte es nicht über sich, obwohl er mehrere Mitteilungen auf ihrem Anrufbeantworter hinterlassen hatte. Sie begriff intuitiv, dass er sie in Bezug auf den Hausverkauf einspannen wollte. Er hätte wissen müssen, dass sie ihn ohnehin schon unterstützte. Die Mutter war eine gut aussehende Frau, wenn sie diese Verletzung erst einmal überwunden hätte, würde sie aufblühen, genau wie Gunnar gesagt hatte, sie würde vermutlich auch Arbeit finden, sie hatte wohlhabende Freundinnen, die mit Hobbyjobs in Kunstgalerien und kleinen Schmuckboutiquen herumpusselten und die außerdem über *Rotary* bei *Inner Wheel* wohltätige Arbeit leisteten. Sie würde nicht mit den Händen im Schoß sitzen bleiben, dazu war sie nicht der Typ. In all den Jahren ihres sogenannten »Hausfrauendaseins« hatte sie tausend Eisen im Feuer gehabt, unter anderem als Oslo-Führerin für zu Besuch weilende Frauenlogen und andere Gruppen dieser Art. Dafür ließ sie sich natürlich nicht bezahlen, weil sie ja gut versorgt war. Jetzt würde sie sich bezahlen lassen müssen. Sie braucht mir nicht leidzutun, tröstete Torunn sich zum soundsovielten Mal. Aber zu dieser Erkenntnis musste Cissi selbst gelangen.

Auch die Pflichtanrufe bei ihrem Vater erledigte sie ganz brav. Sie bekamen eine neue Haushaltshilfe und ärgerten sich darüber, aber das schien da oben auf dem Hof die einzige Wolke am Himmel zu sein. Immerhin, so rasch, wie der Vater sich mit der ersten abgefunden hatte, würde er sicher auch die nächste überleben.

Die Hunde kündigten ihr Eintreffen mit Gebell und gedehntem Geheul an, während sie sich gegen den Maschendraht warfen. Fünf liefen draußen herum, unter ihnen auch Luna, die anderen standen in ihren Käfigen und bellten aufgeregt, auch die, die Torunn nicht sehen konnten.

»Hallo! Ich bin's nur!«

Sie lief zum Zaun, steckte die Finger durch die Maschen und hielt ihr Gesicht daran, und sie wurde an allen Stellen abgeleckt, die die Hunde erreichen konnten. Jeder versuchte, höher zu springen als alle anderen.

»Lunaherzchen, was bist du fein …«

Schade, dass sie sie nicht lange ins Haus holen konnten, dort hechelten sie sich fast um den Verstand. Ihr Fell war um diese Jahreszeit auf Minusgrade eingestellt. Auch zu Silvester, als Luna die Polizei gespielt hatte, war sie nach kurzer Zeit draußen angebunden worden und hatte sich glücklich im kalten Schnee rollen dürfen.

Er erwartete sie an der Tür, schlang die Arme um sie und küsste sie rasch auf Stirn, Wangen und Augen.

»Bleibst du über Nacht?«, flüsterte er in ihre Haare.

»Gern, wenn du willst.«

»Das will ich. Schöne Jacke. Neu?«

»Nein. Hab sie im Herbst gekauft.«

Er kochte einen Eintopf mit Zutaten aus der Tüte und gebratenem Hackfleisch und Reis, alles in einem Topf miteinander verrührt. Es schmeckte nicht besonders, aber immerhin hatte er es gekocht. Er füllte die Gläser mit Rotwein, und im Kamin brannte ein Feuer. Sie hatte ihr Telefon ausgeschaltet, ehe sie aus dem Auto gestiegen war. Hier saß sie und fühlte sich wohl und am richtigen Ort, mitten im Augenblick, *zusammen*. Mehr zusammen als je mit einem anderen Mann. Der Wein brachte sie dazu, eine dumme Frage zu stellen: »Warum magst du mich eigentlich? Mich, so wie ich bin?«

Er zuckte mit den Schultern, grinste kurz und trank.

»Weil du mich magst, vielleicht? Und meine Viecher?«

Sie sprachen nie über die Zukunft, gingen jeden Tag für sich an, unternahmen niemals etwas als Paar, abgesehen von ihrem Zusammensein in dieser Hütte. Ihr fehlte das auch nicht, sie wollte ihn mit niemandem teilen, auch wenn es Spaß machen würde, ihn vorzuzeigen, sich ein wenig mit diesem maskulinen Teddybären zu schmücken, den Neid der anderen Frauen zu sehen.

»Wann musst du aufstehen?«, fragte er.

»Sieben.«

»Dann können wir auch gleich schlafen gehen.«

»Es ist doch erst halb neun«, sagte sie und lächelte.

»Genau.«

Und dann war er da, der Wolfsblick.

Als er einige Zeit später aufstand und den Rest der Rotweinflasche und die Gläser holte und damit ins Bett zurückkehrte, fing sie an, über Erlend zu sprechen.

Sie erreichte ihn jetzt gar nicht mehr, es war vierzehn Tage her, dass er gesagt hatte, die Lage zwischen ihm und Krumme sei ein bisschen »angespannt«. Die wenigen Male, wenn sie seine Stimme *live* hörte und nicht auf dem Anrufbeantworter, hatte er zu tun und konnte nicht reden, und alles sei gut, kein Grund zur Sorge, er arbeite an neuen Fenstern, Ostern und Frühling seien nicht mehr weit, er habe eine Million Aufträge, sagte er. Aber er redete nicht mehr von ihrem Besuch in Kopenhagen, und das kam ihr seltsam vor.

Sie hatte noch nie mit Christer über Erlend gesprochen. Das Einzige, was er über ihre Familie wusste, war, dass ihre Mutter erst kürzlich von ihrem Mann verlassen worden war und dass ihr Vater in Byneset bei Trondheim einen Hof betrieb. Er hatte nicht einmal gefragt, was das für ein Hof sei, Kühe, Schweine, Schafe, Getreide, Kartoffeln, Erdbeeren oder alles auf einmal.

Aber jetzt lag sie hier dermaßen erfüllt von erotischem Wohlbefinden und Liebe, dass sie aller Welt dasselbe gönnte, und da tat es weh, an Erlend und Krumme zu denken, und die Wörter strömten nur so aus ihr heraus.

»Er ist also schwul«, sagte Christer, nachdem sie ein wenig erzählt hatte.

»Ja. Und wir sind fast im gleichen Alter, weißt du, er ist knapp drei Jahre älter als ich, deshalb ist er irgendwie kein Onkel. Er ist eher wie ein Bruder. Und ich habe doch nie Geschwister gehabt.«

»Und er und sein Freund haben Streit?«

»Ja, etwas ist passiert, und das gefällt mir nicht. Ich denke ziemlich oft daran. Wenn ich nicht an dich denke, denke ich an sie. Sie passen so gut zueinander.«

Sie lag auf seinem Arm, schweißnasser Nacken auf schweißnassem Oberarm, sie nahm den Geruch seiner Achselhöhlen wahr, das Laken unter ihnen war feucht, es war erst halb zwölf, und die Nacht war lang. Sie stützte sich auf den Ellbogen ab und trank einen Schluck Wein aus dem Glas auf dem Nachttisch, musste sich über ihn lehnen, er streichelte ihre Brust.

»Auf der Welt wimmelt es doch von Schwulen«, sagte er.

»Wie meinst du das?«

»Dieser Erlend… Dein Onkel. Der kann doch einfach einen Neuen aufreißen. Solche Leute machen das dauernd, in Saunen und Kneipen. Diese Jungs schleichen nicht lange um den heißen Brei herum. George Michael hat Männer in Pissoirs aufgerissen. Stell dir das mal vor, Millionär, und dann baggerst du in einem Pissoir einen Typen an. Aber das hat ja auch einen Höllenärger gegeben. Sein Plattenvertrag war am Arsch, das war ein teurer Blowjob.«

»Das ist aber nicht so ganz dasselbe. Erlend und Krumme leben seit zwölf Jahren zusammen«, sagte sie.

»Na, die machen sicher auch ihre Seitensprünge. Schwule Paare haben offene Beziehungen.«

»Was du nicht alles weißt«, sagte sie. »Aber ich glaube wirklich, dass sie einander überaus treu sind.«

»Ja, ja. Wenn du meinst.«

»Deshalb wäre es so traurig, wenn bei ihnen etwas schiefginge.«

»Ja, das wäre es sicher«, sagte er.

Sie lag da und starrte die Decke an. Die Tür zum Wohnzimmer stand offen, sie hörte, dass er beim Weinholen im Kamin Holz nachgelegt hatte. Sie wusste, dass sie jetzt besser nichts mehr sagen sollte.

»Fändest du es trauriger, wenn es ein Heteropaar wäre, das nach zwölf Jahren Probleme bekommt?«

»Wäre jedenfalls natürlicher.«

Sie zwang sich zu einem kleinen Lachen und fragte: »Bist du etwa homophob«, ehe sie ihn ganz schnell küsste.

»Ich find das eben nicht ganz normal. Vor allem, wenn ich daran denke, wie sie es machen.«

»Dann denk doch da nicht dran.«

»Aber es ist widerlich. Ich finde es widerlich.«

»Von dir verlangt das doch niemand«, sagte sie.

»Nein. Aber ich würde mich in der Gesellschaft von solchen Leuten unwohl fühlen.«

»Von solchen Leuten?«

»Schwulen«, sagte er.

»Glaubst du etwa, Erlend würde dich vergewaltigen?«, fragte sie und lachte und merkte, wie ihr Herz loshämmerte, er musste das doch auch spüren, dass ihr Herz sich in ihrem Körper wie ein Kolben bewegte.

»Nein. Aber vielleicht ein bisschen flirten. Und dann würde ich kotzen.«

»Aber Herrgott, Christer…«

»Ich sage nur, wie ich fühle. Ich würde kotzen.«

Sie liebten sich nicht noch einmal. Sie ging aufs Klo und saß lange dort und zählte Astlöcher in der Täfelung. Als sie zurückkam, war er eingeschlafen. Sie dachte an die fünf Hunde im Hundehof, die noch nicht in ihre Ställe geschlossen worden waren, zog sich an und ging hinaus.

Sie wussten, wer wohin sollte, und krochen zufrieden und müde auf ihr Stroh. Vor Luna ging sie in die Hocke und streichelte sie lange.

»Feines kleines Mädchen… Da hast du ja einen richtigen Machokerl im Haus. Man könnte fast meinen, er wäre selbst ein bisschen homo.«

Luna wedelte mit dem Schwanz und leckte Torunns Handgelenk.

Sie schloss den Käfig ab, blieb stehen und schaute zum Himmel hoch. Ein leichter Schleier aus Nordlicht glitt über die Hügel. Das ist nicht so schlimm, dachte sie, man kann in vielen Dingen unterschiedlicher Ansicht sein, wenn man sich liebt. Sie hätte sich nur gewünscht, dass es nicht gerade das hier wäre. Dann lieber Politik und Religion und ob es richtig ist, zehntausend für die Chemotherapie bei einer Katze auszugeben. Alles andere, nur nicht gerade das.

Sie war vollständig angezogen. Und da stand ihr Auto. Sie blieb noch eine Weile in der Kälte, dann ging sie ins Haus, zog sich aus und schlüpfte neben ihn unter die Decke. Er wurde nicht wach. Sein Atem war wie immer, eigentlich war alles wie immer.

An diesem Tag wurde die neue Hausfrauenvertretung erwartet. Es kam ihm vor wie gestern, dass er sich davor gegraust hatte, Fremde im Haus zu haben, und jetzt ging das schon wieder los. Er rief sich vor Augen, wie gut es beim letzten Mal doch trotz allem gelaufen war, und dass der Electrolux etwas taugte. Aber trotzdem. Wer wusste denn, was nun kommen würde. Jetzt gab es sogar schon männliche Hausfrauenvertretungen, hatte er im Radio gehört. Gut, dass Erlend zu Weihnachten da gewesen war, immerhin würde er nicht mehr total geschockt sein, wenn er zusehen müsste, wie ein Mann mit einer Schürze durch das Haus stolzierte.

Nach der Morgenrunde im Stall machte er sich, von Übelkeit gequält, an die Rattenvertreibung. Alles andere konnte er ertragen, Schweinemist und Nachgeburten und verfaultes Essen im Kühlschrank, er trank sogar sauer gewordene Milch, ohne mit der Wimper zu zucken, lieber das, als sie auszugießen, und er steckte gelegentlich die Unterhosen des Vaters in die Waschmaschine, ohne die Nase zu rümpfen. Aber das hier. Rattenleichen in den Wänden. Ein süßlicher Geruch, der an frisch gebackenes Brot erinnern konnte, wenn man es nicht besser wusste.

Sie tauchten jetzt auch auf dem Scheunenboden auf, schleppten sich dahin, bis sie mit blutverschmiertem Maul zusammenbrachen. Das Gift enthielt offenbar zerstoßenes

Glas, sie wurden innerlich aufgeschlitzt. Geschah ihnen recht. Einfach herzukommen und sich in seinem Lebenswerk auszubreiten. Wenn die Lebensmittelkontrolle oder ein Inspektor von der Landwirtschaftskammer Wind von der Sache bekämen, könnten sie ihm die Schlachterlaubnis entziehen.

Er fand zwei hinten beim Traktor und schob einen Spaten darunter. Die mit Haferflocken gefüllten Fallen waren wie immer leer. Er entdeckte auch eine beim jetzt zugenagelten Eingang zum Stall, dann eine letzte beim Volvo. Er trug den Spaten mit den baumelnden Schwänzen hinter die Scheune und warf sie auf die Stelle, wo der Abfall verbrannt wird. Dort war damals die Matratze der Mutter gelandet, dort landeten alle verendeten Ferkel. Zum Glück hatte er die beiden Kleinen von Trulte mit warmen Bädern durchbringen können, damit hätte er wirklich nicht gerechnet, dass ein Eimer warmes Wasser morgens und abends dafür ausreichen würde.

Er übergoss die Rattenleichen mit Petroleum und zündete sie an, dann ging er wieder in die Scheune und fing an zu schnuppern. Der süße Leichengestank überlagerte auf widerliche Weise den Schweinestallgeruch. Die Wärme aus dem Stall ließ sie ganz schnell verwesen, wenn sie sich vor den Balken außerhalb des Stalls zum Sterben hinlegten. Er musste auf einen Hocker steigen, den Spaten zwischen die Balken schieben und schließlich das zu sich holen, was er mit dem Spaten erfassen konnte, schleimigen verrotteten Dreck mit Fellresten. Und wenn der Frühling mit der Wärme käme – nur die Götter wussten, wie viele dann noch hinter den Wandbrettern auftauchen würden. Wenn sie nicht gefriergetrocknet sind, dachte er hoffnungsvoll.

Ab und zu kam ihm der Gedanke, dass diese Schlacht verloren sei, er konnte sie nicht schnell genug vergiften, er brauchte Hilfe. Aber ganz schnell verdrängte er solche Überlegungen. Die waren eine Niederlage, niemand durfte von den Ratten wissen. Im Nachhinein hatte er darüber gestaunt, dass er es Margido erzählt hatte. Und er staunte ebenso darüber, was Margido über Erlend gesagt hatte. Er selbst hatte doch geglaubt, Jesus höchstpersönlich habe verboten, dass Männer mit Männern schliefen.

Er ließ den Spaten auf den Boden fallen, es musste sich um zwei oder drei Ratten handeln, von jetzt an würde er diesen Balken jeden Tag überprüfen müssen, sie holen, ehe sie verwesten. Er trug die Schweinerei zum Feuer und warf sie hinein, gab mehr Petroleum dazu. Danach bohrte er den Spaten viele Male in den Schnee, bis er sauber war. In der Waschküche wusch er sich die Hände mit kaltem Wasser und Sunlicht-Seife, bis sie knallrot waren. Er zog den alten Overall aus, den er zu dieser Arbeit trug, und hängte ihn zusammen mit dem Werkzeug vor die Tür. Es durfte keinerlei Verbindungen zwischen Ratten und Schweinen geben. Außer den Fliegen, natürlich. Mit Fliegen wurde kein Schweinezüchter auf Gottes schöner Erde jemals fertig.

Eine KATZE: Er müsste sich eine Katze zulegen oder fünf. Sie nachts in der Scheune einschließen. Ein Katzenjunges könnte er jedoch vergessen, dem würden die Ratten nur an die Gurgel gehen. Nein, es musste eine ausgewachsene Killerkatze sein, wo immer man die herbekam. Vielleicht sollte er Røstad anrufen, ein Tierarzt musste so etwas doch wissen.

Sie saßen da wie immer, als der Wagen auf den Hofplatz fuhr, er in der Küche, der Vater im Wohnzimmer. Der Vater war absolut nicht so ungeduldig und erwartungsvoll wie beim letzten Mal.

»Das ist eine voll ausgewachsene Dame«, sagte Tor und sah zu, wie sie, wie damals die Jurastudentin, ihre Ausrüstung aus dem Auto nahm.

»Ach«, sagte der Vater.

»Dick.«

»Ach.«

»Sieht aus wie eine Hausfrauenvertretung. Wie eine von früher.«

»Ach je«, sagte der Vater.
»Ja, das ist deine Schuld.«

»Marit Bonseth«, sagte sie, nachdem sie ihre Putzsachen in den Stall gestellt hatte.

»Tor Neshov.«

Sie schwitzte jetzt schon, das sah er, nur vom Tragen. Dunkelbraune Locken, auf beiden Seiten des Mundes eine Andeutung von Schnurrbart, zusammengewachsene Augenbrauen wie bei einem Mann, um die fünfzig, wenn er raten sollte, riesige Brüste unter einer Strickjacke, die zwischen den Knöpfen aufklaffte.

»Altmodisches Ausgussbecken. So etwas hab ich lange nicht mehr gesehen. Bin nämlich auf einem Hof in Fosen aufgewachsen. Aber jetzt haben die da draußen renoviert, seit mein Bruder ihn übernommen hat, die haben sogar ein Rotweingestell über dem Rauchabzug beim Herd. Ihr habt hier keinen Rauchabzug?«

»Nein. Wir haben Fenster.«

Durch die offene Wohnzimmertür sah sie den Vater.

»Marit Bonseth«, sagte sie und ging mit ausgestreckter Hand energisch auf ihn zu, der Vater hob ein wenig den Hintern und stellte sich vor, während er zugleich Tor einen ängstlichen Blick zuwarf.

»Möchtest du Kaffee?«, fragte Tor.

»Ja, das würde gut tun, ehe ich loslege.«

Der Küchenstuhl aus Stahlrohr und Kunststoff schrie, als sie sich daraufsetzte.

»Ich hab auch Butterkekse«, sagte er.

»Die würden auch gut tun, danke.«

»Und Zucker?«

»Ja, bitte. Und das ist echter Kochkaffee, sehe ich.«

»Wir haben keine Kaffeemaschine«, sagte Tor.

»Da kannst du froh sein. Man braucht doch richtigen Kaffee.«

Sie schaute sich um und schob sich einen Keks in den Mund, bevor er ihre Tasse füllen konnte. »Hier fühle ich mich zu Hause. In genau so einer Küche bin ich aufgewachsen. Richtigen Holzofen habt ihr auch. Ich weiß noch, wie meine Mutter einen elektrischen Herd bekommen hat. Da kochte alles über.«

Er hätte sich über diese Komplimente freuen müssen, aber das tat er nicht, und er wusste nicht so ganz, warum nicht. Sie füllte die Küche gewissermaßen bis zum Rand, und sie war doch nicht deshalb gekommen.

»Ich gehe immer in den Stall, wenn… die Haushaltshilfe hier ist«, sagte er. »Und oben brauchst du nur das Badezimmer zu machen. Die Schlafzimmer schaffen wir selber.«

»Ach? Warum denn? Ich kann doch die Betten beziehen und kurz über den Boden wischen?«

»Nein, das brauchst du nicht.«

»Ich bin zum Putzen hier, das ist meine Arbeit, es geht nicht darum, was ich zu tun brauche oder nicht.«

»Aber es ist nicht nötig«, sagte er.

»Was habt ihr denn da drinnen? Worum ihr solche Angst habt?«, fragte sie und lachte schallend, Silberfüllungen, die teilweise von Kekskrümeln verdeckt waren, leuchteten auf.

»Wir machen das selbst«, sagte Tor und erhob sich. »Und jetzt gehe ich in den Stall.«

Als er die Stalltür hinter sich geschlossen hatte, blieb er lange stehen und hasste den Vater, der an diesem ganzen Nervkram schuld war, mit seinem Gequengel, weil er ins Heim wollte. Aber er konnte immerhin in den Stall gehen, das konnte der Vater nicht. Alles, was der tat, war, Holz zu hacken, und auch diese Art Arbeit verrichtete er jetzt immer seltener. Irgendwie war das auch zu verstehen, Holzhacken war harte Arbeit. Auch wenn das Holz schon in Stücke gehauen war, so musste es noch zerteilt werden, eigentlich staunte er darüber, dass der Vater dazu noch fähig war. Er glaubte jetzt, ihn dort zu sehen, die Axt hoch über den Kopf erhoben, um sie dann auf den Hackklotz fallen zu lassen, so dass die Splitter in alle Richtungen stoben. Vielleicht hatte er den Alten unterschätzt. Oder überschätzt, zu viel auf die Schultern eines alten Mannes wie seine gepackt. Er würde ihm von nun an beim Holz ein wenig helfen.

Er ging zum Fenster und schaute zum Haus hinüber. Das Küchenfenster war schon wieder beschlagen, und jetzt kam der Vater aus der Tür heraus, er stapfte mühsam in seinen Filzpantoffeln in Richtung Holzschuppen, mit der Zinkbütte in der Hand. Er schien es ungeheuer eilig zu haben. Das war etwas ganz anderes als ein Stadtmädel mit Ohrstöpseln. Und sie kam aus Fosen. Aus einer Bauernfamilie. Schlimmere Fremde waren doch kaum vorstellbar.

Sein Blick fiel auf den Schrank, er öffnete ihn, nahm den Rest Aquavit heraus, drehte den Verschluss ab, hielt sich die Flasche an den Mund, leerte sie, viel war nicht übrig, aber es wurde doch ein guter Schluck. Er hielt den Mund unter den Wasserhahn und spülte mit kaltem Wasser nach. Er wartete auf die Wärme, und jetzt kam sie, zusammen mit der Leichtigkeit. Und einem winzigen Lachen darüber, was sie jetzt im Haus hatten, er hatte Lust, Margido anzurufen und davon zu erzählen. Vielleicht sollte er sich auch so ein Mobiltelefon zulegen, es war auch nicht schwieriger zu bedienen als ein normales Telefon, sagte Torunn. Statt den Hörer aufzulegen, drückte man auf einen roten Knopf, und statt den Hörer abzunehmen, drückte man auf einen grünen. Er könnte im Stall stehen und mit ihr reden. Plötzlich fiel ihm ein, dass er es ihr vorenthalten hatte, das mit den Ratten. Was, wenn plötzlich eine Ratte angesprungen käme und er aufschrie und entlarvt wäre!

Er schaute wieder aus dem Fenster. Die Tür des Holzschuppens war angelehnt, der Vater war immer noch drinnen. Würden sie sich einmal pro Woche im Stall und im Holzschuppen verstecken müssen? Er kicherte und kicherte noch mehr darüber, dass er hier stand und kicherte, er holte den dänischen Schnaps und leerte auch diese Flasche. Gut, wenn etwas erledigt war, und das Wasser schmeckte hervorragend, wie Sodawasser. Sie hatten gutes Wasser hier auf Neshov, niemand konnte etwas anderes behaupten. Er schaute noch einmal aus dem Fenster und keuchte auf. Da war sie, auf dem Weg hierher! Hierher! Hierher kam niemand, abgesehen vom Tierarzt und Torunn. Mit einem Sprung hatte er die Tür erreicht und riss sie auf.

»Ja?«

»Aber mein Lieber, was ist denn los mit dir?«

»Was ist… Was willst du?«

»Telefon für dich. Eine Torunn.«

»Sag, dass ich nachher zurückrufe.«

»In Ordnung. Aber du kannst ein bisschen freundlicher sein, wenn ich mir die Mühe gebe, dir Bescheid zu sagen.«

»Verzeihung, das war nicht so gemeint… Ich war nur so überrascht.«

»Na gut«, sagte sie und spitzte verärgert die Lippen, ehe sie kehrtmachte und zurückging. Sie trug jetzt eine blaue im Nacken und im Kreuz zu einer Schleife gebundene Schürze. Ihre dicken Oberarme quollen aus einem kurzärmligen Pullover. Auf halbem Weg über den Hofplatz rief sie ihm zu: »Du trägst im Stall doch wohl nicht dieselben Kleider wie im Haus?«

»Das ist verboten!«, rief er. »Wegen der Ansteckungsgefahr!«

»Du weißt genau, was ich meine«, sagte sie. »Also spiel dich nicht auf.«

Er holte eine Bierflasche aus dem Wurfkasten, wo er sie zum Auftauen hingestellt hatte, und öffnete sie. Sie war noch keine Stunde hier, und schon hatte sie ihn dazu gebracht, um Entschuldigung zu bitten, und hatte ihn wegen seiner Stallkleidung zurechtgewiesen. Er trug den Stalloverall nie im Haus, aber den Rest nahm er nicht so genau, obwohl sich der Geruch auch in der Unterwäsche festsetzte.

In Fosen ziehen sie sicher eine neue Unterhose an, wenn sie aus dem Stall kommen, dachte er, ich kann es regelrecht vor mir sehen. Was für ein Weibsbild. Allerdings hatte sich auch Mutter über den Stallgeruch beklagt.

»Verdammt, von diesem Geruch lebe ich!«, sagte er und schlug mit der flachen Hand auf den Tisch. Er leerte die Bierflasche mit einem einzigen langen Zug, rülpste ausgiebig, stand wieder am Fenster. Die Tür zum Schuppen war angelehnt, sicher hatte der Vater den ganzen Wortwechsel gehört und gefeixt, stand da drinnen und fror und hatte nicht einmal was zu trinken.

»He, du! Das werd ich dir heimzahlen! Jetzt müssen wir, verdammt nochmal, diese Furie hier ertragen …«

Er riss die Stalltür auf und marschierte hinüber zum Holzschuppen, trampelte hinein, merkte, wie der Rausch sich wie glatter Stahl in seine Zunge schob. Der Vater saß auf dem Hackklotz, sein Gesicht leuchtete vor nackter Angst, als Tor ins Halbdunkel trat.

»Ich bin's nur«, sagte Tor.

»Gott sei Dank.«

Wir wissen, wer daran schuld ist.«

»Ja.«

»Warum versteckst du dich dann hier?«

»Sie hat gesagt, ich solle duschen«, flüsterte der Vater.

»Wolltest du das denn nicht? Ins Heim kommen, damit jemand genau das zu dir sagt.«

»Nein, ich will nicht.«

»Was willst du nicht?«

»Ich … Ich weiß nicht.«

Plötzlich musste Tor lachen, der Vater lächelte unsicher und überrascht und sah ihn nur an, hauchte seine Finger an. Er lachte immer weiter, musste sich die Seiten halten, er konnte sich einfach nicht daran erinnern, wann er zuletzt so gelacht hatte und ob er das je getan hatte. Aber alles war nur lächerlich, der Vater auf dem Hackklotz, er im Stall, das Frauenzimmer aus Fosen im Haus, das über ein blödes Ausgussbecken in Verzückung verfiel.

»Wir gehen rein«, sagte er am Ende und wischte sich die Augen. »Wir gehen rein und sagen ihr, wer hier bestimmt, wo der Hammer hängt und dass diese … diese …«

»Marit Bonseth«, sagte der Vater.

»... dass Marit Bonseth die Finger von der Axt lassen soll.«

»Hast du Schnaps getrunken?«

»Nein. Komm. Wir gehen rein.«

»Wir brauchen Holz.«

»Das erledige ich«, sagte Tor. »Weg da.«

Beim dritten Scheit rutschte die Axt aus, glitt am Scheit entlang, als er den Hackklotz traf, und grub sich tief in seinen Oberschenkel, wo sie einige Sekunden steckenblieb, um dann mit blutiger Schneide in die Sägespäne zu fallen.

Er senkte den Kopf und starrte das Blut an, das durch seine Hose quoll. Der Vater kehrte ihm den Rücken zu, las die Teile des vorigen Holzscheites auf und legte sie in die Zinkbütte.

»Ich … Ich …«

Der Vater fuhr herum und starrte seinen Oberschenkel an, dann sein Gesicht, ihre Blicke begegneten einander.

»Der Stall«, sagte Tor. Nur daran dachte er. An den Stall. Nicht an den Oberschenkel.

»Ich hole sie!«, sagte der Vater mit schriller Stimme und kämpfte sich mit langen, zitternden Schritten aus dem Schuppen. »Hallo!«, rief er, noch ehe er die Tür hinter sich gebracht hatte. »Hallo! Hilfe! Marit Bonseth!«

Er sank auf dem Boden in sich zusammen, versuchte, die Hose aufzureißen, schaffte es nicht, verlor für einen Moment das Bewusstsein. Als er wieder zu sich kam, waren beide da, sie ragten über ihm auf, sie mit einem Küchentuch in der Hand.

Er lag da und starrte stumm zu ihr hoch, während er zusah, wie sie Handtücher zerriss, als ob sie aus Papier gemacht wären. Danach zerriss sie auch sein Hosenbein und band das Bein oberhalb und unterhalb der Wunde straff ab, dabei sah er nicht zu. Am Ende band sie ein weiteres Handtuch um den gesamten Oberschenkel.

»Dann fahren wir«, sagte sie und richtete sich auf.

»Fahren? Wohin denn?«

»Ins Krankenhaus.«

»Aber können wir nicht einfach… Du kannst doch sicher…«

»Die Wunde ist zu tief. Jetzt versuch aufzustehen. Ich fahr dich hin, das ist doch klar.«

»Nein! Ich kann den Stall nicht allein lassen!«

Sie packte seinen Arm und fing an, daran zu ziehen.

»Nein, habe ich gesagt.«

»Du musst, Tor«, sagte der Vater.

»Du bleibst hier«, sagte er.

»Ja.«

»Und dann musst du… Ruf Margido an. Nein, ruf…«

»Jetzt mach schon!«, sagte sie. »Hier kannst du nicht liegenbleiben. Du blutest wie ein Schwein. Und die Wunde geht bis auf den Knochen.«

Er ließ sich auf die Beine ziehen, alles drehte sich, er packte den Vater an der Schulter. »Du musst Røstad anrufen, bitte ihn, für heute Abend einen Betriebshelfer zu besorgen. Danach mache ich das dann wieder. Hörst du?«

»Ja«, sagte der Vater.

»Hatten noch nie einen Betriebshelfer«, sagte er und sah Marit Bonseth an, ihr Gesicht war nur wenige Zentimeter von seinem entfernt, sie stützte ihn und zog ihn zum Auto. »Nie im Leben hatte ich einen. Ich bin immer allein zurechtgekommen!«

»Du stinkst nach Schnaps.«

Sie öffnete die Autotür, schob ihn hinein und knallte die

Tür wieder zu, er kurbelte das Fenster hinunter, die Panik drohte ihn zu überwältigen, Schmerz und Schock zu übertreffen. Während Marit Bonseth ihre Tasche holte, winkte er dem Vater zu, der noch immer hilflos mit erschrockenem Gesicht vor der Schuppentür stand.

»Komm her! Komm doch her! Beeil dich!«

Der Vater kam angetrottet, wie von den Toten auferweckt.

»Ja?«

Er flüsterte, während er zum Anbau hinüberlugte: »Geh in den Stall und in die Waschküche. Nimm die leeren Flaschen weg, die dort stehen. Zwei leere Schnapsflaschen und eine Bierflasche. Stell sie …«

Er konnte den Vater nicht bitten, sie in das alte Plumpsklo zu werfen, dann würde er Glas auf Glas auftreffen hören.

»Stell sie solange da unten in den Schrank!«

»Du hast doch gesagt, du hättest keinen …«

»Jetzt mach schon. Im Mittelgang im Stall stehen auch einige nicht geöffnete Bierflaschen, stell auch die in den Schrank. Und kein Wort über die Ratten zu Røstad oder dem Betriebshelfer. Ist das klar?«

Der Vater nickte.

»Und Margido rufst du nicht an.«

»Nein.«

»Morgen geht's mir wieder gut. Wir brauchen ihn damit nicht zu belasten.«

»Nein.«

Dann war sie da, Marit Bonseth, setzte sich ins Auto, musste die Tür noch einmal öffnen, weil sie ihren Mantel eingeklemmt hatte.

»Mach das Fenster zu«, sagte sie. »Das wird zu kalt beim Fahren. Schwitzt du? Oder frierst du? Vielleicht hast du einen Schock erlitten.«

»Mir geht's gut. Fahr einfach los«, sagte er und kurbelte das Fenster hoch.

Sie fuhr. Rasch und entschieden in den Kurven. Er starrte

eine Weile vor sich hin, dann sah er das karierte Küchenhandtuch um seinen Oberschenkel an. Jetzt sickerte Blut durch den Stoff, es lief auf den Sitz unter ihm. Der Sitz war mit Kunststoff bezogen, aber in dem Kunststoff saßen dicht an dicht kleine Löcher, das Blut würde ins Polster einziehen. Er schaute sie an, sie erwiderte rasch seinen Blick.

»Geht's gut?«, fragte sie.

»Hatte noch nie einen Betriebshelfer«, sagt er. »Wirklich, das sage ich nicht nur.«

»Irgendwann passiert alles zum ersten Mal«, sagte sie.

Ihre Hände auf dem Lenkrad waren blutig, bis weit unter die Nägel.

»Entschuldige den ganzen Aufstand«, sagte er. »Deine Sitze hier sind auch versaut.«

»Das findet sich schon, mach dir keine Sorgen.«

»Und ich habe nicht getrunken.«

»Ich komme aus Fosen aus einer Bauernfamilie, und ich bin nicht von gestern. Aber ich habe nicht vor, darüber mit irgendwem zu reden. Jetzt, wo ich doch für euch arbeite und überhaupt. Es könnte schlimmer sein.«

Da hätte er durchaus widersprechen können, aber das ließ er, er schloss die Augen und versuchte, nicht an Ratten oder leere Flaschen zu denken.

Er suchte sich die nächstgelegene Bar, bestellte einen doppelten Espresso, eine Flasche Mineralwasser und ein Ciabatta mit Salami, Feta und schwarzen Oliven. Der Mann hinter dem Tresen war sehr jung und farbig, mit Waschbrettbauch unter engsitzendem schwarzen T-Shirt ohne Dekor auf der Brust, nur mit dem Levis-Logo am Ärmelsaum. Enge Jeans, schmale, lange Finger. Sie sahen stark aus wie die eines Pianisten. Kein Ring, weder am Finger noch im Ohr, der ganze Mann wirkte rein und unbesudelt. Erlend fühlte sich bei seinem Anblick sofort ein wenig besser, seufzte jedoch aufgesetzt tief, als der Leckerbissen ihm Speis und Trank auf einem runden schwarzen Tablett brachte und alles vor ihn hinstellte, sogar die Rechnung. Er liebte diese knielangen Schürzen, wie hippe Caféangestellte sie jetzt benutzten, wo der Hintern herausragte wie ein frisch aufgegangenes kleines Hefebrötchen.

»Das war vielleicht ein Seufzer. Geht gerade die Welt unter? Ohne dass ich das bemerkt habe, hier hinter meinen Markisen?«

»Ja. Das tut sie«, sagte Erlend und hob die Rechnung auf, gab vor, sie zu studieren. »Wie würdest du dich fühlen, wenn du an einem ganz normalen scheiß-vierundzwanzigsten Februar erführest, dass dein Trottel von großem Bruder hoch oben auf einem öden Hof in Norwegen sich das Bein abgehackt und möglicherweise auch noch eine Ratteninvasion auf dem Hof hat? Und möglicherweise zu allem Überfluss zum Alkoholiker geworden ist, weil du ihm zu Weihnachten eine Flasche Gammel Dansk geschenkt hast?«

»Das ist wirklich ein ganz schöner starker Tobak.«

Erlend schaute eilig auf. Flirtete der andere? Der Mann erwiderte sein Lächeln. Nein, leider, es war ein super straightes Lächeln. Noch ein Punkt für seine Liste über Gründe für eine tiefe Depression.

»Das kann man schon sagen, ganz schön heftige Sache«, sagte Erlend und kostete seinen Espresso.

»Das ist also die Henkersmahlzeit, ehe du die Flöte ausführst und den Rattenfänger von Hameln spielst?«

»Spinnst du? Ich fahr doch nicht dahin.«

»Solltest du aber. Auf einem Bein kann man keine Ratten fangen.«

»Ich habe noch einen Bruder. Da oben. Der kümmert sich. Warum um Himmels willen muss er mir also den Tag verderben, indem er alles erzählt? Oh, verdammt …«

»Ich glaube, du brauchst einen Cognac zu diesem Espresso. Ich hole einen. Aufs Haus.«

»Aber es ist doch erst zwei.«

»Irgendwo ist es bestimmt neun Uhr abends.«

»In Shanghai.«

»Echt?«

»Ja, davon bin ich überzeugt. Also sage ich danke. Und wo ich einen doppelten Espresso habe, brauche ich eigentlich auch einen doppelten Cognac«, sagte Erlend. »Den halben bezahle ich natürlich … Ich meine, den einen ganzen. Und ich geb dir gern einen aus, wenn du dich zu mir setzt.«

»Ich hab gleich Dienstschluss.«

»Siehst du. Perfekt. Beeil dich.«

Es kam ihm sehr gelegen, sich mit einem Wildfremden zu unterhalten, es kam ihm so vor, als hätte er die Telefonseelsorge angerufen, wo gesichtslose Stimmen bereitsaßen und verhindern sollten, dass man Selbstmord beging oder eine übereilte Abtreibung vornahm oder die nächste Verwandtschaft mit der Axt erschlug. Wenn er sich das richtig überlegte, gehörte er wohl in alle drei Kategorien, auch wenn die Sache mit der Abtreibung eher darin bestand, eine übereilte Empfängnis zu verhindern.

»Du kommst also aus Norwegen?«

»Nein, ich bin aus Norwegen gekommen. Jetzt bin ich hier. Und ich heiße Erlend.«

»Ich bin Georges. Aus Algerien, ich war über viele Jahre in Frankreich, Paris. Kennst du dich in Paris aus?«, fragte er und streckte die Hand zum Gruß aus, die Hand fühlte sich genauso an, wie sie aussah, stark und warm und möglicherweise grausam entschieden. Sie hätte bis zum frühen Morgen Brahms' ungarische Tänze spielen können, wenn sie gewollt hätte.

»Ich habe einmal in einem Restaurant in Les Halles verdorbenen Beluga-Kaviar bekommen«, sagte Erlend und zog die Hand zurück, und zwar nur mit Hilfe monogamer Willenskraft. »Mehr verbinde ich nicht mit Paris. Toilettenschüssel und das Muster der Fliesen auf dem Badezimmerboden, schwarz, eierschalenfarben und moosgrün. Ich bin eher ein London- und New-York-Mensch. Die Franzosen machen mich unendlich müde, sie rufen und fuchteln mit den Armen, sie erinnern mich an Bergenser, aber du weißt nicht, was das ist, und hinter allem Geschrei ist nur Luft, wenn du verstehst. Nimm das nicht persönlich. Aber du sprichst fast perfekt Dänisch, Georges.«

»Danke. Und ich bin hetero.«

»Das habe ich sofort gemerkt, leider. Aber ich flirte trotzdem ein bisschen, das liegt nun einmal in meiner Natur. Also nimm das bitte nicht persönlich. Blöd, dass du diese Schürze abgelegt hast, übrigens. Die steht dir wahnsinnig gut.«

»Ich habe doch nach zwei Uhr Feierabend.«

»Aber sie steht dir. Du solltest sie rund um die Uhr tragen. Auch im Bett. Die Schürze und sonst nichts.«

Georges lachte mit so weißen Zähnen, er hätte allen, die das erleben durften, Sonnenbrillen geben müssen. Sein Gaumen war rosa und geriffelt wie der einer Katze.

»Jetzt flirtest du aber«, sagte Erlend und schluckte.

»Ich habe gelacht.«

»Das kommt auf dasselbe raus. Wenn du auf diese Weise mit offenem Mund lachst.«

»Na gut. Es wird nicht mehr gelacht. Dein Bruder hat sich also das Bein abgehackt. Klingt dramatisch. Ist es gefunden worden? Das Bein?«

»Er hat es nicht ganz abgehackt, sondern bis auf den Knochen reingehauen. Er kam gestern ins Krankenhaus und darf nicht raus. Hat einen hysterischen Anfall, weil er mehrere Tage dort verbringen muss, er will nach Hause zu seinen Schweinen, er ist Schweinezüchter.«

»Es muss doch noch andere geben, die ihm bei der Versorgung der Tiere helfen können?«

»Sicher, aber das passt ihm nicht. Er hat doch nur seine Schweine.«

»Und seine Brüder.«

»Na ja. Da liegt der Hund begraben, und der sollte nicht zu oft geweckt werden. Aber Prost, du junger Schöner.«

»Prost.«

Er genoss den Anblick von Georges' Mund, der sich am Rand des Glases spitzte. Die schwarzen Locken glänzten so, dass sie lackiert wirkten, eine einzelne Locke wickelte sich um sein Ohrläppchen.

»Aber ich finde, es hört sich nach schweren Alkoholproblemen an, das, was du über den Schnaps zu Weihnachten gesagt hast«, sagte Georges und stellte sein Glas ab.

»Mein Vater hat getratscht. Ja, er ist eigentlich nicht mein Vater, aber er hat es meinem Bruder weitererzählt.«

»Er ist nicht dein Vater?«

»Nein, mein Halbbruder. Und er hat bei meinem Bruder getratscht, und der hat ein wenig im Stall herumgeschnüffelt und die leeren Flaschen in den Schränken gefunden. Und auch im Plumpsklo.«

»Er trinkt also im Stall? Das klingt ja seltsam. Ist das üblich in Norwegen?«

»Im Haus konnte er nicht trinken, wegen meiner Mutter.«

»Ist die eigentlich auch deine Halbschwester?«

»Nein. Aber auf diesem Hof trinkt man nicht, wenn andere das sehen können. Eigentlich.«

»Ich hole mehr Cognac.«

»Ja, unbedingt. Aber dann musst du auch die Schürze umbinden. Wo es doch fast so ist wie Arbeit.«

Er ließ sich zurücksinken. Er hatte die Ciabatta nicht angerührt, das Brot wirkte trocken, die Salamischeiben, die herausragten, waren dunkel und verschwitzt und rollten sich an den Rändern auf. Eigentlich war er auf dem Heimweg gewesen, als Margido angerufen hatte. Margido war so außer sich gewesen, dass es unmöglich war, über *dates* oder Silvester oder überhaupt irgendetwas Witze zu machen. Ein Papierwarenladen auf Nørrebro war jetzt elegant dekoriert mit handgemaltem japanischen Papier und Kalligraphiestiften und japanischen Zeichen, die er vergrößert und in Seidendruck schwarzrot auf Reispapier als Hintergrund verwendete. Eine einzelne weiße Orchidee war die einzige Dekoration neben Waren und Reispapier. Es war ein winziges Fenster, ohne viel Platz, aber der Laden wollte hohe Qualität, und wen rief man dann an, wenn nicht Erlend Neshov. Alle anderen hätten das Fenster bis zur Taktlosigkeit überladen, weil es eben so klein war.

»Bitte sehr, noch ein doppelter«, sagte Georges. »Aber warum isst du nicht?«

»Das sieht trocken aus.«

»Tut mir leid. Heute Morgen um neun geschmiert.«

»Das sehe ich.«

»Ich finde, du solltest zu deinem Bruder fahren. Mit abgehackten Beinen und Alkoholikern macht man keine Witze.«

»Aber was kann ich da oben schon tun? Ich habe eine Sterbensangst vor diesen riesigen Schweinen. Das sind Raubtiere, hat mein Bruder gesagt, und Stallgeruch kann ich nicht ausstehen. Außerdem war ich zu Weihnachten da, das reicht für eine ganze Weile. Und genau das wird Krumme vielleicht auch sagen, dass ich fahren soll, deshalb darf er nichts davon erfahren.«

»Krumme. Dein Freund?«

»Ja.«

»Aber seinem Freund darf man dermaßen wichtige Dinge nicht verschweigen, Erlend. Das tut man einfach nicht.«

»Er hat mir auch schon wichtige Dinge verschwiegen.«

Georges sah ihn fragend an.

»Er will, dass wir ein Kind bekommen«, sagte Erlend und atmete auf, jetzt war es gesagt, zu einem Wildfremden, er starrte in den Cognac. Bald würde der in seinem Magen sein, das war eine schöne Vorstellung. Er hatte bereits schon eine Menge getrunken, denn Alkohol war absolut das perfekte Mittel, wenn man vergessen und gleichgültig werden wollte, er konnte sehr gut verstehen, dass Tor Lust auf einen Schluck bekam, und Margido übertrieb sicher ungeheuer, die Flaschen im Plumpsklo konnten da doch schon seit Jahren liegen. Er hätte gern eine solide Lieferung nach Neshov geschickt, transportiert von den prachtvollen Wagen des Norwegischen Alkoholmonopols, und die Kästen im Stall stapeln lassen, das hätte Margido etwas zum Nachdenken gegeben.

»Er meint, dass wir auf eine neue Ebene gelangen müssen, weil er angefahren worden und fast umgekommen ist und sich gefragt hat, was er mit dem Rest seines Lebens anfangen soll.«

»Seid ihr schon lange zusammen?«, fragte Georges.

»Zwölf Jahre.«

»Und du willst nicht? Ein Kind bekommen?«

»Nein.«

»Liebst du ihn?«

»Ja, ungeheuer, sehr.«

»Bist du ihm treu, Erlend?«

»Einen treueren Mann gibt es nicht auf dieser Seite des Mondes. Krumme ist auch so.«

»Und er will, dass ihr ein Kind bekommt.«

»Ja. Das hat er gesagt.«

»Aber Erlend. Das ist doch eine phantastische Liebeserklärung.«

»Was? Wie meinst du das?«

»Wie ich es sage. Sich ein Kind zu wünschen, dass ihr ein Kind bekommt, das ist doch die größte Liebeserklärung, die es gibt. Das totale Vertrauen.«

Er merkte, wie ihm von einer Sekunde zur anderen die Tränen in die Augen schossen. Er schlug die Hände vors Gesicht. Georges packte sein Handgelenk.

»Ich habe einen fremden Mann zum Weinen gebracht. Verzeihung«, sagte George leise.

»Ach Gott, ach Gott, ach Gott. Bitte, entschuldige. Ach Gott, die Leute starren sicher schon …«

»Das Lokal ist leer, die Mittagspause ist lange vorbei. Keine Sorge.«

»Ach Gott, ach Gott … Lass meine Hand nicht los! Warum weine ich? Ach, zum Teufel … Nicht loslassen, habe ich gesagt!«

»Gott und Teufel in einem Satz, ist das auch typisch norwegisch?«

Statt zu weinen, fing er an zu lachen, zog die Hand zurück, hob die Serviette hoch, wischte sich vorsichtig, um den Kajal nicht zu verschmieren, die Augen, putzte sich die Nase und erwiderte Georges' Blick.

»Danke«, sagte er.

»Weil ich dich zum Weinen gebracht habe?«, fragte Georges.

»Ja. Du hast etwas gesagt, woran ich nicht gedacht hatte. Nicht daran gedacht, nicht auf diese Weise.«

»Aber was meint Krumme sonst noch? Was sagt er? Und warum willst du nicht, wo ihr doch schon seit zwölf Jahren zusammen seid?«

»Du fragst mehr, als zehn Weise beantworten können. Und ich habe doch nur die norwegische Gesamtschule besucht, verstehst du?«

»Versuch es trotzdem«, sagte Georges. »Ich hole die ganze Cognacflasche. Oder … das, was noch davon übrig ist.«

Eine Stunde später fuhr er mit dem Taxi zu Krummes Zeitung, im Fahrstuhl nach oben musterte er sein Gesicht im Spiegel. Seine Augen waren noch immer rot, und er hatte keine Augentropfen bei sich, aber das war ihm jetzt egal. Sein Herz schlug wie eine Dampframme bis in den Kehlkopf, er hatte wahnsinnige Lust auf eine Zigarette, aber die Packung war leer.

Er nickte den Tussen an der Rezeption zu, ohne sein Tempo zu verlangsamen, aber die pfiffen ihn zurück.

»Sie müssen Ihren Namen hinterlassen. Und darf man fragen, ob Sie einen Termin haben?«

Er kam nie hierher. Fast nie. Das letzte Mal war bereits zwei Jahre her, als eine Gruppe von Tierrechtsaktivisten auf ihn losgegangen war, weil er im Fenster eines Pelzgeschäftes gearbeitet hatte. Sie hatten ihn, die Puppen und die Pelze mit knallroter Weihnachtsfarbe angesprüht, sogar die superteuren Perlenhalsbänder, die er allergnädigst bei A. Dragsted hatte ausleihen dürfen. Alles, restlos alles war von knallroter Farbe bedeckt gewesen! Er war sofort in Krummes Zeitung gestürzt und hatte verlangt, dass sie im Leitartikel, und nirgendwo sonst, die Todesstrafe für solche Aktivisten forderten, aber Krumme hatte ihn beruhigen können und war mit ihm nach Hause gegangen und hatte ihm Haare und Gesicht mit Waschbenzin gesäubert. Er hatte noch wochenlang nach Verdünnungsmittel gerochen.

Dass er fast niemals herkam, lag nicht daran, dass Krumme

sich seiner auf irgendeine Weise schämte oder gar geheim halten wollte, dass er mit einem Mann zusammenlebte. Aber Krumme wollte wasserdichte Grenzen zwischen Arbeit und Privatleben. Er fand es schrecklich, nicht frei zu haben, wenn er frei hatte, und privat hatte er keinen Kontakt zu Kollegen. Erlend schloss leicht Freundschaften und konnte einfach aus einem Impuls heraus Leute zu sich einladen, die er mochte, deshalb hatte Krumme gesagt, er brauche mit niemandem aus der Redaktion zu fraternisieren.

Das respektierte Erlend absolut, er lernte überall spannende Menschen kennen und brauchte die Angestellten von *BT* nicht. Georges war bereits zu seinem vierzigsten Geburtstag eingeladen, auch wenn er gelogen und behauptet hatte, fünfunddreißig zu werden.

»Meinen Namen hinterlassen? Ich will zu… Carl Thomsen.«

»Der sitzt in einer Besprechung. Haben Sie nun einen Termin oder nicht?«

»Scheiß drauf, ich finde ihn, wo soll ich meinen Namen hinschreiben? Wo jetzt? Her mit einem Kugelschreiber!«

»Wir haben Sicherheitsvorschriften…«

»Ja, aber ich habe einen Termin!«

»Da müssen wir uns bei seiner Sekretärin erkundigen. Setzen Sie sich solange hierhin.«

Er blieb stehen. Krummes Sekretärin kannte ihn, und zwanzig Sekunden später saß er in Krummes chaotischem Büro und sog den Geruch von Papier und Staub und Zigarren in sich auf. Drei große Computerbildschirme waren auf dem Schreibtisch aufgebahrt, und überall lagen Ausdrucke herum. Eine große weiße Gipsbüste von Brahms überwachte das Chaos. Krumme hatte eine Stereoanlage, einen Fernseher und eine Sitzgruppe aus weißem Leder, die Erlend eigenhändig ausgesucht hatte. Er stellte jetzt fest, dass Weiß ein Fehler gewesen war, Druckerschwärze und Jeans hatten es gründlich verfärbt, er würde einige Flaschen Lederreiniger kaufen und Krumme mit in die Redaktion geben müssen.

Er wühlte auf dem Schreibtisch herum, bis er eine Schachtel Romeo y Julieta gefunden hatte, und steckte sich eine an. Er war mitten in einem unschönen Hustenanfall, als Krumme hereinkam, zusammen mit einer bildschönen Frau auf mehr als turmhohen Stöckelabsätzen und mit einem Busen, der durchaus zehn zum feinsten Silikon recycelte Regenmäntel enthalten konnte.

»Du bist das? Du bist hier?«, fragte Krumme und lächelte. »War jemand gemein zu dir?«

»Ja, diese Zigarre«, sagte er und hustete ein letztes und entschiedenes Mal. »Hast du keine normalen Zigaretten? Ich brauche eine Zigarettenpause.«

»Ich habe welche«, sagte die Frau und zog eine Schachtel Marlboro aus der Tasche. »Komm einfach später rüber, Carl, dann machen wir den Rest.«

Endlich waren sie allein. Erlend ließ sich auf das Ledersofa sinken. »Mach die Tür zu, Krumme.«

»Aber was ist denn los?«, fragte Krumme, versetzte der Tür einen Tritt und verlor dabei fast das Gleichgewicht.

»Ich bitte um Entschuldigung, Krumme. Ich dachte nur an diesen Kamin, während du … Und ich liebe dich doch, das weißt du. Aber trotzdem …«

Im Taxi hatte er sich genau überlegt, was er sagen wollte, aber jetzt kam nur Chaos dabei heraus. Er warf die nicht angezündete Zigarette auf den Tisch.

»Haben wir über einen Kamin gesprochen? Wann denn?«, fragte Krumme.

»Nein, über das Kind.«

»Das Kind?«, flüsterte Krumme und setzte sich neben ihn.

Erlend griff nach seiner Hand und drückte sie, schloss die Augen und drehte sein Gesicht weg, konzentrierte sich darauf, sich an sein Gespräch mit Georges zu erinnern und an die Worte, die er sich im Taxi zurechtgelegt hatte. »Ich dachte, bei diesem Kind ginge es um dich, dass du mit unserem Leben nicht zufrieden bist. Da habe ich mich geirrt. Ich weiß jetzt, es war … ist … eine Liebeserklärung. Eine Vertrauenserklärung. An mich. Ich war ein Egoist. Die Vorstellung eines Kindes macht mir eine Wahnsinnsangst, das muss ich ehrlich sagen. Ich weiß nicht, ob ich einem Kind etwas geben kann. Ob ich etwas weitergeben kann. Aber ich habe auch an Großvater Tallak gedacht, ja, so habe ich ihn doch immer genannt, und ich kann damit nicht aufhören … Aber ich habe gedacht, dass er mir sehr viel gegeben hat. Auch, wenn wir in einer Lügenblase gelebt haben, hat er mir doch sehr viel Liebe gegeben, eben weil er wusste, dass er mein Vater war, obwohl ich das nicht wusste. Vielleicht lässt sich etwas von dieser Liebe zu etwas Vernünftigem gebrauchen. Jedenfalls, ich sage nicht Ja, aber ich sage, dass wir darüber sprechen können, ohne dass ich hysterisch werde …«

Er öffnete die Augen und drehte sich zu Krumme um.

Krumme weinte, er saß ganz still auf dem Sofa, während seine Tränen strömten. Er presste Erlends Hand.

»Meinst du das wirklich?«, flüsterte er.

»Aber lieber, geliebter Krumme, das meine ich wortwörtlich. Dass die Vorstellung mir grauenhafte Angst macht, aber dass wir darüber sprechen können, vielleicht mit Lizzi und Jytte. Allein mit einem Kind zu sein, das keine Mutter hat, dass das Kind rund um die Uhr uns gehört und bei einer Leihmutter gekauft und bezahlt wurde, diese Vorstellung gefällt mir überhaupt nicht, aber ich möchte gern hören, was Jytte und Lizzi dazu sagen. Hast du mit ihnen gesprochen, Krumme? Ohne dass ich …«

»Nicht über uns. Natürlich nicht. Über so etwas redet man doch nicht mit anderen, ehe man selbst …«

»Nein, natürlich nicht«, sagte Erlend.

»Sie haben mir nur erzählt, dass sie Lust auf ein Kind haben, und ich habe gesagt, dass ich das sehr gut verstehen kann. Aber sie können sich ja überall eine Handvoll Samenzellen besorgen.«

»Wir können sie doch einmal zum Essen einladen«, sagte Erlend.

»Ja, das machen wir. Heute Abend?«

»Schon heute Abend? Ja … Ja, das können wir wohl.«

»Ach, Erlend, Mäuschen.«

Sie umarmten einander ganz fest.

»Egal, was dabei herauskommt«, flüsterte Krumme, »es wird gut. Jetzt weiß ich, dass du es wagst, diesen Gedanken zu denken. Und dann wird es gut, egal, wie wir uns einigen.«

Erlend nickte. Er konnte jetzt keine anderen Neuigkeiten anbringen, über abgehackte Beine und Ratten und heimliche Trinkereien auf dem Plumpsklo, auch wenn er es natürlich erzählen musste. Aber im Moment war er mehr als genug damit beschäftigt, glücklich zu sein. Er spürte, wie das Glück in ihm brannte, physisch, so kräftig, dass es sogar seine schreckliche Angst bei dem Gedanken an ein Kind überschattete. Egal, was dabei herauskam. Die Möglichkeit bestand ja auch immer noch, dass Jytte und Lizzi sie als Väter einfach unmöglich finden würden. Aber er hätte es immerhin versucht.

»Wollen wir uns lieben?«, flüsterte er.

»Ich glaube, du spinnst«, sagte Krumme, schob ihn weg und lachte. »Während Brahms zusieht? Das hält sein Herz nicht aus. Geh du jetzt nach Hause, ich kaufe auf dem Heimweg ein, und du rufst die Damen an, ich muss hier noch tausend Dinge erledigen.«

»Zusammen mit den Silikontitten?«

»Ja, unter anderem. Gibt's sonst noch was Neues? Alles gutgegangen mit dem Papierfenster?«

»Alles gutgegangen mit dem Fenster. Ansonsten gibt es ein paar Neuigkeiten aus dem Norden, aber die eilen nicht so. Und ich werde dir Lederreiniger kaufen, dieses Sofa sieht doch unmöglich aus. Bis nachher, Schatz.«

Er küsste Krumme auf die Stirn, verabschiedete sich und starrte im Vorübergehen die Tussen an der Rezeption herablassend an. Auf dem Heimweg ging er in ein Reisebüro und ließ sich Broschüren über die exotischsten Reiseziele geben, die ihm einfielen.

Er hatte das Gefühl, dass es eilte, dass es um Stunden ging, wenn sie jemals die Chinesische Mauer oder das Great Barrier Reef sehen wollten. Ihn überkam eine plötzliche Horrorvision davon, achtzehn lange Jahre isoliert in einer Wohnung zu sitzen mit einem Kind, das niemals lernen würde, zur Toilette zu gehen. Aber wenn Krumme mit ihm zusammen dort isoliert wäre, bestand eine gewisse Möglichkeit, dass er durchhalten würde. Nachdem sie die Chinesische Mauer und das Great Barrier Reef gesehen hatten. Das sollte seine Minimalforderung sein. Vielleicht würde Krumme beim Riff tauchen wollen.

Krumme im Taucheranzug, das wäre sogar noch besser als Krumme in seinem figurbetonten Ledermantel.

Margido hatte starkes Mitgefühl mit Tor und konnte sich nicht sonderlich über den stetigen Strom von Verwünschungen ärgern, der aus dem Bruder herausbrach, seit er ihn vor dem St. Olavs Krankenhaus ins Auto gesetzt hatte und ihm durch den Vorbau und die Küche auf Neshov geholfen hatte, damit er sich mit einem Bein auf einem Hocker ins Fernsehzimmer setzen konnte. Er hatte jedes Recht zu fluchen, nachdem sein Bein mit vielen Stichen genäht und dann von der Lende bis zur Wade bandagiert worden war, so dass das Knie jetzt steif war. Die Ärzte meinten, es werde fünf oder sechs Wochen dauern, bis Gips und Verband abgenommen werden könnten.

Zum Glück wusste Tor nichts davon, dass die Flaschen entdeckt worden waren, Margido und der Alte hatten vereinbart, das nicht zu erzählen. Tor würde sich bis auf weiteres doch nicht in den Stall schleppen können, und außerdem hatten sie alle Schränke durchsucht. Außer den leeren Flaschen hatten vor einem Schweinekoben einige Bierflaschen gestanden, und die hatte der Alte zusammen mit den Flaschen in den Waschküchenschrank gestellt. Das hatte er Margido gezeigt.

»Wie kalt ist es draußen?«, fragte Tor, während er die Armlehnen seines Sessels umklammerte.

»Fünf Grad minus«, sagte der Vater. Er saß im anderen Sessel, ganz am Sitzrand, seine Haare waren zerzaust, und er drehte in wütendem Tempo Däumchen. Der Couchtisch war ein einziges Chaos aus Kaffeetassen und Zeitungen und Brillen und Vergrößerungsgläsern und Tellern mit Krümeln und einer am falschen Ende aufgerissenen Packung Rosinen.

»Wie ist er«, fragte Tor.

»Der Betriebshelfer?«

»Ja. Wer sonst?«

»Ich hab doch nicht … Er kümmert sich um alles. Aber die Ratten …«

»Warum hast du mit den verdammten Ratten herumnerven müssen? Was habe ich gesagt, ehe ich gefahren bin, hä? Was habe ich gesagt?«

»Er hat sie selbst gesehen. Oder er … hat sie gehört, glaube ich«, sagte der Vater und starrte zu Boden.

»Er hat sie gesehen«, sagte Margido. »Ich habe mit ihm gesprochen. Dieser Røstad hat mich angerufen. Der Tierarzt.«

»Ich weiß, wer Røstad ist«, sagte Tor. »Jetzt herrscht hier wirklich ein Scheißchaos.«

»Es ist ein Chaos«, sagte Margido. »Aber die Versicherung deckt den Betriebshelfer, darauf hast du Anspruch. Und die Schädlingsbekämpfungsfirma war auch schon hier. Die musst du selbst bezahlen. Sie waren heute hier. Sie haben ein paar Wände aufgebrochen und Gift ausgelegt. Aber sie sagen, es sind viele. Schrecklich viele.«

»Verdammte Pest …«

»Jetzt beruhig dich erst mal«, sagte Margido. »Das findet sich schon, wir nehmen einfach die Zeit zu Hilfe. Und du musst die Buchführung auf den neuesten Stand bringen, jetzt hast du dazu mehr Zeit und brauchst nicht an den Stall zu denken. Ich setz ein bisschen Kaffee auf.«

»Ich brauche nicht an den Stall zu denken? Das soll mich beruhigen? Kapierst du denn gar nichts? Wenn die Ratten meine Schweine ruinieren … Und wenn der Schlachthof sie nicht haben will …«

»Der Betriebshelfer, der übrigens Kai Roger Sivertsen heißt, hat gesagt, solange Stall und Futterkammer gut abgedichtet sind, kann nichts passieren. Røstad sieht das auch so«, sagte Margido.

»Und Marit Bonseth kommt alle zwei Tage«, fügte der Vater rasch hinzu.

»Was sagst du da?«, fragte Tor. »Alle zwei Tage?«

»Dafür habe ich gesorgt«, sagte Margido.

»Herrgott ...«, sagte Tor.

»Sie kauft für euch ein und kocht für zwei Tage, und ich helfe dir mit dem Anziehen und so. Du kannst nicht die Treppe hochsteigen, ich habe ein Feldbett für dich, das habe ich bei Ikea gekauft, und du musst dich in der Küche waschen. Das Klo ist schon eher ein Problem. Ich habe ein ... Trockenklosett mitgebracht.«

»Ist das der Eimer hinten im Auto?«

»Ja. Das ist ganz neu. Unten ist eine Art Flüssigkeit, dann stinkt es angeblich nicht. Ich stelle es hinten in den Verschlag.«

»Du hast ja wirklich an alles gedacht«, sagte Tor hart.

»Jetzt hole ich Bettwäsche und Zahnpasta und Handtücher und so, dann ist das erledigt. Aber zuerst der Kaffee«, sagte er.

»Hier geht noch alles vor die Hunde«, sagte Tor und schüttelte den Kopf, ehe er den Alten anstarrte. »Und hier sieht es unmöglich aus. Du könntest ja auch mal ein bisschen aufräumen. Dann würden sie uns keinen Hausfrauenersatz schicken.«

Der Vater saß reglos da und starrte zu Boden, er gab keine Antwort. Er spielte weiter wütend mit seinen Fingern.

Tors Bett sah nicht sonderlich sauber aus. Margido schaute sich im Zimmer um, hier war er seit Jahren nicht mehr gewesen. Der Nachttisch war leer bis auf einen alten Wecker mit kleinen halbrunden Glocken, ein Metallhammer würde auf die Glocken einschlagen, wenn der Wecker klingelte, er wurde mit der Hand aufgezogen. Margido sah Tor vor sich, in langen weißen Unterhosen und Unterhemd, wie er auf der Bettkante saß, in tiefer Stille, nur mit dem Geräusch des Aufziehschlüssels, der hinten im Wecker steckte und den er bis zum Anschlag umdrehte. Ein großer hellgrüner Wandschrank, ein Flickenteppich, blaue Vorhänge, eine Kredenz vor der einen Wand, ein Heizkörper gleich unter der Fensterbank, mit Rostflecken von Regentropfen, die sich bei Westwind durch das offene Fenster hereinverirrten. Graue Wollmäuse lagen vor allen Bodenleisten, vor der Kredenz auf dem Boden lag ein altes, benutztes Pflaster. Er öffnete die Nachttischschublade, ein Jahrbuch des Norwegischen Schweinezüchterverbandes, er schob es ein wenig zur Seite, darunter lag ein Buch, er hob es hoch, schnappte nach Luft und musterte es einige Sekunden lang, dann schlug er es hinten auf. 10. November 1969. Er legte es eilig zurück, bezog Kissen und Bettdecke neu, suchte sich ein frisches Laken, Handtücher, Waschlappen und Unterhosen. Im Badezimmer standen zwei Zahnbürsten in einem gelben Plastikbecher, oben auf der Treppe räusperte er sich zuerst ausgiebig, bis er sicher war, dass seine Stimme sich normal anhören würde, dann rief er nach unten: »Wem gehört die rote Zahnbürste?«

»Mir«, antwortete Tor.

Zu Hause in der Wohnung war die Arbeit voll im Gang, er hatte nur eine Woche warten müssen, nicht viele konnten sich so kurz nach Weihnachten einen Umbau leisten. In zwei Stunden hatte er eine Beisetzung in der Zufriedenheitskapelle, seine Damen würden für Kerzen und Blumen sorgen, nachdem er ihnen geholfen hatte, den Sarg hereinzubringen und auf den Katafalk zu stellen. Danach hatte er in der Druckerei die Hefte geholt, ehe er zum St. Olavs gefahren war, um Tor aufzulesen. Gott sei Dank, dass diese Marit Bonseth bereit war, so oft herzukommen. Es war unmöglich, in so kurzer Zeit eine ständige Betreuung zu garantieren, deshalb hatte sie sich auf eigene Veranlassung krankgemeldet, während Margido sie direkt bezahlte. Er versuchte, nicht an das Unethische in diesem Geschäft zu denken, aber ganz gelang ihm das nicht. Dennoch, es war ihre Idee gewesen, sie hatte sich angeboten, und was hätte er machen sollen, die Kassen der Gemeinde waren leer, schon oft hatte er Leichen zu Hause bei alten Leuten zurechtgemacht, die im Elend lebten, ausgeliefert einer Haushaltshilfe oder einer Heimpflege, die sie gleich nach dem Betthupferl ins Bett legten und Verfall und Verzweiflung ignorierten. Sie waren auch nur Menschen und schafften nicht alles. Das wusste Marit Bonseth so gut wie er, er müsste ihr ewig dankbar dafür sein, dass sie sich ihrer erbarmt hatte, und er sollte eher denken, dass ihr Krankengeld ein Ersatz dafür war, worauf Tor und der Alte eigentlich Anspruch hatten. Viele Steuerkronen waren von Neshov in den Staatssäckel geflossen, und sie hatten die öffentliche Gesundheitsversorgung bisher kaum belastet. Er versuchte auch, nicht an das viele Geld zu denken, das von seinem Konto strömte, obwohl er im tiefsten Herzen wusste, dass das kein Problem war. Er hatte niemals teure Angewohnheiten gehabt, die Firma lief gut, die Wohnung war schon längst abbezahlt, alle Bankkonten waren so prall gefüllt, dass jeden Monat die Bank telefonisch anfragte, ob er nicht in Aktien oder Fonds investieren wollte. Aber das war ihm immer unsicher und beängstigend vorgekommen, und darüber war er jetzt froh. Das Geld stand zur Verfügung und war nicht in irgendwelchem Unsinn gebunden. Jetzt, wo er es brauchte, konnte er es benutzen.

Mit Mühe konnte er das Feldbett hinter dem Fernseher aufstellen und fing an, das Bett zu machen.

»Deine schmerzstillenden Tabletten und die Antibiotika liegen hier auf der Anrichte. Vergiss nicht, dass die schmerzstillenden Pillen sehr stark sind, du darfst nur dreimal pro Tag eine nehmen, in der Packung sind hundert, da hast du für etwas mehr als einen Monat Vorrat, aber ich glaube nicht, dass du sie so lange brauchen wirst. Und Torunn ruft heute Abend an. Sie weiß, dass du heute nach Hause kommst.«

»Das kann ich mir denken«, sagte Tor. »Ich wollte wirklich nicht, dass irgendwer …«

»Margido hat zuerst hier angerufen«, sagte der Vater. »Sonst hätte ich wirklich nichts gesagt.«

»Und dann musstest du unbedingt erzählen, dass ich eine Wunde am Bein habe?«

»Hör auf mit dem Unsinn. Du brauchst doch Hilfe, du kommst die Treppen nicht hoch, das musst du einsehen. Eigentlich hatte ich angerufen, um zu erzählen, dass ich Anfang der nächsten Woche nach Kopenhagen wollte«, sagte Margido.

»Wirklich? Warum denn?«, fragte Tor zutiefst überrascht.

»Ich fahre jetzt doch nicht. Und eigentlich besuche ich solche Messen ja nie, aber …«

»Messen?«

»Man wird doch hin und wieder eingeladen. Von Leuten, die uns etwas verkaufen wollen. Oder die von uns an die Angehörigen weiterempfohlen werden wollen. Aber bisher habe ich mich immer mit Broschüren begnügt.«

»Von Särgen?«

»Und Steinen. Norwegischer Stein von dänischen Bildhauern, allerlei modernes Design, so etwas. Sie bezahlen einen Teil von der Reise und dem Aufenthalt.«

»Das hätte ich dir nicht zugetraut. Schmiertour! Hab ich etwas im Fernsehen darüber gesehen«, sagte Tor.

»Ich lass mich nicht schmieren. Ich entscheide selber, von wem ich Särge kaufe und bei wem ich Grabmonumente bestelle. Aber jetzt fahre ich doch nicht.«

»Warum denn nicht?«

»Ich kann doch hier nicht so einfach weg, wo du …«

»VERDAMMTE SCHEISSE, JETZT REICHT ES ABER!«

»Tor«, sagte Margido. »Reiß dich zusammen.«

»Betriebshelfer und Hausfrauenvertretung und der Teufel

und seine Großmutter. Es wird schön sein, dich loszuwerden.«

»Aber, Tor«, sagte der Vater.

»Ja? Ist was?«, fragte Tor, dann schlug er plötzlich die Hände vors Gesicht. Margido faltete die Decke zusammen und strich das Kopfkissen glatt. Es war ganz still im Wohnzimmer. Der Vater räusperte sich vorsichtig.

Dann hörte Margido glücklicherweise ein Zischen aus der Küche.

»Der Kaffee«, sagte er. »Das Wasser kocht über.«

»Der Kaffee, ja. Kaffee wird jetzt gut tun«, sagte Tor leise, ließ die Hände sinken und schob sich im Sessel ein wenig höher. »Und ich schaff es bald in den Stall, damit ich sehen kann, was dieser Betriebshelfer so treibt.«

Er ließ die Bombe von der Küche aus platzen, während er Wasser vom Herd wischte und gemahlenen Kaffee in den Kessel gab. Er hatte keine Ahnung, wie viel er brauchte, er nahm immer nur Pulverkaffee. »Ich habe hinten im Auto ein Gehgerät von der Hilfsmittelzentrale. Du kannst es leihen, bis du wieder gesund bist.«

Er hatte das Gehgerät hinter das Trockenklosett gelegt, damit Tor es vom Vordersitz aus nicht sehen konnte. Im Wohnzimmer wurde es noch stiller als vorher, nicht einmal der Alte wagte es, sich zu räuspern.

»Ein Gehgerät?«, fragte Tor. »Ein Gehgerät? Wie alte Leute das haben?«

»Du stützt dich darauf ab. Das ist viel besser als Krücken, haben sie gesagt«, sagte Margido und ließ das Wasser mit dem Kaffee noch einen Moment aufkochen.

»Ich bin erst sechsundfünfzig«, sagte Tor.

»Dann bist du aber beweglicher«, sagte er. »Und kommst auch leichter in den Stall.«

Er horchte und wartete. Wartete auf einen neuen Ausbruch mit Verwünschungen und Verweigerung.

»Unter einer Bedingung«, sagte Tor im Wohnzimmer.
»Und die wäre?«
»Dass du nach Kopenhagen fährst.«
»Es ist eigentlich nicht direkt in Kopenhagen, sondern in einer Kleinstadt weiter im Norden, in Fredriksværk«, sagte Margido rasch und starrte ins Wasser, das in der Decke aus Kaffeepulver wie Speichelblasen aufstieg.
»Warst du schon mal im Ausland?«
»Nein.«
»Du musst grüßen«, sagte Tor.
»Wen denn?«
»Natürlich musst du sie besuchen. Wo du schon mal im Ausland bist. Und jetzt bring dieses Gehgerät, damit ich es mir ein wenig ansehen kann. Vielleicht stehe ich im Stall, ehe ich piep sagen kann. Die Schweine kapieren doch nichts.«

Er hielt vor der Kapelle und fuhr sich mit dem Kamm durch die Haare, während er sich zwischen den Sitzen zum Rückspiegel hochstreckte. Er freute sich auf die Beisetzung. Es war ein alter Mann, über neunzig, nach drei Monaten Krankenhaus gestorben, vier Kinder, zahllose Enkelkinder und Urenkelkinder, es war eine große Sippe, die hier zusammenströmen würde. Solche Beisetzungen waren ein Geschenk inmitten von Unfällen und Krebs und allzu frühem Tod. Er freute sich auf die Worte des Pastors, Gottes Worte, das Ewige darin, die Ruhe in der Kirche, das Brausen der Orgel. Eine Enkelin würde ein Solo singen »Hold die Abendsonne lächelt«, das würde schön sein. Die Stimmung in der Kapelle würde vielleicht alle anderen Sorgen aussperren. Und er würde fahren, das hätte er nie für möglich gehalten. Zum ersten Mal hatte er wirklich Lust gehabt, eine solche Messe zu besuchen, und dann war das mit Tor passiert. Aber jetzt würde er eben doch fahren.

Er wünschte, Torunn könnte kommen. Es müsste doch auf Neshov unerträglich sein, mit den beiden zusammen im Fernsehzimmer, Tor an den Sessel gekettet, von seinen Schweinen getrennt. Dieser Betriebshelfer war hoffentlich schon ziemlich erfahren. Torunn ging mit Tor auf eine ganz besondere Weise um, weil sie sich bei den Schweinen mit ihm traf, sie mochte die Tiere und sagte das auch, machte ihnen Komplimente. Sie hätte jetzt hier sein müssen. Natürlich hatte er sie nicht darum gebeten, als er sie angerufen hatte, das musste sie schon selbst entscheiden, aber er hatte ihre Besorgnis gehört. Das mit den leeren Flaschen hatte sie abgetan, hatte behauptet, es sei sicher ein Einzelfall gewesen, weil die Flaschen von Weihnachten her eben noch vorhanden gewesen waren, und deshalb hatte Margido ihr gegenüber das Plumpsklo nicht erwähnt. Er hatte mit einer Taschenlampe hineingeleuchtet und sicher fünfzig Bierflaschen und allerlei Aquavitflaschen gezählt, und etwas, wo er das Etikett nicht lesen konnte. Die waren offenbar jahrelang dort unten gelandet.

Torunn hatte vor allem auf die Verletzung des Vaters und auf die Ratten reagiert. Die Schweine konnte ein Betriebshelfer sicher sehr gut versorgen, glaubte sie. Für Tor würde das schlimmer werden als für die Schweine, hatte sie gesagt. Aber das mit den Ratten gefiel ihr nicht. Auch sie sprach von der Lieferungssperre im Schlachthof.

Frau Marstad kam aus der Kapelle und ging auf ihren Wagen zu. Er stieg ganz schnell aus und griff nach der Tasche mit den Heften.

»Alles unter Kontrolle?«

»Ja, sicher. Das wird eine wunderschöne Beerdigung. Ein Blumenmeer sondergleichen. Wir haben unser Bestes getan.«

»Und das ist wirklich das Beste, Frau Marstad.«

»Ach, danke, das… Wie geht es übrigens deinem Bruder?«

»Jetzt sitzt er draußen auf Neshov in einem Sessel und flucht.«

Er holte rasch Luft und hielt seine Hand vor den Mund.

»Aber das ist ja auch kein Wunder«, sagte er dann. »Unter

diesen Umständen. Es ist nicht witzig für einen Bauern, in seinem Wohnzimmer im Feldbett zu liegen, statt der Herr auf seinem eigenen Hof zu sein.«

»Und seine Tochter? Torunn? Kommt sie vielleicht zum Helfen?«

»Ich glaube nicht. Sie hat sicher genug zu tun, sie ist doch voll berufstätig.«

»Aber sie ist immerhin seine Tochter. Du bist zwar sein Bruder, aber eine Tochter sollte in so einer Situation einspringen.«

»Die Welt ist nicht immer so, wie sie sein sollte, Frau Marstad. Das wissen wir doch nur zu gut. Aber übrigens, ich fahre nächste Woche doch nach Kopenhagen. Oder… in diese Kleinstadt, nördlich von Kopenhagen, von Kopenhagen aus dann mit dem Zug.«

»Es wird dir gut tun, mal rauszukommen.«

»Ich bin ja nicht gerade einer, der wegfährt, wenn es Probleme gibt, aber mein Bruder will, dass ich fahre. Also machen wir es so, wie wir es ursprünglich besprochen haben. Ihr reicht die Aufträge einfach weiter, wenn es um Unfälle oder dramatische Ereignisse zu Hause geht. Das bleibt euch erspart.«

»Ich habe nur ein wenig Angst vor den Andachten, bei denen die Leichen aufgebahrt sind«, sagte Frau Marstad. »Selbst wenn ich sage, dass keine von uns die übernehmen kann, dann überlegen sie sich die Sache anders und bestehen doch darauf.«

»Dann machst du einfach eine Leichenschau in der Kapelle, mit Kerzen und Stille. Und ich schlage vor, dass ihr zusammen das Vaterunser betet. Wenn ihr unsicher seid, dann reicht den Auftrag weiter.«

»Es wird schon gutgehen. Wir schaffen das bestimmt. Und das hier wird jedenfalls eine prachtvolle Beisetzung. Die Enkelin übt schon mit dem Organisten, sie singt wunderschön.«

Sie gingen hinein. Der Empfangstisch stand bereit mit weißer Decke, Kerzenleuchter, gerahmtem Foto, Kondolenzliste und Kugelschreiber. Er zog die Hefte aus der Tasche und legte sie daneben.

Frau Gabrielsen machte sich an den Namensschleifen der Sträuße in den hohen Vasen zu schaffen. Der Mittelgang war fast bis zu den Bänken mit Kränzen gefüllt. Er blieb lange stehen und musterte das riesige Herz aus Rosen, das auf der Bahre lag.

Er fuhr sich durch die Haare, überzeugte sich davon, dass sein Windsorknoten perfekt saß. Er war ein wenig ins Schwitzen gekommen, als er sich mit Bettwäsche und Feldbett abgemüht hatte, aber er merkte, dass er nicht stank. Er warf einen Blick auf seine Armbanduhr. In zwanzig Minuten würden die Glocken zu läuten beginnen.

Mutter, das kann nicht dein Ernst sein! Überleg doch mal einen Moment. Ich bin siebenunddreißig Jahre alt. Ich kann nicht einfach alles fallen lassen, was ich mir erarbeitet habe im Laufe von…«

»Was hat dein Alter damit zu tun? Jetzt redest du nur noch Unsinn. Bring ein normales Argument, eins mit Vernunft!«

»Ich will… Wie soll ich das sagen, ich will mein eigenes Leben leben?«

»Das kannst du doch auch. Wenn wir Erdgeschoss und ersten Stock trennen, haben wir zwei Wohnungen. Wenn ein eigenes Stockwerk kein eigenes Leben ist, was denn dann? Nur Dachboden und Keller müssen wir teilen, aber das kannst du doch sicher ertragen, wenn wir uns nur für kurze Augenblicke auf der Treppe begegnen. Herrgott, Torunn, eine winzige Blockwohnung in Stovner, und dann willst du das hier nicht, ein halbes Zweifamilienhaus in Røa? Ohne zusätzliche Kosten. Abgesehen natürlich von dem Eigenanteil für den Umbau.«

»Ich habe jemanden kennengelernt. Es wird vielleicht etwas Ernstes.«

Die Mutter ließ sich aufs Sofa sinken und brach in Tränen aus. In langes, zähes Schluchzen. Der Lack auf ihren Fingernägeln war zerkratzt und blätterte ab, sie trug nur eine Nylonstrumpfhose und einen taillenkurzen phosphorgrünen Samtpullover, eigentlich hatte sie sich für ein Treffen unter

Freundinnen zurechtgemacht, als Torunn auf dem Weg von der Arbeit unerwartet vorbeigeschaut hatte, weil sie nett sein wollte, und um zu zeigen, dass sie auch freiwillig kam, ohne flehende und bittere telefonische Aufforderungen.

Sie wollte die Lage so gern normalisieren, zeigen, dass die Mutter zu ihrem Alltag gehörte, aber es gab wohl doch immer wieder ein Drama. Wie jetzt: Die Zeichnungen für den Umbau, die die Mutter bei einem Essen hatte vorlegen wollen, zu dem sie Torunn am Wochenende hatte einladen wollen, hatte sie ihr doch nun sofort zeigen müssen.

»Aber hast du denn keine Verabredung, Mutter? Es ist schon acht.«

»Ein Mann also. Willst du … Ist es ernst? Torunn, ist es ernst?«

»Vielleicht.«

»Aber die Hälfte dieses Hauses sind hundertzwanzig Quadratmeter. Reicht das nicht für einen Mann? Für jeden Mann?«

»Nicht für jeden.«

»Nein, da hast du Recht. Nicht für Gunnar zum Beispiel«, sagte die Mutter und weinte nicht mehr. Jetzt starrte sie Torunn aus rot geäderten Augen an. »Du willst also nicht?«

»Ich halte es nur nicht für so klug, wenn wir beide …«

»Wir sind doch Mutter und Tochter. Was wäre daran so schlimm?«

»Aber Gunnar will das Haus doch verkaufen. Ich habe irgendwie das Gefühl, dass du dir das hier ausgedacht hast, um …«

Da klingelte ihr Handy. The Good, the Bad and the Ugly.

»Ich telefoniere im Treppenhaus«, sagte sie und stürzte los.

»Ja, ich weiß genau, wer das ist«, rief die Mutter hinter ihr her. »Ich glaube nicht, dass du so schnell am Handy bist, wenn du siehst, dass ich anrufe!«

Sie hatten verabredet, dass sie gegen neun zu ihm kommen würde. Vielleicht soll ich unterwegs etwas Leckeres einkaufen, konnte sie noch denken, ehe sie das Gespräch annahm.

»Hallo«, sagte sie munter. »Hast du solche Sehnsucht nach mir?«

Darauf gab er keine Antwort, es sei etwas dazwischengekommen, er könne sich doch nicht mit ihr treffen, seine Stimme klang seltsam und gehetzt.

»Du kannst nicht? Ich soll nicht kommen, meinst du? Mir ist nichts dazwischengekommen, abgesehen von meiner hysterischen Mutter«, sagte sie und konnte ihre Stimme weiterhin munter klingen lassen.

Er habe Besuch bekommen, ein wenig ungelegen, sie könne also am Abend nicht kommen.

»Was denn für Besuch?«

Das sei am Telefon nicht so leicht zu erklären.

»Ich kann ja auch später kommen. Wenn der Besuch nicht mehr da ist. Passt eigentlich gut, dann kann ich Klamotten waschen und so.«

Nein, sie sollten sich lieber am nächsten Tag treffen.

»Na gut. Wird aber ein bisschen einsam für dich allein unter der Decke«, sagte sie und lachte, und sie wusste plötzlich nicht, woher sie die Kraft zum Lachen nahm.

Er werde anrufen, sagte er und legte auf.

Sie holte tief Luft und ließ ihren Blick über die Dächer des Villenviertels wandern, es schneite jetzt, flaumleicht und spärlich. Sie verspürte ein Zittern im Zwerchfell, es war kein beginnendes Weinen, sondern etwas anderes. Angst vielleicht.

Im Wohnzimmer saß die Mutter vor einem großzügigen Cognac auf dem Sofa.

»Möchtest du auch einen, Herzchen?«

»Ich fahre. Das weißt du doch.«

»Fahr mit dem Taxi. Ich bezahle. Oder willst du noch woanders hin?«

»Vielleicht.«

Sie ging in die Küche und nahm sich aus dem Kühlschrank eine Flasche Mineralwasser. Als sie zurückkam, hatte die Mutter ihr großes Glas geleert und wieder gefüllt.

»Willst du dich hier betrinken? Gehst du denn nicht aus? Es sieht übrigens ziemlich daneben aus, nur in der Strumpfhose herumzulungern.«

»Ich habe abgesagt, während du mit deinem Liebhaber telefoniert hast«, sagte die Mutter und ließ sich wieder auf das mattgrüne Samtsofa mit den lachsrosa und schwarzen Kissen sinken. Sie sah verloren aus, schmächtig, runzlig und bleich. Ihre Knie unter dem Nylon ähnelten kleinen verknautschten Affengesichtern, und diese Knie schlug sie jetzt immer wieder aneinander, während sie die Hände unter die Oberschenkel schob und wegschaute wie ein schmollendes Kind.

»Aber warum denn, Mutter? Du hast so reizende Freundinnen, und jetzt willst du mit denen nicht zusammen sein?«

»Ich will mit meiner Tochter zusammen sein, aber darauf legt sie offenbar keinen Wert«, sagte die Mutter und durchbohrte sie mit ihrem Blick. »Ich bin doch hergekommen. Oder vielleicht nicht?«, fragte sie. »Du hast dich so verändert, früher hast du dich nie so angestellt. Du warst immer die Souveräne, die alles im Griff hatte und fast nie Zeit hatte, wenn ich dich und Gunnar zu etwas einladen wollte.«

»Da hast du es gesagt. Mich und Gunnar. Aber jetzt gibt es nur noch mich, und das ist offenbar nicht so interessant.«

»Mutter ...«

»Du siehst ihn wohl oft?«, fragte die Mutter, noch immer mit diesem bohrenden Blick.

»Gunnar? Nein, das nun nicht ...«

»Sie heißt Marie. Ich habe mich ein wenig umgehört. Sie hat ein großes Haus in Blommenholm, da wohnen sie. Warst du schon da?«

»Nein!«

»Ich glaube dir nicht. Und wenn Gunnar dir die Hälfte

dieses Hauses überlassen wollte, würdest du bestimmt nicht zögern.«

»Ich glaube, ich gehe jetzt. Wenn du doch nur saufen und gemein sein willst. Früher konntest du eine ganze Stunde bei einem kleinen Cognac sitzen.«

»Da habe ich mit Gunnar und dem kleinen Cognac dagesessen.«

»Ich habe dich immer für stark gehalten, Mutter. Aber jetzt … Jetzt scheinst du irgendwie zu zerbrechen …«

»Und wessen Schuld ist das? Wenn ich fragen darf?«

»Es ist jedenfalls nicht Gunnars Schuld, dass du dir dermaßen selber leidtust.«

»Und wem sollte ich leidtun, wenn nicht mir? Tue ich DIR vielleicht leid? Tue ich GUNNAR leid?«

»Aber Mutter … Ich verstehe das nicht. Willst du denn aller Welt leidtun? Willst du das wirklich? Ist das nicht eigentlich ein bisschen … peinlich?«

»Ein bisschen Anteilnahme wäre doch nicht so falsch …«

»Die kriegst du doch auch, eimerweise geradezu. Aber das kann ich dir sagen, wenn du bei deinen Freundinnen auch so jammerst, dann wirst du sie verlieren. Eine nach der anderen. Kein Mensch kann Heulsusen leiden. Niemand mag mit Heulsusen zusammen sein!«

»Geh jetzt einfach. Geh jetzt!«

Als Torunn in der Diele stand und den Reißverschluss des einen Stiefels hochzog, kam die Mutter auf wackeligen Beinen hinter ihr her.

»Torunn. Geh nicht weg!«

»Ich hab noch was vor.«

»Willst du zu diesem Mann?«

»Vielleicht. Oder ich fahre nach Hause und rufe meinen Vater an, der quengelt nämlich nicht, er schimpft und flucht nur, und das ist immer noch besser.«

»Wegen des Beines?«

»Nicht wegen des Beines, sondern wegen all der Dinge, die er wegen des Beines nicht schafft.«

»Dieses Muttersöhnchen ...«

»Das ist er nicht mehr. Sie ist schließlich tot.«

»Einmal Muttersöhnchen, immer Muttersöhnchen. Und das Bein heilt doch wieder. Ehemänner wachsen dagegen nicht nach.«

»Aber schlimm ist es dennoch für ihn.«

»Wahrscheinlich willst du auch noch zu ihm fahren«, sagte die Mutter.

»Auf den Gedanken bin ich auch schon gekommen, ja. Dass ich das tun müsste. Aber ich habe gerade mehrere Kurse laufen. Ich kann hier nicht weg.«

Die Mutter lehnte sich an die Wand und holte tief Atem. »Ist das dein Ernst, Torunn? Dass du wirklich überlegt hast hinzufahren? Wo du doch erst zu Weihnachten bei ihm warst? Und wo ich dich hier brauche?«

»Er braucht mich mehr als du.«

»Aber was sagst du da!«, rief die Mutter mit einer Hysterie in der Stimme, die Torunn noch nie zuvor gehört hatte. »Ich habe schließlich die Verantwortung für dich getragen. Ihm war das schnurz. SCHNURZ! Und dann kommt er angedackelt, wenn du fast vierzig bist, und lockt mit einer sterbenskranken Großmutter, die du noch nie gesehen hast, und plötzlich hast du vor, hinzufahren und seine Schweine zu versorgen, nur weil er sich am Bein verletzt hat? Während ich hier sitze und mir keinen Rat mehr weiß, weil mein ganzes Leben in Scherben liegt? Verstehst du nicht, was das für ein Hohn gegen mich und alles ist, was ich für dich getan habe? Was? Verstehst du eigentlich, was du mir hier sagst?«

»Wir reden morgen weiter. Ich ruf dich an«, sagte Torunn und lief aus dem Haus. Auch mit so viel Cognac im Blut musste die Mutter doch einsehen, dass sie nicht auf Strümpfen hinter ihr herlaufen könnte. Das hier war eine anständige Gegend, wo man nicht in aller Öffentlichkeit seinen Gefühlen freien Lauf ließ. Die Mutter blieb in der Türöffnung stehen und sah hinter ihr her. Sie winkte nicht zurück, als Torunn aus dem Wagenfenster die Hand zum Abschied hob.

Im Wagen drehte sie R.E.M. ganz laut, so laut, dass die Lautsprecher knackten. Sie schlug mit der flachen Hand auf das Lenkrad, als sie losfuhr. Sollte sie Gunnar anrufen und ihn anflehen, zur Mutter zurückzukehren, nur damit sie ihre Ruhe hätte? Wenn sie doch jetzt zu Christer fahren und ihre Wut in fruchtbare Energie verwandeln könnte. Sich schon in der Eingangstür über ihn hermachen und ihn gründlich überraschen. Ein Auto drängelte sich vor sie, in eine Nische, in der kaum Platz für ein Dreirad gewesen wäre, sie hupte wütend, hupte und hupte, bis das Auto langsamer wurde und jemand ihr mit der Faust drohte. Da riss sie sich zusammen, fuhr auf die linke Spur und gab Gas, weg von allen.

Weg von allen. Außer von Christer.

Es waren nicht die Kurse, die sie davon abhielten, zu ihrem Vater zu fahren, sondern Christer. Sie hatte jede Menge Freunde in der Hundeszene, die bei den Kursen einspringen und da weitermachen könnten, wo sie aufgehört hatte, auch beim Welpenkurs. Dort übten sie gerade Blickkontakt, die Spielübung und das Warten vor dem Futternapf, sie übten sorgfältig und regelmäßig, mit Erfolgen und Misserfolgen. Sie war stolz auf alle. Nur Nero war die Ausnahme, die die Regel bestätigte, auch wenn er eigentlich nur versuchte, sich zu behaupten. Wenn die Familie ihn noch sehr viel länger behielt, würde es unmöglich werden, andere Herrchen für ihn zu finden, und dann würde er eingeschläfert werden müssen. Sie hatte sogar schon mit dem Gedanken gespielt, ihn für vierzehn Tage in Pension zu nehmen, ihn auf den richtigen Weg zu bringen, sie wusste aber, dass es nur ein trauriger Aufschub sein würde, solange die Familie nicht selbst Kompetenzen entwickelte.

Sie schloss die Wohnungstür auf. Bei Margrete war es dunkel, sie war nicht zu Hause. Was hatte sie eben noch der Mutter zum Thema Freundinnen gesagt? Es war immer leichter, anderen gute Ratschläge zu erteilen. Wenn mit Christer alles den Bach runter ginge und sie zu Margrete gekrochen käme, um sich trösten zu lassen, obwohl sie sich so gut wie gar nicht mehr bei ihr gemeldet hatte… Wäre sie nicht genau so wie ihre Mutter?

Sie füllte die Waschmaschine und schaltete sie ein, saugte ein wenig Staub, kochte sich einen Kaffee, setzte sich vor den Computer und bezahlte Rechnungen, räumte in der Küche auf, scheuerte die Toilettenschüssel, ging hinaus auf die Veranda und sah sich den fallenden Schnee an, betrachtete die gefrorenen Gewächse in den Blumenkästen, ging wieder ins Haus.

Um elf Uhr verließ sie die Wohnung und fuhr mit dem Fahrstuhl in die Garage hinunter.

In den letzten Kurven vor der Hütte sah sie Wagenspuren im Neuschnee, die eines schmalen kleinen Autos. Hinter der Hütte stand nur sein Land Cruiser, der Besuch war nicht mehr da. Der Schnee dämpfte alle Geräusche, sie hielt neben seinem Auto, drehte den Motor ab, blieb sitzen und wartete, ob er sie trotzdem gehört hatte. Aus den Wohnzimmerfenstern fiel Licht, ein flackerndes Licht, das ihr sagte, dass das Kaminfeuer loderte. Die Hunde fingen an zu bellen. Verdammt. Der Neuschnee konnte sie nicht täuschen. Sie stieg ganz schnell aus und lief zum Maschendraht.

»Psst. Ich bin's nur. Ruhig jetzt. Ruhig…«

»Hallo! Ist da jemand?«

»Nur ich.«

»Torunn?«

Er drehte sich um und ging vor ihr her ins Haus. Das hatte er noch nie getan, immer hatte er sie in der Tür empfangen.

»Ich hätte nicht kommen sollen«, sagte sie zu seinem Rücken. »Das weiß ich. Aber ich hatte Angst. Du warst vorhin am Telefon so ... seltsam.«

»Weil ich nicht reden wollte. Ich wollte nur Bescheid sagen, dass du nicht kommen sollst«, sagte er.

Sein Rücken war breit und ein wenig gekrümmt, bedeckt von einem grauen Pullover. Er setzte sich an den Esstisch, sie sah sofort, dass hier zwei Personen gesessen hatten und dass die zweite eine Frau gewesen war. Sie wusste nicht, warum sie das wusste, es lag irgendwie daran, wie die Serviette auf dem einen Teller, der nicht vor Christer stand, zusammengefaltet war. Sorgfältig und ordentlich zusammengefaltet.

»Sie ist schwanger«, sagte er.

»Wer?«

»Setz dich. Möchtest du etwas trinken?«

Das ist alles nur ein Traum, dachte sie. »Wasser«, sagte sie. »Kaltes.«

Er stand auf. Sie hörte, wie er draußen in der Küche eine Ewigkeit lang den Hahn laufen ließ, das wäre nicht nötig gewesen, das wusste sie genau, hier war das Wasser kalt, sobald man den Hahn aufdrehte. Er brachte ein Glas und stellte es vor sie hin, erwiderte ihren Blick nicht.

»Wer.«

»Ich war Ende November bei einem Hunderennen mit ihr zusammen, du darfst also nicht glauben, dass ... Im Ringbufjell. Nur an einem einzigen Abend. Im November. Und dann ...«

»Wurde sie schwanger.«

»Ja.«

»Und das erzählt sie dir erst jetzt? Ende Februar! Sie muss es doch schon seit einer Ewigkeit wissen.«

»Ja.«

»Ach Christer«, sagte sie und streckte die Hand über den Tisch aus, um seine zu nehmen. Er nahm ihre Hand nicht, sondern verschränkte die Arme vor der Brust, ließ sich im Sessel zurücksinken und starrte ins Kaminfeuer.

»Ich habe gesagt, wir könnten morgen darüber reden«, sagte er. »Und du kommst trotzdem. Gerade das finde ich ein wenig…«

»Aber wir sind doch zusammen! Und du musst mir sagen, was los ist.«

Er sah ihr ins Gesicht, stützte die Ellbogen auf den Tisch und sagte: »Sie wollte es erst sagen, wenn es für eine Abtreibung zu spät ist. Sie will das Kind. Sie will nicht unbedingt ein Kind von mir, aber sie will ein Kind. Und sie wollte es mir sagen. Ich wusste nicht so recht, wie ich reagieren sollte, aber sie sagte, ich solle ganz ruhig sein, sagte, das sei ihre Verantwortung. Aber verdammt. Manche Frauen bilden sich doch ein, dass… Nur weil sie eine Gebärmutter haben, können sie mit anderer Leute Leben nach Belieben umspringen. Ganz ruhig sein, solle ich und ›meine Verantwortung‹… Was für ein Scheißgefasel.«

»Was meinst du mit Scheißgefasel? Das klingt doch vernünftig!«

»Ich will natürlich Verantwortung übernehmen. Ich habe ihr gesagt, dass sie mich, verdammt nochmal, als Vater angeben soll.«

»Das hast du gesagt, Christer?«

»Natürlich. Ich will sie doch dabei unterstützen.«

»Du willst sie unterstützen? Bei der Schwangerschaft und überhaupt?«

»Das ist mein Kind, das sie erwartet, Torunn. Natürlich will ich sie unterstützen, damit alles gutgeht. Und ich will das Kind kennenlernen, will für ihn ein Vater sein… oder für sie.«

Sie trank ihr Wasser, spürte, wie die Kälte an Kehlkopf und Lunge vorbeiströmte, bis in ihren Magen. Seine Wangen waren rot, er war so schön. Er hatte jetzt keinen Wolfsblick, seine Augen waren kugelrund und blank. Sie erhob sich.

»Ich fahre jetzt. Es war… schön, Christer.«

»Setz dich. Dussel. Das hier hat doch mit uns nichts zu

tun«, sagte er, aber seine Körpersprache entsprach nicht seinen Worten, denn er saß einfach nur da, ohne die Hand nach ihr auszustrecken, ohne zu zeigen, dass er sie wollte. Er saß da und würde Vater werden, und das war alles, woran er dachte.

»Ach was? Das hat mit uns nichts zu tun? Mach's gut, Christer. Und viel Glück. Du wirst sicher ein toller Vater.«

Er brachte sie nicht hinaus, stand nicht einmal hinter dem Fenster, als sie fuhr.

Niemand drängelte sich auf der Fahrspur vor sie, die Straße wirkte wie ausgestorben. Der linke Scheibenwischer war in der Mitte ausgefranst und hinterließ einen Schleier aus zusammengepapptem Schnee, gerade an der Stelle, wo sie ihren Blick auf die Fahrbahn richten wollte.

Sie fing erst an zu weinen, als sie zu Hause war, nackt vor dem Spiegel, mit der Zahnbürste im Mund. Sie bürstete mechanisch, weißer Schaum tropfte von der Kinnspitze. Es war der Anblick ihrer Schultern im Spiegel, der das Weinen auslöste. Sie waren so schmal und blass. Einsam, keine Hände lagen darum, keine Hände, die sie streichelten oder festhielten. Und es waren ihre Schultern, das hier waren ihre Schultern. Sie würden von einem Nachthemd bedeckt werden und unter einer kalten Decke liegen, und morgen früh würde sie aufwachen, ohne sich auf etwas freuen zu können, noch immer mit diesen schmalen weißen Schultern.

Er musste sich alle Mühe geben, um nicht zu brüllen, er sagte nur: »Nein, danke, das schaffe ich schon.«

»Das möchte ich sehen«, sagte Marit Bonseth. »Wie du das schaffst, Tor Neshov.«

Aber Tatsache war, dass er es noch nicht versucht hatte, die Unterhose zu wechseln. Es war schon anstrengend genug, sie nach unten zu schieben, wenn er sich auf das Trockenklo setzte, da wollte er nicht auch noch versuchen, sie ganz auszuziehen.

»Ich habe jahrelang als Schwesternhelferin im Krankenhaus gearbeitet, ehe ich bei den Leuten zu Hause angefangen habe. Ich habe schon tausend Altmännerpimmel gesehen. Und ebenso viele Hintern gewaschen.«

Im Wohnzimmer räusperte sich der Vater, Tors Gesicht wurde heiß, und er konnte sich nicht räuspern und auch nicht schlucken. Er drehte sich auf dem Küchenstuhl um und starrte lange und hingebungsvoll das Thermometer an. Als er die Gardine fallen ließ, konnte er sich nicht erinnern, wie kalt es gewesen war. Marit Bonseth hatte sich glücklicherweise wieder dem Küchentisch zugewandt, sie zerschnitt Gemüse, als würde sie dafür bezahlt, und das wurde sie ja auch. Zum Glück lief das Radio.

»Kannst du das etwas lauter drehen?«, fragte er.

»Ach, du interessierst dich für die Nachrichten auf Samisch?«

Er ließ sich nicht zu einer Antwort herab, sondern sah sich noch einmal das Thermometer an. Im Krankenhaus war alles anders gewesen. Wenn Frauen Uniform trugen, war es natürlicher, dass sie einen herumkommandierten, man konnte einfach die Augen zumachen und sie gewähren lassen. Aber wenn so eine Weibsperson in seiner eigenen Küche stand und anfing, über Pimmel und Hintern zu reden, als sei das ganz alltäglich … Es musste ja wohl Grenzen geben. Er spürte, wie sein Zorn aufwallte, riss sich aber wieder zusammen, Margido zuliebe, der würde übermorgen nach Dänemark reisen. Er und Marit Bonseth telefonierten sicher miteinander, es hatte keinen Sinn, Margido noch mehr Sorgen zu bereiten.

»Wenn das hier fertig ist, habt ihr für zwei Tage Fleischsuppe«, sagte sie.

»Danke.«

Er hörte, dass der Vater vor dem Wohnzimmerfenster stand, hörte, wie er immer wieder von einem Fuß auf den anderen trat, die Filzpantoffeln kratzten über die Bodenbretter. Er konnte nie stillstehen, musste immer auf der Stelle herumtrampeln, es ging Tor auf die Nerven, sich das anhören oder ansehen zu müssen. Von dem einen Fenster aus konnte man ein Stück der Straße sehen, das Stück unterhalb der Ahornallee, wo der Briefkasten an einem Holzpfahl befestigt war. Und der Wagen der Landpostbotin war leicht zu erkennen. Beide warteten sie jetzt. Die Zeitung vom Vortag lag noch im Briefkasten, also würde heute jeder eine Zeitung haben, und Tor würde sich nicht das quengelnde Seufzen und Räuspern des Vaters anhören müssen, während er selbst langsam umblätterte und sich merkte, was er später gründlicher lesen wollte.

»Da ist sie«, hörte er die Stimme des Vaters.

»Gut«, sagte Tor. »Vielleicht könnte Marit Bonseth …«

»Hör auf, mich mit Nachnamen anzusprechen«, sagte sie, ohne sich umzusehen. »Das klingt doch total idiotisch. Und ich werde das auch nicht machen, bis ihr damit aufhört.«

»Frau Bonseth«, sagte er.

»Marit!«, sagte sie.

»Daran sind wir nicht gewöhnt.«

»Woran seid ihr nicht gewöhnt?«, fragte sie und drehte sich um. Von ihren Händen tropfte Wasser.

»Kannst du die Post holen?«, fragte er und erwiderte ihren Blick. Altmännerpimmel oder nicht, er wollte sofort die Zeitungen im Haus haben.

»Das könnte ich natürlich«, sagte sie. »Aber es geht über meinen Verstand, dass Tormod Neshov nicht den Weg zum Briefkasten schafft, wo er doch Holz hacken kann.«

Der Vater blieb im Wohnzimmer für einen Moment ganz still stehen, Tor hörte nicht einmal die Filzpantoffeln über den Boden scharren. Schließlich kam er angetrottet, ging ohne ein Wort zwischen ihnen hindurch und verschwand auf dem Gang. Er zog vorsichtig die Küchentür hinter sich zu, und Tor konnte hören, sogar durch das samische Geplapper im Radio, wie er sich mit Jacke und Schuhen abmühte. Einige Zeit später ging er langsam vor dem Küchenfenster vorbei. Nach einer Ewigkeit war er dann wieder da. Er machte sich ausgiebig auf dem Gang zu schaffen und öffnete die Tür, legte eine Zeitung und zwei Fensterbriefumschläge vor Tor auf den Tisch und lief dann mit der zweiten Zeitung in der Hand ins Wohnzimmer. Seine Wangen waren gerötet.

»Die Tour tut dir gut. Jeden Tag«, sagte sie, ohne sich umzudrehen.

Keiner antwortete. Tor sah sich das Datum an.

»Das ist die von heute«, sagte er laut. »Ich will zuerst die von gestern lesen. Sonst bringe ich alles durcheinander.«

Der Vater brachte die Zeitung und tauschte.

»Und wenn er das auch so sieht«, fragte sie und leerte das Schneidebrett in den dampfenden Suppentopf. »Hast du daran schon mal gedacht, Tor Neshov?«

Er fand eine Art Ruhe, als die Zeitung vor ihm auf dem Küchentisch lag. Er sah wieder das Thermometer an, es waren fünf Grad über null. Nachts hatte es geregnet, der Schnee war aufgeweicht und verschwand jetzt langsam, im Radio war für lange Zeit mildes Wetter gemeldet worden, und dafür war er sehr dankbar. Es wäre ihm schrecklich peinlich gewesen, den Betriebshelfer bitten zu müssen, den Schnee wegzuräumen, ein Bauer musste seine eigenen Straßen doch wohl schneefrei halten können. Aber der Betriebshelfer schien durchaus in Ordnung zu sein und hatte alles im Griff, seitdem Tor für ihn den ganzen Stall auf ein Blatt Papier gezeichnet hatte, mit Koben und Sauen und allem, und nachdem er alle Daten aufgezählt hatte, die er im Kopf hatte. Der Betriebshelfer notierte Zeitpunkte für Vitaminzufuhr und Impfungen und Alter der Ferkel und Futtermenge und -typ. Aber ehe er neue Würfe entwöhnen müsste, würde Tor hoffentlich wieder mit in den Stall kommen und die Oberaufsicht führen können. Neue Geburten würde es vor dem 1. April nicht geben. Und den Schweinen gehe es gut, behauptete der Betriebshelfer, kein Ferkeldurchfall oder andere Krankheiten, und keine unnormal gestressten Sauen.

Was Tor den Nachtschlaf raubte, war der Gedanke an die Ratten. Er blätterte durch die Zeitung, ohne viel zu erfassen, denn sowie er an die Ratten dachte, war alle Ruhe verflogen. Er wusste nur zu gut, dass die Ratten ein ebenso großes Problem sein würden, wenn er mit zwei vollständig benutzbaren Beinen hier säße. Die Schädlingsbekämpfungsfirma suchte jetzt die Nester, sie wollten am nächsten Tag eine Videokamera an einer Stange mitbringen und sie überall hinschwenken. Sie sprachen von Gas, und er hätte gern gewusst, wie sie den Stall abdichten wollten. Das Gerede von Gas gefiel ihm nicht, der Stall war zu alt, ganz abgedichtet könnte er unmöglich werden.

Er dachte an die Zeit zurück, als die Mutter noch nicht krank gewesen war. Damals war alles wie geschmiert gelaufen. Keine Haushaltshilfe, kein Betriebshelfer, ein Tag wie der andere. Aber zugleich war es gut, dass sie wieder miteinander sprachen, die Brüder, und dass Torunn hier gewesen war. Zwei Abende zuvor hatte er versucht, sie anzurufen, aber sie hatte sich nicht gemeldet.

»Einen Schluck Kaffee vielleicht«, sagte Marit Bonseth.

»Wäre schön, ja«, sagte er.

Er sah sie an, während sie den Tisch abwischte und die Gemüsereste in einen Eimer schob. Ihr breiter Hintern unter der Schürzenschleife, die Waden dick und fest in braunen Sandalen auf dem gestreiften Plastikflickenteppich. Sie war eigentlich nett.

»Das wäre schön, ja«, sagte er noch einmal.

»Wo soll ich das hier wegwerfen? Habt ihr irgendwo einen Komposthaufen?«

»Nein. Wirf es einfach irgendwohin, es verschwindet ja ohnehin.«

»Mitten auf den Hofplatz vielleicht?«

»Nicht doch. Aber… Hinten beim Schuppen. Auf der Rückseite.«

Er sah hinter ihr her, als sie über den Hofplatz lief, sah, wie sie im Vorübergehen Brotkrümel auf das Vogelbrett fallen ließ. Sie fuhr jetzt ihren eigenen Wagen, ein rotes Auto, das er schon am Geräusch erkannte. Es war gar nicht so schlecht, sie zu sehen, zu wissen, dass sie wiederkommen würde, um Kaffee zu kochen. Und als sie ins Haus kam, sagte er:

»In der Truhe da draußen liegen viele Schürzen von meiner Mutter. Richtig schöne. Hier benutzt sie ja doch niemand, du kannst sie ruhig nehmen. Nicht, um sie hier zu tragen, du kannst sie haben.«

Als Marit Bonseth fuhr, nahm er wie üblich eine Paracet mit einem Glas Wasser. Die Wunde hämmerte und schmerzte, aber er wollte sich nicht beklagen, solange Marit Bonseth da war. Die starken schmerzstillenden Mittel, die Margido auf Rezept geholt hatte, wollte er nicht nehmen. Er wurde davon berauscht, auf unangenehme Weise, nicht munter wie nach einer Flasche Bier. Der Vater schlief oben, in zwei Stunden würde der Betriebshelfer kommen. Er setzte sich wieder an den Tisch und musterte das Gehgerät. Das war schon in Ordnung. Er fühlte sich ziemlich sicher, wenn er damit sein steifes Bein umherbugsierte. Er fuhr sich vorsichtig über den Oberschenkel, fühlte durch seine Hose die harte Oberfläche. In einigen Tagen würde er zum Verbandwechsel ins Krankenhaus müssen. Er könnte dann einfach ein Taxi kommen lassen, das bezahlte die Krankenkasse, aber ihm grauste entsetzlich. Er würde die ganze Zeit die Augen geschlossen halten. Ihm grauste auch vor dem Geruch, er wusste, dass Wunden, an die keine Luft kam, stanken.

Plötzlich überkam ihn eine hilflose Verzweiflung, er hätte weinen mögen, es war unerträglich. Fünf bis sechs Wochen. Er zog sich wieder auf die Beine, wusste aber nicht, wohin, als er dann stand. Hätte er doch nur in den Stall gehen können.

Vielleicht sollte er das versuchen.

Den Overall konnte er nicht überziehen, aber konnte er sich in nichts anderes wickeln? Er stützte sich auf das Gehgerät und überlegte. Die Schmerzen ließen jetzt nach. Regenkleidung. Ja, das könnte gehen. Sich eine Jacke um jeden Fuß binden und eine weiter oben tragen, aber hatte er so viele? Dann fiel ihm die uralte Schlachterschürze ein, die noch immer in der Waschküche hing. Die könnte er nehmen! Zusammen mit einem Regenmantel. Er schleppte sich zum Kühlschrank und sah sich den Inhalt an. Er nahm sich fünf Scheiben Hammelwurst und eine fast leere Dose Leberwurst und steckte sie in die Tasche, dann steuerte er den Hofplatz an. Im Gang griff er nach dem Regenmantel und warf ihn über das Gehgerät.

Es brauchte seine Zeit. Dass der eigene Hofplatz ihm vorkommen konnte wie die pure Geröllhalde! Seine Arme zitterten, und der Schweiß strömte nur so, als er die Waschküche aufschloss. Der Schweinegeruch und die vertraute abwartende Stille brachten ihn zum Lächeln. Sie hatten ihn seit vier Tagen nicht mehr gesehen. Er wickelte sich in die Schlachterschürze und zog den Regenmantel darüber. Sofort war ihm kochend heiß, aber daran konnte er nichts ändern. Die Schweine waren wichtiger als sein Wohlbefinden. Mit dem Gehgerät in festem Griff konnte er zur Tür gehen und den Stall betreten.

»Na, ihr habt euch sicher den Kopf zerbrochen. Aber ich verdammter Idiot hätte mir fast das Bein abgehackt!«

Er lachte so laut, dass es zwischen den Mauern widerhallte, und er hatte fast das Gefühl, dass die Schweine ihn anlachten. Sie pressten sich lärmend in den Koben am Mittelgang aneinander, während er über dem Gehgerät hing und alle kraulte, die er auf dem Weg zu Siri erreichen konnte.

Siri stampfte und grunzte wie besessen, als er sich ihr näherte, er war glücklich vor Erleichterung, als er ihr endlich die Leckerbissen geben konnte. Der Rest Leberwurst zauberte einen Ausdruck absoluten Wohlbefindens in ihren Blick, fand er.

»Mein Mädel … Du feines Mädel. Ist nicht dasselbe, wenn Fremde im Stall sind, was? Geht's gut mit den Jungen in deinem Bauch? Du erwartest zwei gute Zuchtsauen, weißt du. Dolly und Diana.«

Auch die anderen Sauen wurden hinter den Ohren gekrault, und alle Schnauzen schoben sich feucht und eifrig in seine Hände. Sein gesundes Bein zitterte unter der Anstrengung, sich aufrecht zu halten, ihm lief der Schweiß über den Rücken.

»Erst mal gibt's noch nichts zu essen«, sagte er. »Und das wisst ihr auch, ihr kennt doch die Uhr. Wenn jemand die Uhr kennt, dann ja wohl ihr. Und die Schlachterschürze kann euch egal sein, hier wird heute Abend niemand geschlachtet.«

Nachdem er Siri ein letztes Mal gestreichelt hatte, schleppte er sich wieder in die Waschküche, konnte sich dort auf den alten Melkschemel setzen und den Regenmantel abstreifen.

Vor seinen Augen drehte sich alles, er ließ sich an die Mauer zurücksinken und genoss die Kälte an Rücken und Hinterkopf. Im Schrank standen noch ein paar Flaschen Bier, das fiel ihm plötzlich ein, aber Bier und Tabletten waren sicher keine kluge Mischung. Er wollte das Bier aufsparen, vielleicht auch dem Vater eine Flasche geben, als Dank dafür, dass er sie versteckt hatte, ehe Margido oder sonst jemand Wind davon bekommen hatten.

Er stützte sich auf das Gehgerät. Hier durfte er nicht sein, wenn der Betriebshelfer kam, das würde zu dumm wirken, als ob er kein Vertrauen zu ihm hätte. Außerdem musste er aufs Klo. Er hätte wohl das Plumpsklo benutzen und dort ein wenig nachdenken können, aber ihm fiel ein, dass er dann zuerst einen Besen holen und die leeren Flaschen da unten in der Tiefe in eine Ecke hätte schieben müssen, und bei der bloßen Vorstellung brach ihm schon wieder der Schweiß aus. Nein, es musste wohl wieder das Trockenklo sein.

Er war so erschöpft, dass ihm geradezu schlecht war, als er endlich sein Hinterteil auf den Plastikring im Verschlag auf dem Gang platzieren konnte. Margido hatte dort die alten Kleider entfernt. Die Tür musste er offen stehen lassen, damit das Gehgerät in der Öffnung sein konnte.

Er schloss die Augen und entspannte sich, er war im Stall bei Siri gewesen, in dieser Nacht würde er gut schlafen. Und es war auch gut, den Bauch zu leeren, Marit Bonseth kochte gut, er würde jetzt bei dem ruhigen Leben und dem vielen Essen sicher zunehmen. Vorhin hatte sie erwähnt, dass sie bei ihrem nächsten Besuch einen Kuchen backen wollte.

Jetzt hörte er ein Auto. Er konzentrierte sich auf das Geräusch. Es war nicht das von Marit Bonseth. Und auch nicht das des Betriebshelfers, denn der hatte ein lautes Brummauto mit riesigen Reifen. Røstad? Nein, der hätte vorher angerufen. Es war auch nicht Margidos. Ein fremdes Auto. Und hier saß er auf dem Klo, mitten im Blickfeld, wenn jemand hereinkam.

Er wollte ganz schnell Toilettenpapier abreißen, die Rolle fiel ihm auf den Boden, sie kullerte unter das steife Bein, das sich wie ein langer Pfahl bis zur Wand hinstreckte. Er krümmte sich, um die Rolle aufzuheben, und fiel. Fiel mit dem Trockenklo unter sich, zur Seite, alles kippte um, kalte klebrige Flüssigkeit strömte um ihn und unter ihn, er griff nach dem Gehgerät, aber das verletzte Bein war im Weg. Er stützte sich auf den Ellbogen, aus dem stinkenden Schlamm heraus, und so lag er, als die Tür aufging und er vor Scham hätte sterben mögen. Er schloss die Augen, hörte jemanden nach Luft schnappen, er öffnete die Augen.

»Du?«

»Herrgott«, sagte Torunn. »Was machst du hier eigentlich?«

Er kam zu sich, sah sich so, wie sie ihn jetzt sah, rief: »RAUS!«

Er fuchtelte mit den Armen, wollte die Tür zuziehen, aber da stand ja das Gehgerät, und er rutschte bei jeder Bewegung der Hände und des gesunden Knies.

»Raus, hab ich gesagt.«

»Aber ich muss dir doch helfen und ....«

Sie machte einige Schritte durch den Flur, kam aber nicht nahe genug, um hineinzutreten.

»Ruf Marit Bonseth an. Die muss kommen. Nicht du.«

Sie verschwand, aber die Haustür stand noch immer offen, sie rief: »Aber ich hab ihre Nummer nicht!«

Er hörte, dass sie jetzt fast weinte, aber darauf konnte er keine Rücksicht nehmen.

»Dann ruf die Auskunft an, Mädchen.«

»Aber warum ... Was ist hier los?«, fragte der Vater. Er stand oben an der Treppe und glotzte nach unten, aus großen Augen, mit offenem, eingesunkenem Mund ohne Gebiss. Seine Haare standen in Büscheln von seinem Kopf ab.

»Geh schlafen. Das hier geht dich nichts an.«

»Überall Scheiße, meine Güte. Bist du gefallen?«

»Ja, das siehst du doch, verdammt nochmal. Geh schlafen, hab ich gesagt.«

Der Vater verschwand, er hörte Torunn im Anbau reden, hörte sie sagen: »Nein, ich brauche mir die Nummer nicht aufzuschreiben, stellen Sie mich einfach zu ihr durch.«

Ja, was tut man nicht alles für Geld«, sagte Erlend. Er hielt den Kopf einer Schaufensterpuppe auf dem Schoß und hatte die Arbeitslampe neben sich stehen, während er mit einem spitzen Filzstift einen schwarzen Punkt neben den anderen setzte. Zugleich hörte er Torunn per Headset in seinem linken Ohr.

Er kam sich blödsinnig vor, wie er hier saß und Kunststoff mit Bartstoppeln bemalte. Er hatte Torunn erzählt, warum er das tat, hatte ihr seine Idee des Räuberfensters bis ins Detail geschildert, der Goldschmied war hysterisch vor Erwartung, da die Hoffnung groß war, dass *BT* darüber berichten wollte. Und es wäre doch eine ungeheure Gratisreklame. Aber Torunn schien das alles kalt zu lassen, sie antwortete nur mit »Ja« und »Ach«.

Sie war zwei Tage zuvor ganz überraschend nach Neshov gefahren. Als er fragte, wie es dort aussah, wurde sie vage, sie sagte, bei ihrer Ankunft sei es ein wenig chaotisch gewesen, aber sie wolle jetzt nicht ins Detail gehen.

»Aber schleppt er sich umher?«

Sicher, mit einem Gehgerät, an diesem Tag hatte sie ihn zum Verbandwechsel ins Krankenhaus gefahren, es war ganz schön schwierig gewesen, da das eine Bein eingegipst war und er quer auf der Rückbank sitzen musste. Jetzt lag er im Bett. Sie hoffte, er werde ein wenig besserer Stimmung sein, wenn er erwachte.

»Kommt er denn ins Bett im ersten Stock?«

Nein, er schlafe in einem Feldbett im Wohnzimmer und habe im Verschlag auf dem Flur ein Trockenklo. Aber dann wollte sie nicht mehr über den Vater sprechen, sondern über die Ratten. Die Schädlingsbekämpfungsfirma hatte Rattennester en masse entdeckt und isolierte die Wände jetzt mit Plastik und Schaum, um sie vergasen zu können.

»Der Sohn der Wildnis ist also aus dem Spiel?«

Christer? Ja, der war aus dem Spiel. Er rief dauernd an, aber sie nahm seine Anrufe nicht an. Und sie las auch den Strom von SMS nicht, mit dem er sie bombardierte, sie löschte die Nachrichten ungelesen.

»Und das beeindruckt dich nicht, Torunn? Eine solche Belagerung? Das hörte sich doch nach wahrer Liebe an, auch wenn er jetzt Vater wird.«

Ach, er hätte Torunn so gern erzählt, was vielleicht mit ihm und Krumme und den Damen bevorstand, aber er hatte Krumme geschworen, geschworen, dass das nur zu viert besprochen werden sollte, auch wenn er gern mit aller Welt geredet hätte, um alle möglichen Ansichten einzuholen. Aber er konnte ja auch Krummes Argumente verstehen, es war ihre ureigene Entscheidung, die nur aufgrund ihrer eigenen Empfindungen getroffen werden konnte. Nach dem ersten Essen mit Jytte und Lizzi hatten jetzt alle vier Zeit zum Nachdenken.

Krumme hatte überirdisch köstlichen Schweinekamm überbacken und mit deutschem Grünkohl serviert, den sie mit einer Menge Rotwein verzehrt hatten, während sie über unterschiedliche Familienformen und Zusammensein und Verantwortung gesprochen hatten. Erlend war unendlich erleichtert gewesen, als auch die anderen drei Bedenken angemeldet hatten, er hatte sich für den einzigen problemfixierten Bremsklotz in der Runde gehalten. Aber auch Krumme und die Damen hatten jeden Aspekt gedreht und gewendet. Was würde passieren, wenn sie sich trennten, was im Todesfall, wer sollte der Vater sein, welche der Damen das Kind zur

Welt bringen. Jytte behauptete, Krumme sei ein schöner Mann, wenn man mal vom Schmerbauch absah, der nur aus Fett bestand, und Krumme hatte entzückt ein zerknittertes Jugendbild ausgegraben. Da war er wirklich hübsch gewesen, meinte Erlend. Krumme fand es wichtig, dass Erlend Norweger war, weil das dem Kind später ermöglichen würde, sich für eine Staatsangehörigkeit zu entscheiden. Erlend hatte vorgeschlagen, er und Krumme könnten ihre Elixiere in einer Kaffeetasse mischen, dann würde niemand wissen, wer der Vater war, aber diesen Vorschlag wollten die anderen drei nicht ernst nehmen. Er selbst fand die Idee hervorragend, er konnte sich sehr gut seine eigenen Samenzellen und die von Krumme in hektischem Wettrennen vorstellen, bei dem die beste den Sieg davontrug. Auf diese Weise würden sie alles der Biologie überlassen. Aber die anderen drei lachten nur.

Ach, wenn er Torunn doch nur alles erzählen könnte. Aber an diesem Abend waren er und Krumme bei den Damen zum Essen eingeladen, dann würden sie weiterreden. Er freute sich. Die erste Panik schrieb er jetzt der falschen Vorstellung zu, dass er allein verantwortlich sein würde. Aber sie wären doch zu viert! Doppelt so viel wie normale Eltern. Sie würden trotzdem reisen und jede Menge Freizeit haben können, das war einfach genial. Nicht er allein brauchte die Verantwortung für ein Kind zu tragen. Und er bekam Rabatt bei *Benetton* und überhaupt, in Gedanken kaufte er schon wunderbare Kinderkleidung und richtete bei sich und Krumme und bei den Damen Kinderzimmer ein. Er nahm an, dass er auch bei den Damen das Kinderzimmer würde einrichten dürfen, wo er doch vielleicht der Vater sein würde.

»Du kannst doch wohl ein einziges Mal mit Christer reden? Nur um zu hören, was er zu sagen hat. Vielleicht ist diese werdende Mutter ja aus dem Spiel«, sagte er.

Darum gehe es nicht, sondern um seine Reaktion an dem Abend, als sie zu ihm gefahren war, und die hatte sie ihm schon geschildert. Und außerdem ginge ihr langsam auf, dass er doch der Falsche für sie gewesen wäre. Er hatte so viele seltsame Ansichten.

»Worüber denn?«

Unter anderem über Homosexuelle, sagte sie.

Er unterbrach sich, tat so, als müsse er aufstehen und etwas holen. Torunn sollte nicht für ihn in den Krieg ziehen müssen, schon gar nicht gegen einen Typen, der zwischen Rentierfellen unter freiem Himmel liegen musste, um sich als Mann zu fühlen, so ein Krieg wäre doch von Anfang an verloren.

»Das mit den seltsamen Ansichten gilt für viele, Torunn«, sagte er mit einer Stimme, die sich für ihn entspannt und fast gleichgültig anhörte. »Daran muss man sich einfach gewöhnen. Nein, vergiss, dass ich das gesagt habe. So war es nicht gemeint, dass es sozusagen ein Grund sein könnte, um ... Du hast doch dein eigenes Leben, kleine Nichte.«

Er könne ganz ruhig bleiben, sie verstehe, was er meinte, und sie habe sich das auch schon gedacht, es sei wirklich nicht so leicht, mit jemandem mit solchen Vorurteilen zusammenzuleben.

»Aber was, wenn er plötzlich auf Neshov vor der Tür steht?« So wie Krumme das getan hatte?

Nie im Leben, er könne seine Hunde nicht verlassen.

»Du hast doch auch alles verlassen können ...«

Das sei etwas anderes, behauptete sie. Das Schlimmste sei das Gequengel der Mutter gewesen, die sei total außer sich. Torunn hatte für ihre Mutter eine eigene Erkennungsmelodie programmiert, Abba, »Mamma mia, here I go again ...«

Er lachte laut, und das Ergebnis war ein Strich statt eines Punktes. »Aber die Arbeit? Hattest du nicht jede Menge Kurse und so?«

Sie sei krankgeschrieben, der Arzt habe ihr geglaubt, dass sie überarbeitet und deprimiert sei.

»Hast du einen Arzt angebettelt und geweint?«, fragte

er und setzte rhythmisch Punkte auf das Ohrläppchen der Puppe. Wenn jetzt jemand in die Requisitenwerkstatt käme und ihn mit einem Männerkopf auf dem Schoß entdeckte … Auch wenn es ein künstlicher war.

Ja, sie habe wirklich geweint. Und das sei ihr ganz natürlich vorgekommen, sagte sie.

»Du warst also wirklich richtig verliebt in ihn …«

Ja, das sei sie gewesen. Und dann noch die Mutter, die einfach zusammengebrochen war, das alles sei zu viel gewesen.

»Ach, Torunn, kleine Nichte, du Arme …«

Sie fing an zu weinen, er merkte, dass ihm selber auch die Tränen kamen, es war nicht richtig, dass sie so unglücklich war, während er vor Glück und Geheimnissen fast zu bersten drohte. Er musste bei der Bartmalerei eine Pause einlegen.

»Nicht weinen. Du hättest lieber herkommen sollen, weißt du. Krumme und ich hätten schon allen Liebeskummer aus dir herausgeschüttelt. Aber du fährst ausgerechnet nach Neshov und wandelst durch Verfall und Ratten und Elend. Das ist nicht gut für dich.«

Hier werde sie gebraucht, sagte sie, sie sei hier auf andere Weise wichtig als bei der Arbeit und für die Mutter und Christer. Und das Zusammensein mit den Schweinen sei die pure Therapie.

»Das verstehe ich einfach nicht. Diese stinkenden Schweine. Weißt du nicht, dass die lebensgefährlich sind? Das sind Raubtiere!«

Kein böses Wort über die Schweine, sagte sie, die seien phantastisch, und er wollte ihr nicht weiter widersprechen, da sie jetzt mit Weinen aufgehört hatte. Und sie hatte eine Neuigkeit. Vielleicht sollte sie das ja nicht verraten, aber Margido sei in Dänemark.

»WAS?«, sagte er und ließ den Filzstift auf den Boden fallen.

Er war irgendwo bei einer Sargmesse. Oder so etwas. Vielleicht auch einer Messe für Grabsteine, sie wusste das nicht mehr genau. Der Filzstift kullerte unter die Badewanne mit den Löwenfüßen.

»Sargmesse? Was um Himmels willen ist das denn? Gott, ich seh es schon vor mir, wie sie sich in schwarze Gewänder hüllen und um offene Särge tanzen und durch Strohhalme Kälberblut trinken!«, sagte er und prustete los. Torunn lachte ebenso, es könne sein, dass Margido sich bei ihm meldete, sagte sie, jetzt wisse er also Bescheid.

»Ich versteh die Welt nicht mehr. Ich kann mir nicht vorstellen, dass Margido jemals weiter gekommen ist als bis Røros. Aber natürlich, wenn er anruft, laden wir ihn zu einem guten Essen ein.«

Darüber würde er sich sicher freuen, meinte sie. Er ging auf allen vieren und fischte den Filzstift hervor. Seine Knie wurden staubig und er wischte hektisch an dem schwarzen Stoff herum.

»Was heißt schon freuen. Sichtbare Freudenbekundungen sind nicht gerade Margidos Stärke, abgesehen von dem Anruf zu Silvester …«

Den müsse er sich eingebildet haben, sagte sie.

»Das sagst du jedes Mal! Aber das habe ich nicht! Ich glaube sogar, nicht mal in meinen wildesten Phantasien könnte ich mir so etwas einbilden. Einen betrunkenen Margido, der mich Brüderchen nennt und behauptet, ein *date* zu haben. Nie im Leben!«

Sie wollte es trotzdem nicht glauben, und jetzt müsse sie aufhören, der Betriebshelfer komme auf den Hof gefahren.

»Du machst also nicht alles allein?«

Nein, das sei verboten. Man brauche eine Zulassung und eine Ausbildung, um allein die Verantwortung für Produktionstiere tragen zu dürfen. Außerdem werde der Betriebshelfer vom Staat bezahlt, ihr würde das ohne Zulassung nicht passieren.

»Ach, das klingt kompliziert, ich versteh nur noch Bahnhof. Aber sieht er gut aus? Steht ihm der Stallanzug?«

Schlecht sehe er nicht aus, sagte sie. Aber er sei fünf Jahre jünger als sie, er heiße Kai Roger.

»Gott, was für ein Name. Ein typisch norwegischer Betriebshelfername. Wenn er gut aussieht, dann zögere keine Sekunde. Verpass ihm das erotischste Erlebnis seines Lebens, mitten im Stall, mit den Schweinen als gefesseltem Publikum. Und dann erzählst du mir nachher alle Einzelheiten, vergiss nicht, zwischendurch Notizen zu machen.«

Sie wisse nicht mal, ob er frei und ungebunden sei, sagte sie. Und so weit sei sie jedenfalls noch nicht.

»Dann mach, dass du dahin kommst. Und zwar ganz schnell.«

Es sei zu früh, sagte sie, und jetzt habe sie so viele andere Sorgen. Aber sie sei froh darüber, dass er sich wieder anhöre wie er selbst und sich nicht mehr mit Krumme streite.

»Wir haben uns doch nicht gestritten, meine Liebe. Wir haben nur ein wenig mit den Kochtöpfen geklappert. Jetzt ist alles wieder *hunky dory*, denk da nicht dran. Wir sind ja so verliebt!«

Wenn es auch noch zu allem Überfluss ein Problem mit ihm und Krumme gäbe… Nein, daran wage sie nicht einmal zu denken.

»Keine Sorge. Die Onkel sitzen in Kopenhagen und lieben einander. Amüsier dich mit Kai Roger. Sag ihm, dass es ein Namensgesetz gibt, er kann sich sogar in Schweinchen Schlau umbenennen lassen, wenn er will!«

Er drehte den Kopf auf den Rumpf der Puppe. Perfekt. Erst, wenn sie im Fenster stünden, würde er sich mit den Haaren beschäftigen und sie anziehen. Aber das Dekor musste er hier im Büro fertig machen, im Laden war es zu eng zum Arbeiten. Er streckte seinen Arm aus und öffnete den Ordner mit den Mustern, den er bei einem Tätowierer in der Istedgade geliehen hatte. Ein kletternder Tiger auf dem Oberarm und ein Frauenname mit einem Herzen auf dem Unterarm, das würde räuberhaft genug aussehen. Tätowierungen fand er einfach schrecklich und total out. Er zeichnete mit dunkelblauem Filzstift und strich danach mit in Terpentin getunkten Q-Tips darüber, dadurch erzielte er den unschönen, verschwimmenden Strich, den es auch auf echter Haut gab.

Agnete und Oscar arbeiteten an den Sträflingskleidern, und der Aschenbecher trocknete gerade. Der Goldschmied wollte in seinem Schaufenster natürlich keinen stinkenden Aschenbecher haben. Echte Kippen waren lackiert worden, um den Geruch einzusperren, und Schaum, der zum Isolieren um Fenster gesprüht wurde, war zu Aschehaufen geformt und grau angemalt worden, danach war der ganze Aschenbecher noch mit mattem Glanz besprüht worden. Der Whisky war ganz einfach brauner Lack, mit dem Gläser und Whiskyflasche gefüllt worden waren, der Lack war bereits getrocknet. Es würde einfach perfekt sein. Die verdreckte, verschlissene Jalousie, die an der Rückwand hängen und wie von einer unangenehm stechenden Sonne angeleuchtet werden sollte, hatte Oscar in einem Abbruchhaus gefunden.

Er hob den zweiten Schurkenkopf hoch und begann abermals das mühselige Punktemalen auf den haarlosen Wangen, die vielleicht bei der letzten Verwendung glatt und frisch rasiert auf dem Revers eines Armani-Anzugs gethront hatten. Plötzlich fiel ihm seine Idee mit den beiden küssenden Männern wieder ein, er wollte sie nicht aufgeben. Vielleicht eine hippe Boutique mit einem jungen, mutigen Besitzer… Jetzt, wo mit ihm und Krumme alles wieder in Ordnung war, wollten seine Energie und seine Ideen kein Ende nehmen, ab und zu war er von sich selbst geradezu beeindruckt. Wo nahm er das bloß alles her.

Jytte und Lizzi wohnten in Amager, fast draußen bei Fort Kastrup, er und Krumme hielten in der Niels Hemmingsensgade ein Taxi an. Krumme hatte ein großes Glas selbst gemachtes Tzatziki bei sich, Erlend hielt zwei Flaschen Rotwein auf dem Schoß.

»Ich bin gespannt«, sagte Krumme. »Das hier ist nervenaufreibend, das muss ich wirklich sagen.«

»Vielleicht sollten wir eine der Flaschen aufmachen. Der Fahrer hat sicher einen Korkenzieher, das gehört in Kopenhagener Taxen bestimmt zur Standardausrüstung.«

»Keine Panik. Bisher reden wir ja nur darüber.«

»Ein gutes Zeichen, dass wir noch immer reden können.«

Die Amagerbrogade brodelte vor Leben und Lichtern. Tagsüber war sie staubig und schmutzig, aber die Dunkelheit legte einen barmherzigen Schleier über den Verschleiß, den man nicht sehen wollte. Ich liebe diese Stadt, dachte Erlend, ich liebe den Lebenspuls und den Trotz gegen die Langeweile, hier bin ich zu Hause, hier werde ich vielleicht Vater. Er griff nach Krummes Hand, drückte sie und behielt sie in seiner.

»Woran denkst du?«, fragte Krumme leise.

»Dass morgen der Aquariumsmann kommt. Es wird gut sein, Tristan und Isolde nicht mehr durch einen Algenschleier sehen zu müssen, wenn man in aller Schlichtheit im Whirlpool ein Champagnerbad nimmt.«

»Dussel.«

»Ja, willst du nicht deshalb mit mir ein Kind haben?«

Sie erreichten das Wohngebiet, und der Taxifahrer fand den Koreavej mit Hilfe des Stadtplans.

Jytte trat auf die Treppe vors Haus und umarmte beide. Lizzi stand in der Küche, es roch nach Knoblauch und Koriander, und die Fenster waren von innen beschlagen. Es war immer schön herzukommen. Überall gab es Bücher und Pflanzen, der Begriff Minimalismus existierte in diesem Haus nicht. Erlend dachte sofort an das Kinderzimmer. Wenn er es noch so schön einrichtete, es würde doch in dem Moment, in dem er sich umdrehte, mit allerlei Weichem und Buntem und Baumelndem gefüllt werden.

»Zwei Dinge«, sagte Lizzi, als sie bei Tisch saßen und sich in ein undefinierbares Pastagericht vertieften. Lizzi war schön, auf eine Art kühle Liz-Hurley-Weise, bei Jytte war es ganz anders. Sie war durchaus nicht maskulin, aber untersetzt, so dachte er an sie, untersetzt und kompakt, stark. Kräftige Handgelenke, leicht stumpfe Finger. Auch Jytte war schön, aber es war schwer zu sagen, wem sie ähnelte? Vielleicht Janet Jackson, ohne den braunen Teint.

»Nur zwei?«, fragte Krumme.

»Prost!«, sagte Jytte.

»Prost. Erstens, das mit den Häusern«, sagte Lizzi.

»Wie meinst du das?«, fragte Erlend und trank noch einen Schluck Wein, jetzt ging es los.

»Vielleicht sollten wir uns ein großes Haus suchen, natürlich mit zwei getrennten Wohnungen. Aber einem gemeinsamen Garten. Das würde alles einfacher machen.«

»Himmel, nein«, sagte Erlend.

»Mir gefällt die Vorstellung auch nicht«, sagte Jytte. »Ich liebe dieses Haus.«

»Und ich liebe unsere Wohnung«, sagte Erlend.

»Ich auch«, sagte Krumme.

»Aber die Terrasse«, sagte Lizzi. »Die liegt so schrecklich hoch.«

»Kein Problem«, sagte Erlend. »Wenn ich den Wassergraben um meinen Glasschrank anlegen lasse, werde ich die Handwerker auch einen mit Strom geladenen Maschendrahtzaun mit zerstoßenen Glasscherben ganz oben aufstellen lassen. You see? Problem gelöst.«

»Wenn wir uns da einigen«, sagte Krumme, »dann wird das Kind doch … ziemlich lange klein sein, wir haben also jede Menge Zeit, um so was zu klären.«

»Das stimmt, ja«, sagte Lizzi.

»Wenn wir feststellen, dass wir unpraktisch wohnen, dann finden wir schon eine Lösung«, sagte Krumme.

»Wir haben einen Vorschlag«, sagte Jytte.

»Jytte … Wir wollten doch bis nach dem Kaffee warten«, sagte Lizzi und lächelte.

»Vorschlag für ein Haus?«, fragte Erlend.

»Nein«, sagte Jytte. »Viel größer als ein Haus.«

»Aber was denn dann? Sagt schon! Ist eine von euch etwa schon schwanger?«, fragte Erlend. »Habt ihr hinter unserem Rücken irgendeinem hergelaufenen Seemann auf Auslandstour Samen gestohlen?«

»Nein!«, sagte Lizzi und lachte.

»Wir haben doch so viel darüber geredet, welche von uns das Kind auf die Welt bringen und wer von euch der Vater sein soll«, sagte Jytte und griff nach Lizzis Hand.

»Erlend«, sagte Krumme.

»Mischung in einer Kaffeetasse«, sagte Erlend.

»Wir haben einen Vorschlag«, sagte Jytte.

»Das hast du schon gesagt«, sagte Erlend. »Jetzt rede endlich!«

Jyttes Augen standen plötzlich voller Tränen, aber sie lächelte. »Beide. Wir alle vier.«

Es wurde ganz still, nur leise Musik war aus dem Radio in der Küche zu hören, Erlend wusste später, dass er niemals Elton Johns »Rocket Man« würde hören können, ohne an diesen Moment zu denken.

»Alle?« Krumme fand als Erster die Sprache wieder.

Jetzt weinten Jytte und Lizzi, und Jytte setzte sich auf Lizzis Schoß und hätte dabei fast eine Weinflasche umgestoßen.

»Aber wie meinst du das?«, flüsterte Krumme, der seinerseits Erlends Hand festhielt.

»Genau wie sie das gesagt hat«, sagte Lizzi. »Sowohl Jytte als auch ich wollen ein Kind auf die Welt bringen, und deshalb könnt ihr beide Vater werden. Ihr braucht euch nicht zu entscheiden. Und wir auch nicht. Das ist uns plötzlich aufgegangen, als wir darüber gesprochen haben, welche von uns … Warum denn entscheiden? Wir sind zwei Frauen. Es steht nicht fest, dass wir gleichzeitig schwanger werden, das wäre sicher zu viel der Hoffnung, aber wir können es doch probieren? Und dann brauchen wir euch natürlich beide als Väter.«

»Herrgott«, sagte Krumme.

Jetzt wird es, dachte Erlend, jetzt wird aus der ganzen Sache etwas Ernstes, von genau dieser Sekunde an ist es eine Tatsache.

»Großer Gott«, sagte Krumme.

»Hör auf, Krumme, der kann dir nicht helfen. Ist das wirklich euer Ernst?«

»Ja«, sagte Jytte.

»Auch wenn wir uns vermutlich gegenseitig umbringen werden«, sagte Lizzi. »Zwei Frauen, bei denen die Hormone verrückt spielen, unter einem Dach … Vorausgesetzt, wir werden einigermaßen gleichzeitig schwanger. Wenn ihr wollt, meine ich. Wenn wir das wirklich durchziehen.«

»Wir wollen«, sagte Erlend und spürte Krummes Umarmung, ehe er Atem holen konnte. Krumme presste sein Gesicht in Erlends Nacken, er schluchzte und lachte. Sein Glas war umgekippt, roter Wein sog sich in die Tischdecke, der Fleck sah aus wie eine rote Rose.

»Champagner«, sagte Lizzi und schniefte. »Ich geh ihn holen.«

»Und wann sollen wir das machen?«, fragte Krumme und schnäuzte sich lauthals in die Serviette, obwohl er wusste, dass Erlend das verabscheute.

»Wir haben in einer Woche den Eisprung«, sagte Lizzi und stand auf. Ihre Wimperntusche war über beide Wangen verschmiert.

Sie lief in die Küche und kam mit einer außen beschlagenen Flasche zurück.

»Das nennst du Champagner, Lizzi?«, rief Erlend. »Das ist doch Sekt. Ich hab es ja gewusst, ich hätte ein paar Flaschen Bollinger mitbringen sollen.

»Ein oder zwei Gläser kannst du sicher trotzdem runterwürgen. Seht mal! Seht mal, wie mir die Hände zittern.«

»Das geht uns allen so«, sagte Krumme. »Das hier ist blutiger Ernst.«

»Jedenfalls blutig«, sagte Erlend.

Sie sahen ihn an.

»Ich meine ... ganz am Ende, wenn die Kinder herauskommen. Da will ich nicht dabei sein«, sagte er.

»Ich wohl«, sagte Krumme.

»Dann will ich auch«, sagte Erlend. »Sonst muss ich mir hundert Jahre lang anhören, was ich versäumt habe. Mit Valium wird es wohl gehen. Aber Krumme und ich müssen beide dabei sein, allein trau ich mich nicht. Das bedeutet also, dass ihr in diesem Punkt nicht ganz zeitgleich so weit sein dürft.«

»Aber wie machen wir das in der Praxis?«, fragte Krumme.

»Wartet. Jetzt trinken wir erst darauf«, sagte Jytte und erhob sich. Da stand sie dann, aufrecht und errötend, mit dem Glas in der ausgestreckten Hand, wie die Freiheitsstatue. »Lieber Erlend, lieber Krumme. Wir haben euch so lieb. Und uns. Und euch geht das ja auch so. Kein Kind kann davon träumen, mit mehr Liebe geboren zu werden, als wir vier sie geben können.«

Sie standen alle auf und stießen schweigend miteinander an. Erlend spürte, wie seine Knie zitterten. Ich werde Vater, dachte er. Wir werden Väter.

Jytte schlug vor, einen Arzt zu fragen, wie es sich mit den Blutgruppen verhielt und wer also wen schwängern sollte. Den Rest wollten sie selbst erledigen.

»Ihr müsst also nicht in so eine Klinik?«, fragte Erlend.

»Nein«, sagte Jytte. »Das ist nicht nötig. Es geht doch nur darum, die kostbare Dosis so tief wie möglich einzuführen. Das schaffen wir sehr gut allein.«

»Aber wie denn?«, fragte Erlend.

»Herrgott«, sagte Lizzi, »was du alles wissen willst. Wir nehmen einen Plastikschlauch und einen Trichter, so einfach ist das.«

»Warum haben solche Kliniken dann so viel zu tun? Wenn ich fragen darf?«

»Weil die anonyme Samenspender anbieten und weil sie den Samen zuerst reinigen und dann direkt in die Gebärmutter einführen«, sagte Lizzi. »Aber bei uns sollen die Samenzellen das letzte Stück selbst um die Wette schwimmen, auf natürliche Weise. Die stärkste gewinnt. Wir wollen in keine Klinik, es soll schön und etwas ganz Besonderes für uns sein. Und wir wollen, dass ihr dabei seid.«

»Nicht um zu …«

»Nein, Erlend, nicht um zuzusehen. Oder den Trichter zu halten. Sondern um hier zu sein. Wir können danach zusammen essen, uns einen schönen Abend machen.«

»Für euch gibt's dann keinen Alkohol mehr«, sagte Krumme und hob den Zeigefinger.

»Nein«, sagte Jytte. »Von morgen an schon nicht mehr. Mein Körper soll ganz rein sein, wenn er den Samen empfängt.«

»Ich bringe echten Champagner mit, ich kann für euch beide trinken«, sagte Erlend.

»Nicht vorher«, sagte Lizzi.

»Was?«

»Das Beste ist, wenn ihr in der nächsten Woche weder Kaffee noch Alkohol trinkt«, sagte Lizzi.

»Großer Gott«, sagte Erlend. »So viel Verzicht … Dann verstehe ich gut, warum ich so lange gezögert habe.«

»Eine Woche voller Qualen für euch«, sagte Jytte. »Danach neun Monate totale Enthaltsamkeit für uns. Das ist doch ein fairer Handel.«

»Wenn du es so sagst«, sagte Erlend. »Aber wenn Krumme und ich unsere Pflicht in den Kaffeetassen erledigt haben …«

»Wir haben uns Becher dafür besorgt«, sagte Lizzi. »Sterile.«

»Himmel«, sagte Krumme. »Ihr wart ja wirklich sicher, dass wir Ja sagen würden …«

»Ja, allerdings«, sagte Lizzi. »Wo wir doch jetzt alle vier Eltern werden können.«

»Eigentlich ist das seltsam«, sagte Erlend. »Die Vorstellung von einer Pissmaschine hat mir zuerst eine Höllenangst gemacht, aber jetzt, wo es zwei werden, finde ich sie nicht mehr so schrecklich. Aber was ist, wenn ihr nicht schwanger werdet? Oder nur eine von euch? Manche Leute brauchen doch Jahre, um ...«

»Ich glaube, wir werden das«, sagte Jytte. »Alle beide. Ihr wisst ja, dass Lizzi und ich beide eine Abtreibung hatten, nach einer Beziehung zu Männern, ehe uns aufging, dass ... Jedenfalls ... Lizzi war nach einem Interruptus schwanger, und ich trotz Diaphragma und Vaginalduschen. Wir sind superfruchtbar!«

»Jetzt finde ich, wir sollten allen Alkohol trinken, den es hier im Haus gibt, wo ihr vielleicht über neun Monate lang ohne auskommen müsst und wir eine ganze Woche«, sagte Erlend.

Als er und Krumme gegen drei Uhr nachts ins Bett schwankten, flüsterte Erlend: »Das mit dem Wassergraben ist mein Ernst, Krumme.«

»Aber Lieber, versuch hier doch nicht ...«

»Und Alligatoren. Drei Stück müssten reichen. Aber ich glaube, ich will vier.«

»Ich liebe dich, Erlend. Du machst mich zum glücklichsten Mann der Welt, weißt du das?«

»Mmm. Du riechst so gut ... Ja, das weiß ich. Das beruht auf Gegenseitigkeit. Als ich dachte, dass du mit mir und unserem Leben unzufrieden bist ... Es lohnte sich einfach nicht mehr zu leben, Krumme. Nicht einmal in die Fenster habe ich noch meine Seele gelegt, Krumme. Das war grauenhaft.«

»Ich war heute so stolz auf dich, als du Ja gesagt hast. Auf diese unmittelbare Weise. Da habe ich mich so ... geborgen gefühlt. Verstehst du?«

»Das ist mir nur so herausgerutscht. Ich wollte. Ich will. Ich kriege bei *Benetton* Rabatt auf Kinderkleider, habe ich dir das erzählt? Ich weiß noch, dass ich herzlich gelacht habe, als Poulsen das erzählte, und ich habe gefragt, was soll ich denn damit? Vielleicht war das ein Zeichen. Das war an dem Tag, an dem du angefahren worden bist.«

»Jetzt hör zu«, sagte Krumme. »Was, wenn wir über die ganze Wand einen Glasschrank anbringen? Mit Licht und allem, hoch oben an der Wand. Das würde doch toll aussehen.«

Erlend schloss die Augen und sah alles vor sich. Einen Fluss aus Licht, der sich horizontal über die Wand zog, er könnte Themen für die Swarovskifiguren erarbeiten, sie würden viel deutlicher zu sehen sein, wenn alle sich in Gesichtshöhe befanden, es würde phantastisch werden. Mit den neuen Figuren noch dazu, die inzwischen heil und wunderschön mit der Post gekommen waren.

»Ich liebe dich, Krumme.«

»Hast du die neuen Figuren bekommen? Die du bestellt hattest?«

»Ja. Und du … Ich habe ein Einhorn gekauft.«

»Das weiß ich. Ich habe es gesehen.«

»Wirklich?«, fragte Erlend und stützte sich auf den Ellbogen, betrachtete Krummes vertrautes Gesicht von oben. Er suchte in Krummes Augen nach Spuren von Vorwürfen und flüsterte: »Ich habe es ganz nach hinten gestellt. Verzeihung. Es war nur …«

»Ich betrachte das als Liebeserklärung«, sagte Krumme. »Dass du nicht ohne sein konntest.«

»Das kann ich auch nicht. Denn es ist du.«

»Komm her, Mäuschen. Ganz dicht zu mir.«

»Ich kann aber wirklich nicht viel näher kommen.«

»Dann mach wenigstens das Licht aus.«

Erlend wollte ihn schon auf dem Bahnsteig abholen, und darüber war er ungeheuer erleichtert. Als er angekommen war, um den Zug nach Frederiksværk zu nehmen, glich der Hauptbahnhof einem Gewimmel von Menschen und Geräuschen und Bewegungen, er hatte sich kaum orientieren können, als er in dieser Geschäftigkeit, die die Sinne bis zum Zerreißpunkt füllte, herumgestoßen wurde.

»Da bist du ja«, sagte Erlend, der plötzlich lächelnd vor ihm stand. Sie drückten einander die Hände.

Es war seltsam, Erlend mitten in dieser Fremde zu sehen und dabei zu wissen, dass er hier wohnte und in vieler Hinsicht zu Hause war. Zugleich war er anders. Seine Haare waren kürzer als zu Weihnachten und schwärzer denn je, so schwarz, dass sie fast bläulich schimmerten. Seine Augen wirkten dunkler als auf Neshov, sicher hatte er sie schwarz umrandet und sich die Wimpern gefärbt. Solche Dinge fielen Margido auf, schließlich machte er selbst Gesichter zurecht, die ausgiebig gemustert werden sollten, angestrahlt und im Mittelpunkt der Aufmerksamkeit auf einem weißen Seidenkissen liegend. Aber wie immer war er gut angezogen. Gepflegt und nie in schriller Jugendkleidung, wie viele Männer von vierzig sie bevorzugten. Das alles konnte Margido trotz seiner Müdigkeit registrieren.

Er war auf eine Weise erschöpft, wie er sie noch nie erlebt hatte, und er staunte darüber, wie neu und ungewohnt alles war, und dabei war er doch gar nicht fern der Heimat, sondern nur in Dänemark. Das Essen schmeckte anders, die Milch zum Frühstück, Wurst und Brot, schlichte Dinge, von denen er bisher angenommen hatte, dass sie überall gleich waren. Zu allen Mahlzeiten gab es Alkohol, sogar zum Frühstück, dann tranken sie Schnaps. Und alle Schilder waren auf Dänisch, die hatte er ja nie vorher gesehen, und er staunte darüber, wie altmodisch die Aufschriften waren, wie uraltes Norwegisch, was sie ja irgendwie auch waren. Aber den größten Eindruck hatte die gesprochene Sprache auf ihn gemacht. Überall Dänisch zu hören, von morgens bis abends, das Klangbild änderte sich total, und damit wurde auch die Wirklichkeit zu einer anderen. Er hatte sich bei dem Gedanken ertappt, wie eine fremde Kultur wohl auf ihn wirken würde, wo schon das Dänische einen solchen Eindruck hinterließ. Wenn er nun nach Tunesien oder China oder Australien gefahren wäre. Das müsste doch unerträglich überwältigend sein.

»Es wäre doch dumm, hier zu sein, ohne euch guten Tag zu sagen«, sagte er.

»Natürlich. Wann geht dein Flug?«

»Heute Abend um fünf vor neun. Direkt nach Værnes.«

»Ja, von Trondheim bis Kopenhagen ist es eigentlich nur ein Katzensprung. Dann hast du ja mehrere Stunden hier! Vielleicht sollten wir dein Gepäck in ein Schließfach stellen und eine Runde Sightseeing machen, ehe wir zu uns nach Hause fahren? Die kleine Meerjungfrau und das Schloss der Königin und so? Das Tivoli ist um diese Jahreszeit geschlossen.«

»Das ist lieb von dir, Erlend, aber ich bin müde, es waren so unglaublich viele Eindrücke. Am liebsten würde ich mich einfach nur in einen bequemen Sessel setzen.«

»Dann machen wir das so. Die Meerjungfrau wird ohnehin überschätzt, sie ist winzig klein und voll Möwenkacke.«

»Wir müssen sicher eine Droschke nehmen. Bestimmt weißt du, wo die stehen.«

»Hier heißt das *taxa,* Margido. Eine Droschke ist in Dänemark mit einem Pferd bespannt. Und wir wohnen am Gråbrødretorv, das ist gleich hier um die Ecke. Es wäre doch albern, für die kurze Strecke ein Pferd zu mieten. Soll ich deine Tasche nehmen? Komisch, dich hier zu sehen. Du bist der Letzte, von dem ich Besuch erwartet hätte. Du überraschst mich immer von neuem, Margido.«

Margido wusste nicht, was er dazu sagen sollte, also schwieg er. Dieses »von neuem«, er wusste, worauf Erlend damit anspielte. Wenn er nur nicht darüber sprach!

Draußen war es grau und kalt, ein eisiger Wind fegte über den Asphalt. So war es auch an den zwei Tagen in Frederiksværk gewesen. Er hatte sich eingebildet, dass es in Dänemark wärmer sein würde, aber das Gegenteil war der Fall, es war kälter als in Trondheim. Er hatte im Zug gefroren, und jetzt war ihm kalt bis auf die Knochen, aber er wollte sich nicht beklagen. In der Wohnung würde es hoffentlich warm sein.

Erlend ging mit langen Schritten vor ihm her, unberührt von dem Chaos um ihn herum. Ein Straßenmusiker stand vor dem Haupteingang mit Gitarre und Mundharmonika, es war unbegreiflich, dass er bei dieser Kälte still stehen und spielen konnte.

Während sie über die Straße gingen, die von Erlend Strøget genannt wurde und die angeblich Kopenhagens Flaniermeile war, zeigte Erlend ihm die Sternwarte Rundetårn und den Turm der Trinitatiskirche.

»Dreifaltigkeit«, sagte Margido.

»Ja, das heißt es wohl. Und du warst auf einer Sargmesse, behaupten die Gerüchte?«

»Das war eine Messe für Särge und Grabmäler.«

»Hast du wie wild eingekauft?«, fragte Erlend.

»Nein. Ich habe auch Computerkram gesehen, fertige Drucksachen mit Bildern und Text und Farben. Aber mit Computern kenne ich mich nicht aus. Für die Särge habe ich feste Lieferanten, und die Steine holen wir aus Eide in Nord-Møre. So etwas kann man nicht ändern.«

»Da wurde sicher der letzte Schrei aus der Sargszene gezeigt, stelle ich mir vor. Eingebautes Radio und Internet und Fernsehen?«

»Das nicht gerade, nein«, sagte Margido.

Aus einem offenen Wagen duftete es nach frischen Schmalzkringeln. Der Dampf der Schmalzkessel stieg in grauen Rauchwolken hoch, ein junges Mädchen stand mit einem seltsamem Spielzeug an einer Schnur da und führte es zum Verkauf vor, sie sah blaugefroren aus und trug keine Handschuhe. Er musste an das Mädchen mit den Schwefelhölzern denken. Das hier war eine Millionenstadt, sicher mit zahllosen verzweifelten Schicksalen.

»Wie ist es eigentlich, mit dem Tod zu arbeiten, Margido? Die ganze Zeit?«

»Es ist eine … gute Arbeit. Befriedigend. Menschen, die das zu schätzen wissen, was man tut. Und du? Die Geschäfte laufen gut? Hast du eins von diesen Fenstern dekoriert?«

Er musste doch so höflich sein und fragen. Er sah nur Schaufensterpuppen, in Reih und Glied, mit allerlei Kleidung, und Fenster mit anderen aufgestapelten Waren, es sagte ihm nichts und verlockte auch nicht zum Einkaufen.

»Nicht gerade hier. Langweilige Fenster. Siehst du etwas, worauf du Lust hast?«

»Nein.«

»Genau. Weil die nicht von mir sind. Überladen und hässlich.«

Sie fuhren mit dem Fahrstuhl zur Wohnung hoch, der ähnelte einem Hotelfahrstuhl, mit Spiegeln an drei Wänden über einem Messinggeländer. Erlend musste einen Code eingeben, um ihn in Bewegung zu setzen.

»Das sind ja gewaltige Sicherheitsvorkehrungen«, sagte Margido.

»Wir haben den ganzen obersten Stock, und man will doch nicht, dass plötzlich Unbefugte vor der Tür stehen.«

»Eigener Fahrstuhl?«

»Na ja, auf dem Weg nach oben kommt er noch bei den Nachbarn vorbei.«

Aber nicht einmal Fahrstuhl und Sicherheit hatten ihn auf die Wohnung vorbereiten können. Er zog die Schuhe aus, obwohl Erlend sagte, das sei nicht nötig, und lief auf Socken durch Zimmer, wie er sie bisher nur aus Filmen kannte. Nicht einmal bei Hausbesuchen bei Frischverstorbenen hatte er jemals eine solche Wohnung gesehen. Das einzig Vergleichbare in Trondheim wäre wohl Nedre Elvehavn, aber er glaubte dennoch nicht, dass es dort eine solche Wohnung gab. Zwei riesig große Eckzimmer, das eine mit gläsernen Schiebetüren, die auf eine enorme Dachterrasse führten, Kamin, erlesene Möbel aus goldenem Holz und Glas, hohe Vasen mit Lilien, moderne Kunst an den Wänden, ein breiter Glasschrank, erleuchtet und gefüllt mit Glasfiguren, Fliesen und Terracotta auf dem Boden, Schiefer und Parkett. Er wusste, dass Erlend und Krumme wohlhabend waren, aber das hier übertraf doch alles, was er sich vorgestellt hatte.

»Das ist nicht gerade Neshov«, sagte er.

»Nein, das kannst du wohl sagen. Kaffee?«

»Ja, bitte.«

Auch die Küche war riesengroß. In dem einen Wohnzimmer stand ein ellenlanger Esstisch mit mindestens zehn Stühlen, und hier in der Küche war ein kleinerer mit zweien. Meterweise Arbeitsflächen aus poliertem Stein glänzten schwarz und leuchtend.

»Larvikit«, sagte Margido, erleichtert, etwas Vertrautes zu entdecken, und strich kurz mit der Hand über die kalte Oberfläche. »Wird oft für Grabsteine benutzt.«

»Ja, das heißt wohl so«, sagte Erlend, drückte auf einen Knopf und stellte eine kleine schwarze Tasse unter einen Trichter. »Ich mache Espresso, sieht aus, als könntest du den brauchen. Und ich habe Heißwecken gekauft. Krumme kommt bald und macht Essen für uns.«

»Zwei Kühlschränke?«, fragte Margido und starrte den doppelten Schrank aus gebürstetem Stahl an, die eine Tür bestand aus mattem Glas.

»Das braucht man doch. Einer fürs Essen und einer für die Getränke.«

»Aber ihr seid doch nur zu zweit?«

»Wir haben doch auch Gäste. Und wir haben gern die Auswahl. Schau her«, sagte Erlend und öffnete die Glastür. »Champagner, Weißwein, Sodawasser, Saft, Mineralwasser, Milch, Sahne, Essig, Salatsoßen ohne Öl und Bier. Das füllt doch einen ganzen Kühlschrank, oder nicht?«

Margido setzte sich vorsichtig auf den einen Stuhl und sah zu, wie Erlend sich, mit dem Rücken zu ihm, eine Tasse Tee machte und eine Schale mit braunem Zucker aus dem Schrank nahm. Er holte die Heißwecken aus einer weißen Papiertüte und legte sie auf eine Glasplatte. Margido entdeckte zwei Spülmaschinen nebeneinander unter der Anrichte. Sie hatten auch zwei Backöfen, übereinander, in Brusthöhe.

»Ihr habt ja von allem zwei«, sagte er.

»Ja, da hast du vielleicht recht«, sagte Erlend mit einem kurzen Lachen, seine Schultern zitterten in dem schwarzen Rollkragenpullover. Seine Schulterblätter zeichneten sich deutlich und spitz durch die Wolle ab. Sein Bruder. Gelassen und entspannt mitten in diesem Luxus, das steigerte seine Erschöpfung fast noch mehr, ohne dass er so ganz begriff, warum. Es bereitete ihm noch größere Schwierigkeiten, das zu sagen, was er sagen wollte. Er schaute seine Socken an, mit einer plötzlichen Erleichterung, weil keine vom vielen Laufen ein Loch aufwies. Er schob die Füße unter den Tisch, Erlend trug jetzt flauschige Pantoffeln, er versuchte, sich auf den Kaffeeduft zu konzentrieren, darauf, dass Erlend Heißwecken gekauft und sich sicher seinetwegen freigenommen hatte, dass er willkommen war.

»Zwei Spülmaschinen sind perfekt«, sagte Erlend. »Im Alltag nehmen wir sauberes Geschirr aus der einen und stellen das schmutzige in die andere, und wenn wir Gäste haben, ist es großartig, nachher in zwei Maschinen spülen zu können. Der eine Backofen ist für Kartoffeln und Gemüse und so, der andere für das Hauptgericht, Fleisch oder Fisch oder Geflügel. Und dann wird alles gleichzeitig fertig.«

»Das muss doch ein Vermögen kosten.«

»Krumme kommt aus einer schlichten Oberklassenfamilie in Klampenborg, ich sehe sie nie, aber er besucht sie ab und zu. Er hat einen Haufen Geld geerbt, als seine Mutter gestorben ist, und wenn sein widerlicher Vater ins Gras beißt, kommt noch mehr. Und wir verdienen ja auch gut.«

»Ach so.«

»Wir haben die Wohnung vor acht Jahren für zwölf Millionen gekauft und haben sechs Millionen hineingesteckt, bis sie so war, wie wir sie haben wollten. Bitte, greif zu«, sagte Erlend und stellte ihm den Kaffee hin.

Er trank dankbar. Der Fußboden war warm, er presste die Fußballen darauf und schloss für einen Moment die Augen.

»Müde?«, fragte Erlend.

»Ja, und auf andere Weise, als wenn ich zu Hause alle Hände voll zu tun habe.«

»Wir fahren mit dem Taxi zum Flughafen, ich komme mit, und dann läuft der Rest deiner Reise wie geschmiert.«

»Das brauchst du nicht. Aber es wäre … schön.«

»Du warst noch nie im Ausland, oder?«

Margido seufzte. »Nein. Also ist es ein bisschen viel. Die Reise und die Sprache und …«

»Grabsteine und Särge.«

»Daran bin ich ja gewöhnt.«

Sie schwiegen. Er leerte seine Tasse, die war winzig klein.

Ohne zu fragen, stand Erlend auf und machte ihm noch einen Kaffee. Er holte tief Luft, merkte, dass sein Herz sofort schneller schlug, jetzt, wo er sich entschlossen hatte, und sagte: »Ich möchte dich um Entschuldigung bitten, Erlend.«

»Wofür?«

Eine schwindelerregende Sekunde fürchtete Margido, Erlend könne glauben, er wolle für seinen Anruf zu Silvester um Entschuldigung bitten, er hätte sich anders ausdrücken sollen. Eilig sagte er: »Dafür, wie du von unserer Familie behandelt worden bist. Ich kann gut verstehen, wenn du verbittert und wütend bist, auf... ja, auf mich und Tor und... Mutter.«

Schon jetzt hätte er dieses Gespräch gern hinter sich gehabt und sich irgendwo hingelegt, die Augen geschlossen und gewusst, dass es überstanden war.

»Ich bin nicht verbittert«, sagte Erlend und stellte ihm eine neu gefüllte Kaffeetasse hin, erwiderte aber seinen Blick nicht. »Das bin ich nicht. Ich war verzweifelt, und ihr tatet mir leid. Als ich damals von Neshov weggegangen bin, war ich wütend. Ich wollte nicht auf mir herumtrampeln lassen. Wütend und enttäuscht und wild entschlossen, aber nicht verbittert. Es wart nicht nur ihr auf dem Hof, es war alles. Ganz... ganz Byneset, ganz Trondheim. In den zwanzig Jahren ist sicher viel passiert, aber damals...«

»Ja. Viel ist passiert.«

»Als du zu Silvester angerufen hast...«

»Darüber brauchen wir nicht zu reden«, sagte Margido.

»Warst du betrunken?«

»Das wird nicht mehr vorkommen.«

Erlend fing an zu lachen, mit offenem Mund und in den Nacken gekippten Kopf. »Ich hab es gewusst. Dass du betrunken sein musst, um mich Brüderchen zu nennen.«

Margido wollte die Tasse zum Mund führen, um zu trinken, aber er merkte, dass seine Hand zitterte, und ließ die Tasse stehen.

»Verzeihung, Margido, ich sollte nicht über dich lachen, das war gemein von mir«, sagte Erlend.

»Krumme ist ein … feiner Kerl«, sagte Margido. »Das hat auch der Fossepastor gesagt, als ich ihn vor ein paar Wochen getroffen habe. Dass ihr … sehr sympathisch wirkt.«

»Das hat er gesagt? Und du bittest um Entschuldigung? Und trotzdem seid ihr beide fromme Christen?«

»Ja. So ist das.«

»Hast du sie gesehen? Zusammen?«, fragte Erlend.

Jetzt zwang Margido die Kaffeetasse mit beiden Händen an seinen Mund. Er brauchte den Kaffeegeschmack, aber es hätte ihn nicht verwundern dürfen, dass Erlend darüber reden wollte. Jetzt saß er nicht auf Neshov, mit Tor auf der anderen Seite des Tisches, wo er die Gardine hob und auf das Thermometer schaute, wenn ein Gesprächsthema zu problematisch wurde.

»Wen? Du meinst … Mutter und …«

»Ja«, sagte Erlend.

Er vertiefte sich wieder in die Kühlschränke, der eine hatte ein Loch in der Tür, mit einem Knopf darüber, auf dem *Ice Cube Automat* stand. »Ja«, sagte er. »Das habe ich.«

»Du hast also Mutter und Großvater Tallak gesehen …«

»Ich kam eines Tages ein bisschen früher aus der Schule«, sagte Margido. »Da war ich noch nicht sehr alt.«

»Es ist so schwer zu begreifen, dass es so leicht sein kann, so … so viel zu verbergen.«

»Es ist eigentlich einfach«, sagte Margido und schaute ihm ins Gesicht. »Ein Familienhof muss weitergeführt werden. Und wenn der Anerbe keine Mädchen mag …«

»Dann sorgt sein Vater für Ordnung.«

»Ja.«

»Aber einmal hätte dann doch gereicht, Margido. Und wir sind drei.«

»Vielleicht war es mehr als nur das, was der Hof brauchte.«

»Sie haben sich geliebt, meinst du?«

»Ich weiß nicht«, sagte Margido. »Und jetzt sind sie beide tot. Wir werden es nie erfahren.«

»Ich versuche, es mir vorzustellen … Mutter und er, jahrelang hinter Großmutters Rücken, als sie krank in der Kammer lag. Glaubst du, sie hat das durchschaut?«

»Das wollen wir nun wirklich nicht hoffen.«

»Haben dich Großvater Tallak und Mutter denn nicht entdeckt? Haben sie nicht begriffen, dass du es wusstest?«

»Nein. Aber ich habe es Mutter gesagt. Vor sieben Jahren. Als ich zuletzt da war, bevor … jetzt zu Weihnachten. Dass es wohl Grenzen dafür geben müsste, wie sie den Alten behandelten. Dass er uns doch leidtun müsste, so, wie sie sich aufgeführt hatte. Es endete mit einem schrecklichen Streit, sie wurde wütend, sagte, ich redete über Dinge, von denen ich einfach keine Ahnung hätte. Ich bin dann gefahren, da sie nicht ruhig und vernünftig darüber reden wollte.«

»Nennt Tor ihn noch immer Vater?«

»Ich glaube schon. Tor ist es lieber, wenn sich so wenig wie möglich ändert.«

»Ich habe ihn so geliebt. Großvater Tallak.«

»Das weiß ich, Erlend«, sagte er und fuhr sich mit der Hand über das Gesicht, presste Daumen und Mittelfinger auf die Augen, der kleine Hauch von Dunkelheit bedeutete verlockende Ruhe.

»Das ist alles so lange her … Hast du eine Toilette?«, fragte er und erhob sich.

»Wir haben natürlich zwei. Eine allein und eine im Badezimmer. Aber du kennst das Badezimmer ja noch nicht.«

Das Erste, was er dort sah, war das Aquarium. Stumm vor Staunen ließ er sich von Erlend die verschiedenen Fische zeigen. Eine dreieckige Badewanne ungefähr von der Größe seines Badezimmers zu Hause füllte die eine Ecke, dicht an dicht waren blanke Düsen in stahlgraues Porzellan eingelassen. In der anderen Ecke stand ein Duschkabinett. Zwei

Waschbecken gab es, von einer rauen Glasplatte eingefasst, grüne Pflanzen und Palmen wurden von kleinen Scheinwerfern angestrahlt, über die Armlehne eines weißen Sessels waren Kleidungsstücke geworfen. Ein Sessel. In einem Bad. Und dann sah er es, in der Zimmerecke, Schiebetüren aus Glas, dahinter die unverkennbaren Holzbänke.

»Habt ihr eine Sauna?«, fragte er.

»Ach, die Sauna. Die benutzen wir nie. Dahin geht nur die Putzfrau, um Staub von Ofen und Bänken zu wischen.«

»Ich kriege bald eine. Die wird fertig montiert sein, wenn ich nach Hause komme. Nicht mit einem richtigen Ofen, aber …«

»Wir baden lieber. Fast jeden Tag, glaube ich. Ich habe auf die Sauna bestanden, als wir hier renoviert haben. Total idiotisch, da wir sie nie benutzen. Aber du? Du kannst dich doch ein bisschen reinsetzen? Und dich entspannen?«

»Jetzt?«

»Ja, sicher. Ich schalte den Ofen ein, dann ist es in einer Viertelstunde warm genug. Und ich fülle den Eimer mit Wasser. Einen Gästemorgenmantel haben wir auch, du kannst nach dem Duschen also in Ruhe zu Ende schwitzen, ehe du dich anziehst. Wir essen ja doch erst in zwei Stunden, wird das nicht gut tun? Du kannst im Morgenrock essen, das tun wir auch oft. Und da ist der Kühlschrank.«

Ein winziger Kühlschrank stand neben dem Sessel.

»Mineralwasser. Falls man den Champagner satt hat. Greif einfach zu.«

Er faltete seine Kleider sorgfältig zusammen und legte sie auf den Sessel, und oben drauf die Armbanduhr. Er hatte sich morgens frische Wäsche angezogen, weitere saubere Kleidung hatte er nicht bei sich. Er roch an den Socken und wusch sie mit Seife, danach legte er sie auf den beheizten Fußboden. Es wurde an die Tür geklopft, hatte er abgeschlossen? Er war doch nackt!

»Ja?«

»Möchtest du Musik«, hörte er Erlends Stimme. »Mir ist plötzlich eingefallen, dass wir in der Sauna Lautsprecher haben. Zu welcher Musik schwitzt du denn gern? Diana Ross?«

»Nein danke, Erlend, ich hätte es gern still. Aber vielen Dank.«

Er stieg in die Wärme und schloss die Tür hinter sich, goss Wasser auf den Ofen, stieg auf die oberste Bank, setzte sich und schloss die Augen. Sofort merkte er, wie ihm der Schweiß ausbrach, wie er sich durch die Haut ausleerte. Er öffnete die Augen und starrte träge durch die Glastür, sein Blick fiel auf den weißen Morgenrock, den er leihen konnte, und auf ein großes Handtuch mit schwarzen und weißen Streifen. Er schloss die Augen wieder.

Ihm war schwindlig, als er unter die Dusche trat. Er hatte schon eine Flasche Mineralwasser getrunken und glaubte, noch eine zu brauchen. Er ließ eiskaltes Wasser über seinen Körper strömen, dann trocknete er sich gründlich ab und wischte Fußabdrücke und Pfützen vom Boden. Zu Hause würde er das jetzt jeden Tag machen. Er hatte das Gefühl, dass ein neues Leben begann.

Hier gab es überall Spiegel, zu Hause hatte er nur den kleinen über dem Glasbrett mit der Zahnbürste. Er blieb stehen und sah sich an. Ein korpulenter Mann. Warum war er das eigentlich? Er aß nicht viel, aber er bewegte sich auch nicht viel. Er fuhr sich über den Bauch, dann über die Haare, wandte sich ab, doch da hing ein weiterer Spiegel. Er sah sich die Fische an, die träge und ziellos umherschwammen, musterte die riesige Badewanne und horchte. Es war still. Der Morgenrock war weich und dick, aber sollte er barfuß durch die Wohnung laufen? Die Socken waren glücklicherweise trocken, er zog sie an, nahm sich noch eine Flasche dänisches

Mineralwasser, und mit beiden Flaschen in der Hand öffnete er die Tür. Sie war nicht abgeschlossen, und jetzt konnte er in der Ferne klassische Musik hören.

Krumme drehte sich sofort um, als er die Küche betrat. Er lächelte und kam auf ihn zu, während er sich die rechte Hand mit einem Geschirrtuch abwischte.

»Willkommen, Margido. War es schön warm in der Sauna? Wie schade, dass du nur ein paar Stunden bleiben kannst.«

Er nahm Krummes Hand und sagte: »Ich muss eben nach Hause. Die Pflicht ruft. Wo soll ich die leere Flasche hinstellen?«

»Wo immer du willst. Es gibt Lammcouscous, magst du das?«

»Bestimmt. Tausend Dank.«

»Warte mit dem Bedanken, bis du gekostet hast«, sagte Krumme und lächelte.

»Wo ist Erlend?«

»Der sitzt wohl im Büro am Telefon.«

»Hier in der Wohnung?«

»Ja, sicher. Möchtest du vor dem Essen ein Glas Rotwein?«

»Nein, danke, ich trinke nicht.«

»Wir auch nicht«, sagte Krumme und drehte sich lachend zu den Kochtöpfen auf dem Herd um. Immerhin hatten sie nur einen Herd, aber dafür einen Gasherd mit einem grillähnlichen Anbau an der Seite. Dann fiel ihm plötzlich auf, was Krumme gesagt hatte.

»Ihr trinkt nicht mehr?«, fragte er.

»Im Moment nicht«, sagte Krumme. »Das ist Wasser. Prost!«

Margido hob die Mineralwasserflasche, sie tranken. Er wollte nicht weiter nachfragen. Krumme wollte über Byneset sprechen und erzählte, dass Tor ihn für den Sommer eingeladen und gesagt hatte, dass es dort schön sei.

»Das Bynesland ist immer schön«, sagte Margido. »Aber im Sommer ganz besonders. Alles ist so gepflegt. Die Gebäude von Neshov sind nicht gerade repräsentativ, aber der Hof liegt wunderbar. Mit der Aussicht und so.«

»Eine gründliche Renovierung würde doch reichen«, sagte Krumme. »Was ist eigentlich mit den Feldern? Was baut dein Bruder darauf an?«

»Um die kümmert sich Trønderkorn. Die Mühle. Da wird Getreide angebaut. Trønderkorn sät und drischt, Tor düngt nur und holt sich das Stroh für die Schweine. Und er bekommt dafür das Futter billiger. Nicht so sehr wie die, die alles selber machen und fertig gedroschenes Getreide liefern, aber es ist doch eine gute Ersparnis.«

»Klingt vernünftig.«

»Die einzige Lösung. Für Tor jedenfalls«, sagte er. »Seit er mit den Milchkühen aufgehört hat.«

»Du kennst dich ja wirklich aus, Margido.«

»Das bleibt nicht aus, wenn man von dort kommt. In den letzten Jahren war ich kaum da, aber jetzt hat Tor mich über das meiste auf den neuesten Stand gebracht.«

»Erlend weiß nicht viel über Getreide und Milchkühe«, sagte Krumme und lachte, bis sein Bauch wackelte. »Aber er hat mir ausgiebig viel über Wadenetzfischerei erzählt. Da scheint er Fachmann zu sein.«

»Ja, das hat ihm immer gefallen. Daran kann ich mich gut erinnern.«

»Neshov umkränzt von goldenen Kornfeldern. So ist es dort im Sommer. Klingt fast wie ein dänischer Bauernhof«, sagte Krumme und gab etwas, das aussah wie gelbe Grieskörner, über gebratene Lammkoteletts und stellte die Form in den einen Backofen.

»Aber nicht so flach wie hier. Ich habe doch auf dem Weg nach Frederiksværk dänisches Bauernland gesehen.«

»Ja, erzähl mir über den letzten Schrei in der Sargmode«, sagte Krumme.

Margido hörte, dass das kein Spott war, sondern echtes Interesse, und deshalb erzählte er ein wenig von den letzten Innovationen, wie man schöne Verzierungen für Material entwickelt, das recycelbar sein muss, und wie die Metallelemente der Särge entfernt wurden, ehe die Särge in die Erde gelassen wurden. Das Neueste auf dem Markt waren Grabsteinfotos, eingeätzt in Material, das weder von der Sonne noch von Unwetter ausgebleicht werden konnte.

»Vielleicht wäre das etwas für eine Reportage«, sagte Krumme. »Damit haben doch alle zu tun, früher oder später.«

»Ich bin ganz sicher, dass die Leute so was gern lesen würden«, sagte Margido. »Wir dürfen ja nicht so ausgiebig informieren, jedenfalls nicht, solange das Bedürfnis nicht vorhanden ist.«

Als sie später gemeinsam am Esstisch im Wohnzimmer saßen, konnte er sich die Frage nicht verkneifen: »Bist du Temperenzler geworden, Erlend?«

Erlend sah ihn kurz an, fast ängstlich, dann sagte er: »Temperenzler? Nein, das wäre doch übertrieben.«

»Wir nehmen gerade … Tabletten«, sagte Krumme. »Nur deshalb.«

»Warum musstest du das erwähnen?«, fragte Erlend und sah Krumme an.

»Seid ihr krank?«, fragte Margido und dachte sofort an HIV und AIDS.

»Nein, wirklich nicht«, sagte Krumme. »Wir haben uns gegen Grippe impfen lassen, die Grippe wütet hier gerade. Und dann darf man an den ersten drei Tagen nach der Impfung keinen Alkohol trinken.«

»So einfach ist das«, sagte Erlend.

Als er im Flugzeug nach Hause saß, dachte er an das Essen und an die Worte, die dabei gefallen waren. An die Tabletten, die die beiden nahmen. Die im nächsten Moment zu einer Impfung geworden waren. Etwas stimmte nicht, etwas war nicht überzeugend in dem, was sie gesagt hatten.

Und wenn Erlend eine tödliche Krankheit hatte, jetzt, wo er zu ihm zurückgefunden hatte? ... Das hatte er zwar eigentlich nicht, aber immerhin war er einige Zentimeter in die richtige Richtung gewandert. Trotzdem konnte es nicht sein, dass sie mit einem Fuß im Grab standen, sie wirkten froh, fast aufgekratzt und benahmen sich nicht wie Menschen, über deren Häuptern ein Damoklesschwert hängt.

Als Nachtisch hatte es von Erlend selbstgebackenen Käsekuchen gegeben. Er hatte Espresso getrunken, Erlend und Krumme Tee, und im Kamin hatte ein Feuer gebrannt. Erlend hatte Musik aufgelegt und war hin und hergerannt. Krumme hatte behauptet, das seien Entzugserscheinungen, deshalb finde er keine Ruhe. Entzugserscheinungen wovon? Erlend war doch nicht etwa alkoholabhängig, oder? Er hatte es einfach nicht über sich gebracht nachzufragen, als sie in der Droschke nach Kastrup saßen oder eben im *taxa.* Die Angst vor der Antwort hatte ihn davon abgehalten.

Sie war jetzt seit über zwei Wochen dort, aber im Gang stank es noch immer nach Scheiße. Vermutlich klebte auch noch immer welche zwischen den Bodenleisten. Mehrmals schon hatte sie sie mit Wasser übergossen, ohne dass das geholfen hätte. Sie trug die Einkaufstüten aus dem Supermarkt in die Küche und legte die Zeitung vor den Vater, der wartend am Küchentisch saß.

»Was für ein Wetter«, sagte er.

»Ja, pfui Teufel, ich musste die Scheibenwischer auf Höchstleistung stellen, und dabei bin ich im Schneckentempo nach Hause gefahren.«

Der ganze Hofplatz war vom Regen zu einer Schlammwüste aufgewühlt worden, die Bäume glichen schwarzen Strichen vor grauem Himmel. Es war fast Mitte März, und der Regen hatte sich mehrere Tage mit strahlendem Sonnenschein abgelöst, der für eine kurze Zeit ein Gefühl von Frühling hervorgerufen hatte.

»Der Boden ist noch gefroren. Das Wasser kann nicht absickern. Deshalb haben wir diesen verdammten Schlamm.«

Seine Stimme klang hart. Er sprach fast nur, wenn es etwas Negatives zu kommentieren gab.

Dass sie nicht einfach fuhr, alles ins Auto packte und verschwand, Marit anrief und sie bat, sich krankschreiben zu lassen, damit sie wieder jeden zweiten Tag herkommen könne. Aber sie schien sich hier festgebissen zu haben. Jeden

Tag wollte sie ihrem Vater klarmachen, wie er sich aufführte, und dass sie nicht länger hierbleiben werde, aber trotzdem ließ sie einen Tag nach dem anderen verstreichen. Es lag an der täglichen Routine, sie war darin gefangen, konnte sich hineinflüchten, musste sich nicht um ihre eigenen Probleme kümmern. Sie fing an zu verstehen, wie die Menschen auf diesem Hof so viele Jahre lang gelebt hatten, wie die tägliche Routine den Rest der Welt belanglos erscheinen ließ. Der Tag wurde von der Routine im Stall bestimmt, von der Uhrzeit, davon, was es im Radio oder Fernsehen gab, ob die Postbotin sich verspätete, ob es regnete oder nicht regnete. Seit sie hier war, hatte es glücklicherweise nicht geschneit, sie konnte nicht Traktor fahren, und Kai Roger wollte ihn auch nicht benutzen, weil der Traktor keinen ausreichenden Fahrerschutz hatte. Es sei verboten, damit zu fahren, sagte er, die Versicherung bezahle nicht, wenn etwas passierte. Das bedeutete natürlich, dass der Vater zusätzlich Geld ausgeben musste, um Futter bringen zu lassen, worüber er sich heftig beklagte. Und nicht nur darüber. Nichts stimmte. Nicht die Buchführung, mit der er sich fast jeden einzelnen Abend abmühte, die Steuererklärung musste zum 31. März eingereicht werden, Eidsmo wollte leichtere und jüngere Schlachtschweine haben, weil im Land zu viel produziert wurde, die Rechnungen für die Schädlingsbekämpfung kam zusätzlich zu allen anderen Rechnungen, die um diese Jahreszeit eintrafen, der Bauernverband hatte neue Vorschriften über die Düngung erlassen. Es gab nichts, worüber er sich nicht beklagte, abgesehen von dem Essen, das sie ihm hinstellte. Das war immer gut, egal, was es war. Damit musste sie sich wohl zufriedengeben.

In knapp zwei Wochen würde der Verband abgenommen werden. Er hatte geglaubt, er werde dann über Nacht gesund werden, bis der Arzt ihm beim letzten Verbandwechsel mitgeteilt hatte, er werde dann bei einem Krankengymnasten sein Bein trainieren müssen, die Muskeln würden sehr schwach sein. Der Vater hatte den Arzt verflucht und gesagt, wenn er nur wieder das Knie beugen könnte, würde alles gut sein, aber der Arzt hatte ihm leider klarmachen müssen, dass es wohl noch eine ganze Weile schwierig sein werde, das Knie zu beugen, deshalb müsse er ja zur Krankengymnastik.

Sie hatte gelernt, sein Gerede zu ignorieren, es zu einem Wortstrom werden zu lassen, der sie nichts anging. Wenn sie das schaffte, würde sie bleiben, bis er sich wieder bewegen könnte, mit dem besten Gewissen der Welt, weil sie ausgehalten hatte.

Sie freute sich nicht darauf, nach Hause zu kommen. Die Mutter war zutiefst verärgert und rief immer wieder an, um Vorwürfe und Anklagen loszuwerden. Sie wollte das Haus verkaufen und sich eine *Scheißwohnung* zulegen, wie sie immer wieder sagte, und alle anderen sollten doch sehen, wo sie blieben. Sie begriff nicht, dass die Strafe, die sie sich für Tochter und Exmann ausgedacht hatte, sie selbst am härtesten treffen würde. Sie war verbittert.

Genau wie der Vater. Sie versuchte, munter und freundlich zu sein. Es half nicht. Sie versuchte es mit Schweigen und Distanz. Auch das half nicht. Sie versuchte, ihm nach dem Mund zu reden. Das half ein wenig, aber es lag ihr nicht zuzustimmen, dass alles falsch sei, dass die Stadtleute vom Finanzamt Idioten seien, die keine Ahnung vom Alltag eines Bauern hätten, dass im Landwirtschaftsministerium nur Faschisten säßen und dass Kai Roger ein verdammtes Weichei sei, das nicht auf dem guten Traktor fahren wollte, nur weil das Führerhaus wegen des Rosts nicht mehr vorschriftsmäßig befestigt war.

Sie mochte Kai Roger. Er hatte ihr geholfen, unzählige Eimer heißes Wasser aus der Waschküche im Stall zu holen, an dem Tag, an dem sie gekommen und alles nur entsetzlich gewesen war. Nachdem sie aus Oslo geflohen war und die ganze Strecke bis Hamar nur geweint hatte, hatte sie sich vorgestellt, der Vater werde über ihr Kommen vor Freude und Erleichterung außer sich sein. Und da lag er dann … Vermutlich würde er ihr niemals verzeihen können, dass sie ihn so gesehen hatte. Sie hatte Marit dazu gebracht, alles stehen und liegen zu lassen und zu ihnen zu kommen, es hatte weniger als eine halbe Stunde gedauert, und sie hatte derweil auf dem Hofplatz gestanden und geraucht. Im Haus war es mäuschenstill gewesen. Er hatte einfach im Dreck gelegen und gewartet. Und Marit hatte nicht mit der Wimper gezuckt, sie hatte einfach die Haustür hinter sich geschlossen und den Vater in die Küche bugsiert, dann war sie herausgekommen, hatte Torunn begrüßt und gefragt, ob sie es schaffen würde, den Boden zu säubern. Sie werde es versuchen, hatte sie geantwortet.

Daraufhin war der Land Cruiser auf den Hof gefahren. Als sie ihn bemerkt hatte, hatte sie vor Schreck Marits Arm gepackt, aber dann hatte sie gesehen, dass der Wagen dunkler war als Christers, es war der des Betriebshelfers. Sie hatte sagen müssen, dass das Trockenklosett umgestürzt war, der Gestank hing schon über dem Hofplatz, aber sie hatte nicht verraten, dass der Vater darin lag. Später hatte der Vater sie schwören lassen, dass weder Margido noch Erlend es erfahren würden, und das fand sie richtig. Marit war vermutlich ein ähnliches Versprechen abgenommen worden.

Sie hatte das Schlimmste mit dem Besen zusammengefegt, hatte sich Gummihandschuhe und sechs Rollen Klopapier für den Anfang geholt, dann war sie auf einen Wischlappen übergewechselt. Zweimal hatte sie hinter das Haus laufen und sich erbrechen müssen. Sie hatte nicht gewagt, durch das Küchenfenster zu blicken. Aber als Marit saubere Kleidung geholt hatte, konnten sie miteinander reden. Auch der Verband sei verdreckt, hatte Marit gesagt, zum Glück nur die äußersten Schichten, dennoch brauchte er einen neuen Außenverband. Nachdem der Boden sauber aussah und das Trockenklosett im Stall abgespült worden war und wieder an seinem Platz stand, war Torunn nach Trondheim zur Apotheke gefahren, während Kai Roger in den Stall gegangen war.

Als der Vater dann endlich mit einer schmerzstillenden Tablette im Feldbett im Wohnzimmer lag, hatte Torunn vor Erschöpfung gezittert. Sie war Marit zum Auto gefolgt, wo sie lange stehengeblieben waren und redeten. Sie hatte ihr gesagt, sie werde eine Weile hierbleiben, sie könnte putzen, kochen und einkaufen, sich um die beiden kümmern. Vielleicht hatte sie zu viel versprochen, aber die Dankbarkeit dafür, dass diese Frau die Situation gerettet hatte, hatte sie übertrieben großzügig und dankbar gemacht.

»Ich habe Heißwecken gekauft«, sagte sie jetzt, holte eine Schüssel und tischte auf.

»Ach.«

»Der Kaffee ist sicher noch heiß. Werkzeug und so, finde ich das im Holzschuppen?«

»Warum das?«

»Ich muss etwas an den Leisten im Gang reparieren.«

»Das ganze Werkzeug ist im Holzschuppen«, sagte er und hielt die Zeitung mit ausgestreckten Armen von sich weg. Er brauchte eine Brille, wollte aber nichts vom Optiker hören, es sei zu teuer, meinte er. Sie würde eine Billigbrille kaufen müssen und hoffen, dass die half.

Sie brauchte keine Angst davor zu haben, dass sie im Werkzeugschuppen auf Ratten treffen könnte. Die Schädlingsbekämpfungsfirma hatte gründliche Arbeit geleistet, sie waren tagelang damit beschäftigt gewesen und hatten eine Rechnung von über elftausend geschickt. Nicht einmal die Erleichterung darüber, dass er ein dermaßen riesiges Problem los war, hatte seine Wut über die Rechnung lindern können. Nachdem er eine Weile Galle gespuckt hatte, hatte er sich mit dem Gehgerät über den Hof und in den Stall geschleppt. Danach war er ruhiger gewesen und war ins Bett gegangen.

Sie wollte gern mit ihm über die Schweine sprechen, ihm erzählen, wie es ihnen ging, was im Stall passierte, aber er hörte nur zu und gab keine Antwort. Sie fragte immer wieder, ob er die Schweine vermisste, aber auch darauf blieb die Antwort aus. Er war wütend auf Margido, weil er ihr von den Ratten erzählt hatte. Das hatte er sofort begriffen, weil sie nicht überrascht gewesen war, als am Tag nach ihrem Eintreffen die Schädlingsbekämpfungsfirma eingerückt war. Er hatte wissen wollen, ob Margido denn auch im Supermarkt ein Plakat aufgehängt hatte, damit niemand in Spongdal noch Zweifel daran hegen könnte, was sich im Stall auf Neshov abspielte.

Sie fand ein Stemmeisen und einen Hammer. Nach passenden Nägeln musste sie lange suchen, Nägel mit einem kleinen Kopf. Sie behielt die verschlammten Stiefel an, als sie wieder den Gang betrat, und räumte alles weg, was dort auf dem Boden stand. Sie wusste noch, wie weit der Dreck geflossen war, und sie war froh darüber, dass sie die große Truhe nicht verschieben musste, so weit war es doch nicht gekommen. Als sie die erste Leiste entfernte, sah sie, was sie befürchtet hatte: An der Wand gab es einen feuchten braunen Rand. Sie holte Eimer und Seife und zog die Stiefel aus, ehe sie in die Küche ging, um den Eimer mit Wasser zu füllen.

»Was machst du denn da?«

»Den Gang putzen.«

»Der muss doch schon längst sauber sein.«

Vielleicht war er durch die Gerüche im Schweinestall abgehärtet. Nun kam der Großvater die Treppe herunter. Er verbrachte jetzt fast den ganzen Tag oben in seinem Zimmer.

»Schön«, sagte er. »Es stinkt schrecklich.«

»Bald nicht mehr«, sagte sie. »In der Küche gibt es Heißwecken. Und heißen Kaffee.«

»Tausend Dank«, sagte er und stieg vorsichtig über die Leiste mit den herausragenden Nägeln hinweg.

Mit der Hand auf der Türklinke fragte er: »Kannst du mir die Haare schneiden?«

Sie richtete sich auf. »Die Haare schneiden?«

»Anna hat das gemacht. Auch bei Tor. In der Küche. Wir haben dafür eine eigene Schere.«

»Ich kann ja mal versuchen, ob ich …«

Er wartete den Rest der Antwort nicht ab, sondern ging in die Küche und zog die Tür hinter sich zu. Sie hatte nicht daran gedacht, aber es stimmte. Ihnen hingen die Haare über den Hemdenkragen. Sie zog die Gummihandschuhe aus, fischte die Zigarettenpackung aus der Regenmanteltasche und ging in den Anbau. Der Regen hämmerte auf den Matsch, jeder Tropfen bildete eine kleine Grube, bis alles zu flachem Schlamm wurde, und ein neuer Tropfen auftraf. Der Lärm auf den Dächern und Bäumen war wie ein Motor mit hoher Umdrehungszahl. Zugleich hatte es etwas Beruhigendes, sie mochte Regen. Aber Regen in einer Stadt, auf Asphalt und Autodächern, war doch etwas anderes. Sobald der Bodenfrost aufhörte, müssten sie die Felder düngen. Wenn der Vater das nicht selbst schaffte, würde Kai Roger einen Traktor leihen und es übernehmen müssen. Jetzt fungierte sie wie ein Puffer zwischen dem Vater und Kai Roger, aber wenn der Vater ihn weiter angriff, würde er nicht lange bleiben, davon war auszugehen. Doch wer sollte sich dann um die Schweine kümmern? Wenn er nur nicht so dagelegen hätte, als sie gekommen war, jeglicher Würde beraubt.

Plötzlich brach sie in Tränen aus. Sie weinte, zog an der Zigarette und hustete. Rotz lief auf den Zigarettenfilter. Bei diesem Regenlärm konnte sie bestimmt von niemandem im Haus gehört werden. Mit wem sollte sie sprechen? Margido? Er würde ja doch nichts ändern können, weil Tor wegen der Rattensache wütend auf ihn war. Wenn Tor wüsste, dass sie auch von den leeren Flaschen wussten!

Vielleicht Erlend, aber was könnte der schon ausrichten? Er würde sie nur bitten, nach Kopenhagen zu kommen. Wegzulaufen. Der hatte gut reden.

Im Stall säuberte sie die Koben, während Kai Roger das Füttern übernahm. Sie hatten ihre gemeinsame Routine entwickelt, und die Schweine hatten sich daran gewöhnt. Kai Roger arbeitete auch auf anderen Höfen, wo Schweinezucht betrieben wurde, allerdings in viel größerem Maßstab.

»Wenn mein Vater nicht selbst düngen kann, kannst du dann einen Traktor leihen?«

»Das müsste sich machen lassen. Und wenn nicht, kann vielleicht Trønderkorn helfen. Du solltest einen Betriebshelferkurs machen und selbst Traktor fahren lernen. Du bist doch ein Naturtalent als Bäuerin.«

Sie lächelte. »Danke für das Kompliment, aber ich glaube nicht.«

»Weißt du inzwischen, wie lange du bleibst? Hast du dich noch immer nicht entschieden?«

»Nein.«

Sie hatte dieses Thema Kai Roger gegenüber nicht aufgreifen wollen, aber ihre Verstimmung ließ sie fragen: »Ist dieser Hof eigentlich betriebswürdig?«

»Nicht so, wie dein Vater ihn betreibt. Nicht, wenn man wie normale Menschen leben will. Finanziell, meine ich. Das hier ist Steinzeit. Man sieht nicht oft zu Wurfkästen umfunktionierte Sprengstoffbehälter ...«

»Der Arme. Er gibt sich doch alle Mühe, um Geld zu sparen. Jetzt bekommen sie ja auch nicht mehr die Rente meiner Großmutter, nur die für meinen Großvater. Und die Lebensmittel bezahle ich.«

Sie legte die Hände auf den Besenstiel und ließ ihr Kinn darauf ruhen, betrachtete eine Herde kleiner Schweine, die grunzend und schnaufend in Stroh und Torf herumwühlten, während ihre Schwänze sich bewegten wie kleine Quirle.

Kai Roger schob die Schubkarre mit dem Futter zum nächsten Koben weiter.

»Und du bist die Nächste«, sagte er.

»Sag so was nicht. Da mag ich gar nicht dran denken.«

»Aber du bist die Einzige, du hast doch erzählt, dass seine Brüder keine Kinder haben und dass du ein Einzelkind bist.«

»Aber so einfach ist das nicht.«

»Es ist sehr einfach. Du bist die Einzige.«

»Ich habe mein eigenes Leben. In Oslo.«

»Sieht im Moment aber nicht so aus.«

»Mein Vater kann den Hof noch jahrelang betreiben.«

»Und danach?«

»Jetzt sprechen wir über etwas anderes«, sagte sie.

»Magst du irgendwann einmal abends nach dem Stall auf eine Pizza mit nach Heimdal kommen?«

»Willst du mich einladen?«, fragte sie, lachte ein wenig und fing an, energisch den Mittelgang zu fegen.

»Ja.«

»Hier steh ich in einem verdreckten Overall und komm mir vor wie runtergeschluckt und wieder ausgespuckt …«

»Ganz schön hart.«

»Ich bin keine tolle Gesellschaft. Für niemanden im Moment.«

»Du musst aber mal vom Hof wegkommen«, sagte er.

»Ich kaufe doch ein. Mache Besorgungen in der Stadt.«

»Du verstehst schon, was ich meine, Torunn.«

»Ich habe eine Flasche Cognac auf meinem Zimmer und ein Milchglas. Ich trinke ab und zu ein Glas Cognac und rauche, während ich auf den Korsfjord hinausschaue. Und ich lese viel. Im Moment lese ich diesen englischen Tierarzt, James Herriot, hast du von dem gehört?«

»Glaub schon. Aber das alles kannst du doch weiterhin machen, auch wenn du mit mir Pizza essen gehst.«

»Mal sehen.«

Der Vater saß in seinem Arbeitszimmer, als sie wieder ins Haus kam und duschen wollte. Er musste schräg auf dem Stuhl sitzen, um sein Bein ausstrecken zu können. Sie trat ein und sah ihn an, dachte, sie hätte gern mehr Mitleid mit ihm. Er hob den Blick, ihre Augen begegneten sich für einen kurzen Moment, dann senkte er sie wieder. Er fehlte ihr, der,

der er gewesen war, fehlte ihr, der souveräne Schweinezüchter, der jeden Gedanken in jedem einzelnen Schweinekopf kannte und der nachsichtig über Meerschweinoperationen und Leute lachte, die sich Iltisse als Kuscheltiere hielten.

»Schaffst du die Steuererklärung?«, fragte sie.

»Nein.«

»Willst du hören, wie es im Stall war?«

»Nein. Nicht, wenn da alles in Ordnung ist.«

»Das ist es«, sagte sie. »In Ordnung. Ich gehe ins Bett und lese, sobald ich geduscht habe. Oder soll ich dir vorher noch bei irgendwas helfen?«

»Nein.«

»Nichts, was du oben aus deinem Zimmer brauchst?«

»Was sollte das denn sein?«, fragte er.

Sie hätte ihn gern gefragt, ob er nicht irgendwelchen Lesestoff vermisste, zum Beispiel aus seiner Nachttischschublade, aber dann fing sie seinen Blick auf und ließ es sein.

»Ach, das weiß ich doch nicht. Dann gute Nacht.«

Sie saß auf dem Bett und starrte das weiße Viereck auf der Tapete an, wo David Bowie gehangen hatte. Der Regen schlug gegen die Fensterscheiben. Sie goss ein wenig Cognac in das Kunststoffglas, trank. Sie würde sich für hier oben ein Radio kaufen müssen, das würde alles ein wenig gemütlicher machen. Und am nächsten Tag wollte sie anfangen, den Holzschuppen aufzuräumen, Ordnung ins Werkzeug zu bringen. Das würde sie schaffen. Wenn nur sein Bein wieder gesund würde, wäre alles gut.

Diese vielleicht«, sagte er und hielt die Zeitung weit von sich gestreckt.

»Das ist anderthalb. Und jetzt siehst du viel besser, nicht wahr?«

»Wenn wenigstens was Interessantes in der Zeitung stünde. Aber warum hast du so viele gekauft? Rausgeschmissenes Geld, die kann ich doch nicht alle brauchen.«

Sie hatte eine ganze Tüte voll Brillen gekauft, mindestens fünf und behauptete, dass eine nur knapp hundert Kronen gekostet hatte. Aber das machte insgesamt doch fünfhundert!

»Die, die ihr nicht brauchen könnt, bringe ich zurück.«

Sie ging ins Wohnzimmer und hielt dem Vater eine Brille hin. Er setzte mehrere Brillen auf, zwei fielen ihm auf den Boden, dann war er zufrieden.

Sie hatte wieder Kuchen gekauft, jeden Tag kaufte sie Kuchen, er hatte das fast schon satt, und dabei war es doch Festtagskost. Er vermisste die Haferkekse der Mutter, aber alle Dosen waren leer.

Er vertiefte sich in die Zeitung, eigentlich konnte er mit dieser Brille gut lesen.

»Danke«, sagte er, als sie zurückkam und drei Brillen wieder in die Tüte steckte.

»Und jetzt bin ich eure Friseurin«, sagte sie.

»Friseurin? Wieso das denn?«

»Ihr seht doch beide aus wie zottige Hippies!«

Sie schnitt aus einer Plastiktüte einen passenden Frisierumhang und legte ihn um, ehe sie mit der Schere loslegte, der besonders scharfen, die die Mutter für diesen Zweck aufbewahrt hatte.

»Deine Haare hast du lange nicht mehr gewaschen«, sagte sie. »Sicher nicht mehr, seit das mit dem Bein passiert ist. Echte Jahrgangshaare, das hier.«

»Nehm den Waschlappen«, sagte er. Warum klang ihre Stimme so fröhlich, welchen Grund konnte es geben, um fröhlich zu sein? Der Regen prasselte, der Hof stand einfach da, und hier saß er.

»Waschlappen für die Haare? Die waschen wir nachher. Ich mach das für dich.«

In der vergangenen Woche hatte sie den Holzschuppen aufgeräumt, ohne ihn vorher zu fragen, war einfach in die Küche gekommen und hatte gesagt, das sei jetzt erledigt. Er würde dort überhaupt nichts mehr finden. Und an einem anderen Tag hatte er sie plötzlich durch das Küchenfenster gesehen, als sie auf einer Leiter stand und mit einem Besenstiel verfaultes Laub aus der Regenrinne schob, sie hätte ihm das ja wohl erzählen können, dass die Regenrinne verstopft war, dann hätte er sagen können, dass sie sicher voll mit totem Laub sei, und ob sie sich vielleicht die Mühe machen könnte, sie zu säubern, mit einem Besenstiel würde das gut gehen. Jetzt musste er mit dem Nacken über dem Küchenwaschbecken sitzen, während sie sich an seinem Kopf zu schaffen machte, er kam sich vor wie ein Idiot. Sie spülte die Haare aus und rieb sie mit einem Handtuch trocken.

»Das mach ich selbst«, sagte er und nahm ihr das Handtuch weg.

»Nicht die Ohren vergessen«, sagte sie.

»Ich bin sechsundfünfzig Jahre alt, ich denke an die Ohren.«

Danach verpasste sie dem Vater dieselbe Behandlung. Er

selbst nahm das Gehgerät und schob es vor sich her ins Arbeitszimmer, um sich das nicht ansehen zu müssen. Der Vater freute sich; er lächelte, als er mitten in der Küche auf einem Stuhl saß und ebenfalls die Plastiktüte um die Schultern hängen hatte.

Er schloss beide Türen hinter sich und rief Arne bei Trønderkorn an. Arne wollte sofort wissen, was das Bein mache.

»Geht langsam. Ich hatte gedacht, ich würde zum 1. April wieder voll in Form sein, denn da habe ich neue Würfe. Aber es wird wohl noch lange steif bleiben. Und da schaffe ich das nicht ohne Hilfe. Verdammter Mist.«

Nein, Bauern dürften nicht lange krank sein, das wüssten doch alle, meinte Arne. Aber er habe ja das Glück, Kai Roger als Betriebshelfer zu haben, der sei tüchtig und zuverlässig, und er habe noch dazu das Glück, dass auch seine Tochter aushalf. Dazu sagte er gar nichts, dennoch bestellte er die Futtermenge, von der Torunn gesagt hatte, dass dieser Kai Roger behauptete, sie zu brauchen.

»Die müsst ihr bringen. Dieser Kai Roger will unter keinen Umständen meinen Traktor benutzen. So ein Quatsch.«

Das fand Arne nicht weiter verwunderlich, er habe den Traktor ja gesehen, sagte er und grinste insgeheim.

»Übrigens, ehe ich das vergesse … Du wolltest nicht zufällig bald zum Spirituosenladen?«

Arne wollte nicht in den Spirituosenladen, aber er hatte am Spätnachmittag in der City Syd zu tun und konnte dort im Spirituosenladen vorbeischauen, was Tor denn brauche?

»Zwei halbe Aquavit. Aber die anderen hier … die sollen das nicht sehen. Kannst du sie nicht in mein Arbeitszimmer bringen? Dann kannst du auch gleich die Futterabrechnung für voriges Jahr mitbringen, somit sparst du Porto.«

Die sei schon vor langer Zeit geschickt worden.

»Ach so. Dann liegt sie sicher hier im Stapel.«

Arne würde trotzdem ins Arbeitszimmer kommen, das

wäre kein Problem, das Kind würde er schon schaukeln, nicht alle Welt brauchte schließlich alles auf der Welt zu wissen.

»Nein, da sagst du wirklich etwas Wahres.«

Am selben Abend gab der Fernseher seinen Geist auf. Torunn war im Stall. Der Vater drückte und drückte auf die Knöpfe, aber nichts passierte.

»Verdammter MIST!«

»Es ist nicht meine Schuld«, sagte der Vater.

»Du sitzt doch ununterbrochen vor der Kiste. Du hast ihn verschlissen. Ich wollte nur die Nachrichten und diese Sendung danach sehen!«

»Das Naturmagazin«, sagte der Vater und drückte weiter. Aber der Schirm blieb dunkelgrün und tot.

»Verdammt ...«

Er zog sich am Gehgerät hoch und humpelte zum Fernseher hinüber. Eine tote Topfblume stand auf einem weißen Häkeldeckchen. Er hatte Marit Bonseth und Torunn verboten, sie wegzuwerfen. Jetzt riss er sie zusammen mit dem Deckchen weg, ließ alles einfach auf den Boden fallen, so dass vertrocknete Erdklumpen in alle Richtungen flogen, und schlug mit der einen Faust auf den Apparat, während er sich mit der anderen Hand am Gehgerät festklammerte.

»Versuch es jetzt!«, sagte er.

Der Vater beugte sich vor und schaltete den Fernseher mehrere Male ein und aus. Die frisch geschnittenen und gewaschenen Haare lagen wie luftiger Flaum auf seinem Schädel.

»Nein«, sagte er. »Nichts.«

Er schlug wieder zu, und der Fernseher bebte. Der Vater drückte, sie warteten, nichts passierte.

»Vierzehn Jahre alt«, sagte der Vater.

»Dann ist Schluss mit dem Fernsehen hier im Haus«, sagte er.

»Nein.«

»Nein? Hast du etwa Geld für einen neuen?«

»Ich hab doch meine Rente.«

»Nein, die hast du nicht. Die hat der Hof, und das weißt du nur zu genau. Dieses Geld ist schon ausgegeben, ehe es hier ankommt.«

»Vielleicht kann Torunn...«

»Du kannst, verdammt nochmal, auch mal Verantwortung übernehmen.«

Sie hatten das Radio auf voller Lautstärke laufen, er saß in der Küche und der Vater im Wohnzimmer, als Torunn über den Hofplatz kam und der Betriebshelfer seinen lächerlich großen Wagen anließ und die Allee hinunterfuhr. Sie kam nicht in die Küche, sondern ging gleich nach oben zum Duschen. Wovor sie wohl Angst hatte? Nach jeder einzelnen Runde im Stall zu duschen, sie trug doch den Overall und darüber die Stiefel. Als ob an dem Geruch nach feinen, gesunden Schweinen etwas auszusetzen wäre.

Die Schweine. Wenn die ihn nicht brauchten, was hatte er dann noch? Er konnte es nicht ertragen, wenn sie über die Schweine sprachen, merkte, wie sich alles in ihm zusammenkrampfte, sobald sie von ihnen erzählte, als kenne sie sie besser als er, als gehörten sie ihr. Wenn das der Fall sein sollte, dann sollte sie doch gleich den Hof übernehmen. Alles übernehmen. Das würde er ihr auch sagen. Er zog die Zeitung zu sich heran, stellte dabei fest, dass der Kalender von *Coop* noch immer den 1. Februar zeigte, bald herrschte hier gar keine Ordnung mehr. Und die Wunde juckte einfach höllisch unter den vielen Verbandschichten. So viele waren das eigentlich gar nicht, aber trotzdem kam er nicht an die Wunde heran. Dass Jucken schlimmer sein könnte als Schmerzen, das hatte er in seinem ganzen Leben noch nicht erlebt. Er setzte die Brille auf und las, ohne auch nur ein Wort zu registrieren. Und im Radio kam jetzt eine neue Sendung mit hoffnungsloser Musik.

»Such einen anderen Sender!«, rief er zur Wohnzimmertür hinüber, aber der Vater reagierte nicht. Er konnte gerade noch die Knie durch die Türöffnung sehen, und die angewinkelten Ellbogen, die ihm verrieten, dass er dort über einem Buch saß. Der Vater musste doch begreifen, dass es einfacher für ihn sein würde, herauszukommen und einen anderen Sender einzustellen, als für ihn selbst, da er sich erst auf das Gehgerät bugsieren müsste, um das Radio zu erreichen.

»Scheiß auf den Krieg, und such einen anderen Sender!«

Weder Knie noch Ellbogen bewegten sich, schnaufend zog er sich auf das Gehgerät und schleppte sich zum Radio, drehte wie besessen am Sucher herum. Noch immer lief das Radio auf voller Lautstärke, als Torunn hereinkam, er roch ihr Shampoo.

»Meine Güte, was für ein Krach«, sagte sie.

»Ich such ja schon einen neuen Sender.«

»Aber wollt ihr denn nicht fernsehen?«, fragte sie, beugte sich über ihn und drehte den Lautregler ziemlich weit nach links.

»Kaputt.«

Sie ging ins Wohnzimmer, endlich fand er einen Sender mit normaler Musik, schwedische Schlager. Sie kam zurück in die Küche, beide Hände in die Seiten gestemmt, er warf einen kurzen Blick in ihr Gesicht, das nichts Gutes verhieß.

»Sag mal, hast du die Pflanze einfach auf den Boden geworfen?«

»Die ist tot.«

»Das weiß ich. Ich wollte sie ja auch schon wegwerfen. Aber nicht auf den Boden.«

»Die ist runtergefallen.«

»Glaub ich nicht. Ich sehe sehr gut, dass du sie auf den Boden geschmissen hast.«

Er schleppte sich zum Küchentisch, jetzt musste er sich zusammenreißen, durfte nichts sagen, was er später bereuen würde. Wenn sie nur zu reden aufhören könnte.

»Und wer soll die ganze trockene Erde zusammenfegen? Hm?«

Er gab keine Antwort…

»Ich habe das alles zum Kotzen satt«, sagte sie. »Zum Kotzen satt, einfach nur hier zu sein und dein miesepetriges Gesicht zu sehen und nie ein aufmunterndes Wort zu hören. Ich kann auch wieder gehen, weißt du.«

»Dann tu es.«

»Das ist doch nicht dein Ernst.«

»Wenn du glaubst, dass du einfach gehen kannst, dann hast du überhaupt nichts kapiert. Und dann kannst du auch gleich einfach gehen.«

»Wie meinst du das? Was soll das heißen?«, fragte sie mit einem unheilverkündenden neuen Unterton in der Stimme. Sie setzte sich ihm gegenüber an den Küchentisch und drehte dabei das Radio ganz aus. Er starrte in die Zeitung, hatte jedoch vergessen, die Brille aufzusetzen, er konnte kein Wort lesen, wenn er sie so dicht vor die Augen hielt.

»Wie hast du das gemeint?«, fragte sie und zog ihm die Zeitung weg, riss sie ihm einfach aus der Hand.

»Es ist auch dein Hof«, sagte er.

»Meiner?«

»Ja, was glaubst du. Wenn ich nicht mehr… weitermachen kann. Oder findest du, wir sollten ihn verkaufen? Den Familienhof? Neshov verkaufen? Willst du das?«

»Ich will gar nichts«, sagte sie, plötzlich kleinlaut, jetzt war er der Stärkere. »Ich möchte nur hier auf dem Hof einen freundlichen Umgangston haben.«

Na gut, wenn sie nicht darüber sprechen wollte.

»Der Fernseher ist kaputt«, sagte er.

»Du kannst doch sicher das Geld nehmen, das du von Erlend und Krumme bekommen hast«, sagte sie und schob ihm die Zeitung wieder hin. Sie klang total gleichgültig, begriff sie nicht, was ein Fernseher für zwei Menschen bedeutete, die hier einfach nur auf der Stelle traten?

»Es ist weg«, sagte er.

»Das Geld von Erlend?«, hörten sie die Stimme des Vaters aus dem Wohnzimmer.

»Das geht dich nichts an!«, rief er.

»Du hast zwanzigtausend für den Hof bekommen!«, sagte Torunn.

»Es ist weg. Die Ratten … haben es gefressen«, sagte Tor.

»Die Ratten haben etwas über elf gekostet«, sagte sie. »Und der Rest?«

»Alles weg. An Røstad fürs Kastrieren und Nähen und Impfen und für die Besamung und an Trønderkorn. Ich warte auf Geld von Eidsmo. Aber ein Fernseher ist teuer.«

»Für dreitausend kriegst du schon ein gutes Modell.«

»Wir haben keine dreitausend.«

»Die habe ich vielleicht. Mal sehen. Ich weiß nicht. Mal sehen.«

Er setzte sich ins Büro, unendlich erleichtert, weil er gelernt hatte, Geld per Post zu überweisen. Er und die Mutter hatten einen ganzen Abend gebraucht, um sich darüber zu informieren. Sonst müsste Torunn jetzt für ihn zur Fokus Bank nach Heimdal fahren und würde alles über Einnahmen und Ausgaben erfahren, darüber, wie schlimm es eigentlich stand. Ohne die Rente der Mutter kamen sie nicht mehr über die Runden, so einfach war das. Und es war unmöglich, sich vorzustellen, wie sie die Rattenrechnung ohne Erlends Geld hätten bezahlen sollen. Er dachte mit Schrecken an den Tag, an dem er sich rückwärts die Treppe hochgeschleppt und sich in sein Schlafzimmer gezogen hatte, um das Bargeld zu holen. Er konnte nicht zulassen, dass jemand seine Nachttischschublade durchwühlte, er hatte das selbst erledigen müssen, als der Vater schlief und Torunn einkaufen war. Die Schädlingsbekämpfung hatte er in bar bezahlt, und er hatte noch ungefähr einen Tausender, aber das brauchten die anderen nicht zu wissen.

Jetzt hörte er, dass sie den Staubsauger ins Wohnzimmer

zog und loslegte. Morgen würde Arne den Aquavit bringen, Gott sei Dank konnte er ihn bezahlen. Er starrte die vielen Umschläge an, die darauf warteten, geöffnet zu werden, voller Zahlen, die auf den richtigen Platz und in Spalten und Rubriken gesetzt werden sollten. Der Aquavit würde ihm gut tun. Sie hatte doch keine Ahnung.

Glaubte sie wirklich, dass man einen Hof mit einem freundlichen Umgangston betreiben könnte?

Das war Torunn«, sagte Erlend.

»Hab ich verstanden«, sagte Krumme. »Stimmt irgendwas nicht?«

»Sie braucht dreitausend Kronen. Der Fernseher auf Neshov hat heute Abend seinen Geist aufgegeben.«

»Dann haben sie ja nicht viele Reserven da oben.«

»Ich überweise das morgen. Ins Ausland geht das leider nicht per Internet, sonst könnte ich das sofort erledigen.«

»Und wie geht es ihr sonst?«

»Dreckig. Tor ist im Moment offenbar unerträglich. Heute hat er sogar gesagt, dass es ihre Pflicht ist, da zu sein, und dass sie bleiben muss, sonst wird der Hof verkauft. Sie kam mir total resigniert vor. Ich habe gesagt, sie sollte einfach ihre Hutschachtel packen und lieber herkommen, aber da war sie fast ein bisschen wütend auf mich…«

»Das ist ja auch kein Wunder, oder?«

»Er hat doch einen Betriebshelfer. Und sie hatten eine Haushaltshilfe.«

»So einfach ist das nicht, Erlend. Sie fühlt sich verantwortlich.«

»Ja. Das tut sie wohl«, sagte er und ließ sich neben Krumme aufs Sofa sinken, betrachtete die leere Espressotasse neben dem Cognacglas, und die Kaminflammen, die sich wie gelbe Schlangen mit blauen Schnauzen miteinander verflochten. Krumme legte ihm den Arm um die Schulter.

»Schick ihr zehn.«

»Das hatte ich auch vor«, sagte Erlend.

In zwei Tagen würden sie erfahren, ob Jytte und Lizzi oder eine von beiden oder keine von beiden schwanger war. Beide waren mit der Menstruation im Rückstand, aber das habe nichts zu bedeuten, sagten sie, es sei nur natürlich, dass die Spannung alles durcheinanderbrachte. In zwei Tagen wären es vierzehn Tage seit dem Abend, an dem er und Krumme dicht nebeneinander im Badezimmer im Koreavej gestanden hatten, jeder mit einem Becher und hämmernden Herzen. Wenn er an all die tausende von Samenergüssen dachte, die er schon gehabt hatte, und bei denen er sich nur auf Krummes und seinen eigenen Genuss konzentriert hatte, dann war das doch etwas ganz anderes gewesen. Es war eine Andacht über der Tat gelegen, ihm waren Tränen in die Augen getreten, als er kam. Ein Kind. Jytte hatte einen blauen Strich auf seinen Becher gezogen. Lizzi sollte Krummes nehmen. Die Blutgruppen passten in beiden Kombinationen zusammen, also hatten sie die Wahl, hatte der Arzt gesagt. Und da Lizzi groß und Jytte klein war, hatten sie beschlossen, dass Erlend und Lizzi besser zueinander passten. Nachdem sie beide Becher überreicht hatten, zogen sie sich ins Wohnzimmer zurück. Im Schlafzimmer brannten Kerzen, und es roch nach Weihrauch. Jytte und Lizzi warteten frisch geduscht und im Morgenrock. Keine sagte etwas, ehe sie die Tür abschlossen, alles war so seltsam, fast unwirklich. Im Wohnzimmer saßen er und Krumme, die Hände ineinander verschränkt, ohne ein Wort, fast eine ganze Stunde lang, bis Jytte und Lizzi wieder zum Vorschein kamen. Lange hatte er gedacht, er werde ins Schlafzimmer stürzen und sagen, er habe sich alles anders überlegt, aber dann war er doch unendlich erleichtert, als sie beide Hand in Hand und lächelnd herauskamen. Krumme sprang auf und sagte: »Setzt euch jetzt mal ganz ruhig hin, dann mache ich das Essen fertig. Bewegt euch ja nicht. Und zieht die Beine an.«

Er und Krumme hatten alles mitgebracht, köstliche Linsensuppe mit geräuchertem Schweinefleisch und jede Menge Gemüse, Nanbrot und Lachscarpaccio als Vorspeise. Der Tisch war schon gedeckt, mit einem großen Strauß roter Rosen in der Mitte. Erlend stöhnte vor Wohlbehagen, als er sich das erste Glas Rotwein einschenkte. »Endlich! Was für eine Wüstenwanderung… Prost, lieber Krumme und liebe Mütter!«

Nach diesem Abend wurde alles anders. Er hatte wilde Träume, und fast immer ging es dabei um seine Kindheit. Gesichter, Stimmen, der Weg durch die Ahornallee zum Hof, die Kieselsteine unter den abgenutzten Sandalensohlen, der Fingerhut am Wegrand, der würzige Duft nach Gras und Erde, die Sonnenflecken durch die Ahornkronen. In der Küche der Geruch von Essen und Staub, es war immer Sommer, wenn er von Neshov träumte, tote Fliegen dicht an dicht auf dem Fliegenpapier, das von der Küchendecke hing, der weiße Eimer mit dem Gemüseabfall unter dem Ausguss. Er erinnerte sich sogar daran, dass es gut getan hatte, in den Gummirand um den Ausguss zu beißen, als er groß genug gewesen war, um hinaufzureichen. Und er träumte von Großvater Tallak im Ruderboot, sah, wie die Ellbogen auf den Knien ruhten und Wasser vom Ruder tropfte, um sich in glitzernden Sekunden mit dem Rest des Fjordes zu vereinen, schweißnasse Haarsträhnen, die an der Stirn klebten, sein breiter Körper, braune Unterarme, die riesige Lachse ins Boot zogen. Sein Vater. Und wenn sie nach Gaulosen fuhren, um Sand und Kies zum Bauen zu holen, oder nach Øysand, wo sie durch das Wasser stapften, weil Erlend so darum gebeten hatte. Die verwirrten Krebse, die sie in Eimern fingen, von all dem träumte er, er war erschöpft, wenn er aufwachte, erschöpft und nervös. Zum Glück konnte er mit Krumme darüber sprechen, und Krumme verstand, sagte, es gehe darum, dass er jetzt einem Kind gegenüber erwachsen sein würde und dass es deshalb kein Wunder sei, dass er von seiner eigenen Kindheit träumte. Nicht einmal der große Erfolg des Räuberfensters, das ihm und dem Goldschmied fast eine ganze Seite und ein Interview in *BT* eingebracht hatte, konnte die Gedanken verdrängen, die um alles kreisten, was passieren würde.

»Die arme Torunn«, sagte er und stand auf. »Wenn sie doch nur am 10. zu meinem Geburtstag kommen könnte, das wäre eine Abwechslung von dem ganzen Elend. Ich habe übrigens einen netten Typen eingeladen, den du nicht kennst. Hetero. Zum Fressen. Er heißt Georges.«

»Dekoriert der auch Fenster?«

»Nein, er arbeitet in einem kleinen Café. Apropos, möchtest du noch Kaffee?«

»Ja, bitte. Ich hab mir etwas überlegt«, sagte Krumme.

»Wir tun doch ohnehin nichts anderes. Außer natürlich bei Jytte und Lizzi anzurufen, um zu fragen, ob eine schon ihr Frühstück ausgekotzt hat oder unbedingt Vanilleeis mit Gewürzgurken essen will.«

»Solche Reaktionen in einem so frühen Stadium noch nicht. Es ist schon phantastisch genug, dass sich mit einem Test bereits nach vierzehn Tagen alles beweisen lässt.«

»Die Hormone verändern sich. Alles dreht sich um Hormone, wenn es um Frauen geht, Krumme, deshalb haben wir zwei es zusammen so unendlich viel besser.«

Erlend ging mit den Tassen in die Küche, stellte eine nach der anderen unter die Espressomaschine, drückte auf den Knopf, gab die Menge Zucker dazu, von der er wusste, dass Krumme sie liebte.

»Wie hast du das übrigens gemeint?«, rief er ins Wohnzimmer. »Dass du dir etwas überlegt hast.«

»Setz dich erst mal. Cognac?«

»Natürlich.«

Sobald Krumme von seinem Vorschlag berichtet hatte, sagte Erlend: »Das will ich nicht. Das ist Wahnsinn.«

»Reagier nicht so instinktiv. Lass uns darüber reden.«

»Warum denn?«

»Weil es genial ist. Jytte und Lizzi werden von der Idee begeistert sein, und es wäre eine Hilfe für alle, nicht zuletzt für Torunn, die doch jetzt ganz allein ist und unter Druck steht.«

»Es würde Millionen kosten«, sagte Erlend.

»Höchstens zwei. Vielleicht drei. Maximal vier. Ich kann mir mein Erbe jetzt schon ausbezahlen lassen, ich habe mit meinem Vater gesprochen, das ist überhaupt kein Problem.«

»Du hast mit deinem Vater gesprochen? Darüber? Aber Krumme ...«

»Nicht darüber, sondern über Geld. Ihm ist es scheißegal, was ich damit mache, und es gibt noch mehr, da, wo es herkommt. Es hatte doch keinen Sinn, mit dir darüber zu sprechen, noch bevor ich wusste, ob die Sache mit dem Geld geklärt ist. So siehst du das doch sicher auch, Mäuschen.«

»Das schon ...«

»Wir könnten einfach hinfahren, wann immer wir wollen, Erlend. Im Sommer. Überleg doch mal, für die Kinder, ein norwegischer Bauernhof, Fjord und Berge. Es wäre auch eine solide Investition«, sagte Krumme, er hatte Erlends Hand gepackt und drückte sie. »Ein Stützpunkt.«

»Ein Stützpunkt?«, fragte Erlend.

»Ein Stützpunkt in Norwegen.«

»Aber ich hasse Norwegen!«, sagte Erlend, riss seine Hand los, sprang auf und lief zu den Terrassentüren, starrte die Dächer der Stadt an, einen Lichtteppich in der nächtlichen Dunkelheit.

»Das tust du nicht. Du träumst jede Nacht von Norwegen und Neshov«, sagte Krumme leise.

»Aber den Hof zu sanieren? Wozu soll das gut sein? Neshov zu sanieren?«

»Vorausgesetzt Torunn will. Du sagst ja selbst, dass sie sich nicht sicher ist. So, wie der Hof jetzt aussieht, kann ich das sehr gut verstehen. Wenn wir also den Vorschlag machen, dann liegt die Entscheidung bei ihr. Sagt sie Nein, wird er wohl verkauft, sobald Tor nicht mehr kann. Selbst wenn wir zwei ihn kaufen wollten, dürften wir den Hof nicht besitzen und in Dänemark wohnen. Das habe ich herausgefunden. Betriebspflicht heißt das in Norwegen, man kann sich davor drücken, wenn man den Boden verpachtet und Erbe ist, aber bei der Wohnpflicht gibt es kein Pardon. Nicht mitten in einem landwirtschaftlichen Bezirk.«

»Das alles hast du recherchiert? Hinter meinem Rücken?«

»Recherchen machen einen großen Teil meiner Arbeit aus, Erlend. Ich habe nicht mal eine Stunde dafür gebraucht. Ich wollte die Tatsachen auf dem Tisch haben, bevor ich mit dir darüber spreche.«

»Du kannst mich mal mit deinen Recherchen«, sagte Erlend, ließ sich wieder auf das Sofa fallen und leerte sein Cognacglas mit einem einzigen langen Zug, er fing an zu husten, hatte Cognac in der Nase, ihm kamen die Tränen.

»Aber können wir nicht einfach ein bisschen laut denken?«, fragte Krumme, ging in die Küche und holte für Erlend eine Serviette. »Das Haus ist riesig, und es hat jede Menge Zimmer, die nicht benutzt werden.«

»So ein Haus heißt Trønderzeile«, sagte Erlend und putzte sich die Nase.

»Komischer Name für ein Haus. Jedenfalls ...«

»Das ist ein norwegisches Wort, Krumme. Deshalb ist es komisch. Du weißt doch, was Piet Hein einmal über die französische Sprache gesagt hat, dass das Wort für Pferd ›cheval‹ lautet und dass es dann immer so weitergeht. Auf Norwegisch heißt so ein Haus Trønderzeile und so geht es dann immer weiter.«

»Egal. Wenn wir einen Teil des Hauses für uns einrichteten, dann wäre noch immer genug Platz für Torunn und Tor und den Alten.«

»Torunn müsste eine eigene Wohnung haben«, sagte Erlend.

»Die Scheune steht doch auch noch da. Die Schweine sind ja nur im Erdgeschoss.«

»Das heißt Stall«, sagte Erlend.

»Jetzt hör doch mit der Wortklauberei auf, du Dussel. Du bist schwarz auf der Wange, lass mich das wegwischen. Komm her.«

Er ließ Krumme auf den Zeigefinger spucken und dann seine rechte Wange säubern.

»So«, sagte Krumme. »Natürlich braucht Torunn eine eigene Wohnung.«

»Wie lange müssten wir dann da sein? Jedes Mal?«

»Genau so lange, wie wir Lust haben. Eine Woche. Einen Monat. Einen Tag. Jytte und Lizzi könnten auch mitkommen, wenn sie wollen, du weißt, sie lieben Norwegen, sie haben schon Skiurlaub in Norwegen gemacht. Sie lieben Norwegen.«

»Du wiederholst dich. Ja, ich weiß, dass sie Norwegen lieben. Ich bin offenbar der Einzige, der das nicht tut.«

»Du tust es aber. Wenn du nur die Vergangenheit hinter dir lassen und einen Schlussstrich ziehen könntest.«

»Das hab ich doch gemacht! Und deshalb wohne ich hier!«

»Du verstehst, was ich meine. Byneset ist phantastisch. Neshov ist phantastisch, wenn man vom Verfall absieht.«

»Willst du auch den Stall sanieren? Für die Schweine?«

»Über das alles müssen wir mit Torunn sprechen. Und mit Tor. Er wird ungeheuer erleichtert sein, glaube ich. Dann war seine ganze Schufterei doch nicht umsonst. Und wenn Jytte schwanger wird, ist das Kind doch der nächste Erbe hinter Torunn.«

»Du glaubst ja wohl nicht, dass ich in einen Becher mit einem blauen Filzstiftstrich gespritzt habe, um einen Bauern zu zeugen!«

»Erlend, Erlend ... Ich liebe dich, aber ab und zu ... Du kannst nicht über das Leben von anderen bestimmen. Dein Kind wird ein selbständiger Mensch werden, und du weißt nichts darüber, was dieser Mensch aus seinem Leben wird machen wollen. Man wünscht sich Möglichkeiten, die man nutzen kann. Du weißt doch nichts. Wenn der Hof verkauft wird, ist Schluss. Dann ist diese Tür verschlossen. Für immer.«

»Herrgott«, sagte er und schlug die Hände vors Gesicht.

»Willkommen in der Wirklichkeit«, sagte Krumme, zog Erlends Kopf auf seinen Schoß und fuhr ihm durch die Haare. Erlend schloss die Augen, versuchte, alles vor sich zu sehen, Neshov im alten Glanz, und er betrat dort seine eigene Wohnung, füllte die Schränke mit Lebensmitteln, schaute aus dem Fenster, wo zwei Kinder mit Wiesenblumen in den Händen herumsprangen, wehende Kleider an der Wäscheleine, Erdbeeren mit Sahne auf dem Hofplatz. Dort hatte früher ein Tisch gestanden, und Bänke, was mochte aus dem Tisch geworden sein, vielleicht stand er auf dem Dachboden. Mit weißer Spitzendecke und Jytte und Lizzi in Liegestühlen, Krumme in Shorts vor dem Herd, Shorts standen ihm nicht. Wanderungen an den Strand, Badeausflüge nach Øysand, wo sie Einsiedlerkrebse, Babykrebse und polierte Marmorsteine finden könnten, vielleicht eine Herbstreise, Beeren pflücken in Gaulosen, um sie in Alkohol und Zucker einzulegen und zu Weihnachten hier zu Hause als Likör zu servieren. Zwei Kinder mit Wiesenblumen in den Händen …

»Wünschst du dir einen Jungen oder ein Mädchen, Krumme?«, fragte er und öffnete die Augen.

»Ich weiß nicht. Darüber haben wir noch nicht gesprochen. Ich trau mich irgendwie nicht, solange wir nicht wissen … Erst wenn Lizzi und Jytte …«

»Und dabei willst du doch sonst immer über absolut alles reden.«

»Einen Jungen, vielleicht …«

»Was wird, wenn beide Zwillinge kriegen?«

»Erlend! Herrgott. Sag so was nicht. Auf die Idee bin ich überhaupt noch nicht gekommen.«

Erlend musste lachen, konnte nicht aufhören, musste sich aufsetzen, um nicht zu ersticken, lachte noch lauter, als er Krummes Gesicht sah.

»Zwei Zwillingspaare, Herrgott«, murmelte Krumme und griff nach dem Cognacglas.

»Okay«, sagte Erlend und wurde ernst. »Wir werden die Idee zur Sprache bringen.«

»Was?«

»Wir werden darüber sprechen. Zuallererst mit Torunn.«

»Ist das dein Ernst?«

»Ja. Die Reise dauert nun wirklich nur drei oder vier Stunden, es wäre so, wie ein Ferienhaus in Jütland zu haben. Und wenn es Torunn hilft, ihre Entscheidung zu treffen«, sagte Erlend, »warum also nicht.«

»Aber nicht am Telefon, das muss von Angesicht zu Angesicht geschehen. Und jetzt warten wir erst mal das Ergebnis aus Koreavej ab. Das mit den Zwillingen hättest du nicht sagen dürfen«, sagte Krumme. »Jetzt kann ich heute Nacht bestimmt nicht schlafen.«

Er fuhr mitten in der Nacht aus einem Traum über ein Erdbeerfeld auf, er lief zwischen den Pflanzen hindurch, hielt total verängstigt Ausschau nach Wespen, niemand kümmerte sich um ihn, die Pflanzen waren schwer von roten Beeren, während weiter unten noch grüne hingen. Er wurde wach und blieb ganz still liegen, er dachte an einen Zellklumpen, der vielleicht in Jytte heranwuchs, ohne dass sie es jetzt schon wussten. Ein Mädchen. Wenn es doch nur ein Mädchen wäre. Er würde ihr alles zeigen, würde mit ihr mit dem Boot hinausfahren, ihr eine kleine Angelrute kaufen, ihr die Haare flechten, wenn sie am Tisch im Schatten des großen Hofbaumes saß, er würde ihr vom Hofwichtel erzählen, während er flocht, und sie würde ihm jedes Wort glauben.

Er war auf Neshov. Im Traum war er mit ihr zusammen auf Neshov gewesen. Nicht im Tivoli, nicht im Tierpark, nicht im

Möbelhaus Illum, wo er ihr seine phantastische neue Fensterdekoration zeigen konnte.

Er setzte sich im Bett auf, starrte in die Dunkelheit hinaus. Er war auf Neshov, und er war da und war ihr Vater, und diese Vorstellung jagte ihm keine schreckliche Angst ein. Er wollte ihr alle Häuser zeigen, ihr von damals erzählen, als sie in den Silo geklettert waren und er abgestürzt war, sich das Bein mit Ameisensäure verätzt hatte und ins Krankenhaus gebracht werden musste.

Der Silo… Der Silo!

»Krumme, du musst aufwachen!«

»Was…«

»Du kannst doch nicht schlafen. Hast du das vergessen? Du kannst nicht schlafen, weil wir vier Kinder bekommen. Vielleicht sogar Drillinge. Alle beide. Das macht dann insgesamt sechs. Und mit dir und mir und Lizzi und Jytte sind wir eine ganze Fußballmannschaft, dann fehlt uns nur noch der Torwart!«

»Reg dich ab, ich bin doch wach.«

»Der Silo, Krumme.«

»Auf Neshov? Was ist damit?«

»Darin können wir wohnen. Der steht leer. Er wird nicht mehr benutzt. Nicht für die Schweinezucht. Wir können eine Wohnung darin bauen, Krumme. Oder Wohnungen. Es sind eigentlich zwei, sie sind miteinander verbunden.«

Krumme setzte sich auf, schlaftrunken sah er aus wie eine zottige Hummel.

»Geht das denn?«, fragte er.

»Die sind aus Beton, man muss also natürlich Fenster und Türen durchbrechen und isolieren, man muss sie einfach als leere Schalen betrachten, aber denk doch nur, wie phantastisch. Kreisrunde Häuser. Wir kriegen garantiert die gute Etage. Und du kennst doch Kim Neufeldt, diesen heißen Architekten, der kann hinreißende Entwürfe zaubern. Aber ganz billig sind die wohl nicht…«

»Das findet sich schon. Wie groß sind die denn eigentlich? Im Durchmesser?«

»Mal überlegen«, sagte Erlend und zog sich die Decke bis ans Kinn, es war eiskalt im Zimmer. »Ich tippe sechs, sieben Meter, und die Futterzentrale ist auch ganz schön lang. Und was ist die Formel für die Fläche eines Kreises, Krumme, mein wandelndes Lexikon?«

»Pi mal den Radius hoch zwei.«

»Das musst du ausrechnen.«

»Ich muss erst den Taschenrechner aus dem Arbeitszimmer holen.«

»Dann lauf.«

Erlend blieb im Bett sitzen und sah alles vor sich. Runde Wände, eine Wendeltreppe, die die Stockwerke miteinander verband, weiß gekalkte Mauern, Sommermöbel in hellem Pastell, Wiesenblumen in allen Vasen, Schiebebetten im Wohnzimmer voller Kissen, Antiquitäten und High-Tech in trauter Vereinigung, ein geschliffener Leuchter über einem Esstisch aus einer der alten Türen mit einer dicken Glasplatte darüber.

»Fast vierzig Quadratmeter pro Silo«, sagte Krumme und schlüpfte wieder unter die Decke. »Und dazu kommt dann noch diese … Zentrale, die du erwähnt hast.«

»Die können wir zu Glasbrücken zwischen den Zimmern in jedem Stock ausbauen. Und die können wir auch möblieren. Ein Aussichtssofa, eine Glasveranda, eine Bar?«

»Keine Bar, wo Kinder im Haus sind, Mäuschen.«

»Okay. Dann eine Milchbar. Dann wird jede Etage an die … sagen wir, siebzig bis achtzig Quadratmeter. Drei Etagen machen insgesamt … Es wird so sein, wie in einer niederländischen Windmühle zu wohnen, Krumme. Erinnerst du dich an dieses winzige Hotel, das früher mal eine Mühle war, mit nur sieben Zimmern, wo wir gewohnt haben, als du die Reportage über die Verwendung von Hasch als schmerzstillendes Mittel in niederländischen Altersheimen geschrieben hast?«

»Wie könnte ich das vergessen. Du hast ihnen geholfen, die Joints zu drehen, der Fotograf konnte dich nur mit Mühe verjagen, als er die Bilder gemacht hat. Aber es ist eine geniale Idee, Erlend. Ganz einfach genial. Und jetzt bin ich hellwach. Tausend Dank dafür.«

Zehn Minuten darauf schnarchte Krumme wieder wie eine Orgel. Erlend selbst lag da und fragte sich, wie so ein kleines Mädchen mit Zöpfchen und Angelrute wohl heißen könnte.

Nach der Urnenbestattung fuhr er nach Neshov. Er konnte keine Rücksicht darauf nehmen, dass Tor am Telefon nicht mit ihm reden wollte, dass er nicht willkommen war. Er hatte ein schlechtes Gewissen, weil er so lange nicht mehr hingefahren war. Aber Torunns Anwesenheit auf Neshov hatte ihn aufatmen und die Tage ihren Lauf nehmen lassen. Die beiden waren seither nicht mehr allein. Er dachte an seine erste Begegnung mit Torunn, im St. Olavs Krankenhaus, am Sterbebett der Mutter, dass sie gekommen war, hatte ihm überhaupt nicht gefallen, am liebsten hätte er sie gleich wieder in den Bus zum Flughafen gesetzt. Aber sie war eine starke Persönlichkeit und hatte sich nicht so leicht vertreiben lassen. Und dass sie eingesehen hatte, dass Neshov wichtiger war als ihre Arbeit in Oslo, das konnte er wirklich nur bewundern.

Es regnete nicht. Allerdings würde sich das bald ändern, über Skaun hingen zum Bersten gefüllte Regenwolken. Er schaltete in einen anderen Gang und bog in die Allee ein. Neben ihm auf dem Sitz lag eine Tüte mit Heißwecken. Wiedergutmachung für seinen späten Besuch. Aber er hatte seit seiner Rückkehr aus Dänemark wirklich alle Hände voll zu tun gehabt, Frau Marstad hatte sich mit einem Tennisarm krank gemeldet, eine absolut blödsinnige Diagnose, fand er. Einen Tennisarm zu bekommen, weil man tote Menschen aufhebt und zurechtmacht.

Tor war allein in der Küche, im Ofen brannte ein Feuer, vor ihm lag eine Zeitung.

»Trägst du eine Brille? Ja, eigentlich seltsam, dass du es so lange ohne geschafft hast.«

»Bist du's?«, fragte Tor.

»Du hast sicher mein Auto gesehen. Aber wo ist ...«

»Der schläft. Und Torunn kauft einen neuen Fernseher. Warum hast du halb Norwegen von den Ratten erzählen müssen?«

»Ich habe es nicht halb Norwegen erzählt. Ich habe es deiner Tochter erzählt. Ist der Fernseher defekt?«

»Der war vierzehn Jahre alt.«

»Dann kann man nicht mehr verlangen, er ist sicher auch viel genutzt worden, nehme ich an. Wie geht es deinem Bein?«

»Gar nicht gut. Es wird danach steif sein.«

»Aber doch nicht für immer?«

»Nein. Aber viel zu lange. Hab in zehn Tagen neue Würfe, das schaff ich nicht.«

»Du hast doch den Betriebshelfer?«

»Ja, den habe ich«, sagte Tor und strich die Zeitung glatt, tat so, als sei er darin vertieft.

»Ich habe Heißwecken mitgebracht, ich setze Kaffee auf.«

»Kann keine Heißwecken mehr sehen.«

»Ach. Schlechte Laune?«

Tor gab keine Antwort, schnaubte, machte sich wieder demonstrativ über die Zeitung her.

Margido spülte den Kessel über dem Ausguss aus und wartete auf Vorwürfe, weil er guten Satz vergeudete, aber Tor saß ganz stumm hinter seiner Brille da.

»Ich habe jetzt eine Sauna«, sagte Margido und ließ frisches Wasser in den Kessel laufen.

»Was?«

»Sauna.«

»Wieso denn?«

»Das tut gut.«

»Hast du den Verstand verloren?«, fragte Tor.

Margido stellte den Kessel auf die Kochplatte, drehte den Herd an.

»Ich gehe rauf und wecke … Vater.«

»Der kann Heißwecken sicher auch nicht mehr sehen. Was zum Teufel soll jemand mit einer Sauna?«

Er schlief. Das Zimmer stank, das Fenster war geschlossen. Sein Nachttisch und der Boden vor dem Bett waren von Büchern und alten Zeitungen bedeckt. Margido öffnete die Vorhänge und das Fenster, das alte Gesicht zog sich zusammen und drehte sich schnaufend vom Licht weg.

»Schläfst du jetzt schon mitten am Tag?«, fragte Margido. »Gleich gibt es Kaffee.«

»Ach.«

»Also komm nach unten.«

»Ist Torunn wieder da?«

»Nein.«

»Ich warte, bis Torunn kommt.«

»Warum denn?«

»Nein … Ich … Tor ist so böse. Die ganze Zeit. Ich kann das nicht aushalten. Es ist besser, wenn Torunn da ist.«

»Sie kauft einen neuen Fernseher, hab ich gehört?«

»Der alte ist kaputt.«

»Sie kommt sicher bald. Komm jetzt runter. Setz dein Gebiss ein. Ich hab Heißwecken mitgebracht. Tor sagt, er kann Heißwecken nicht mehr sehen, du kannst also auch seine haben.«

Sie kam, als der Kaffee gerade fertig war. Er ging hinaus auf den Hof und wartete, bis sie ausstieg. Ein großer brauner Karton lag hinten im Auto.

»Den kann ich tragen«, sagte er und lächelte.

»Schön«, sagte sie, erwiderte seinen Blick aber nicht.

Sie sah ganz anders aus als bei seinem letzten Besuch hier. Bleich, mit blauen Ringen unter den Augen.

»Ich weiß, dass ich lange nicht mehr hier war«, sagte er.

»Das hätte auch nichts geholfen. Er ist wegen der Sache mit den Ratten sauer auf dich.«

»Das merke ich«, sagte er und hob den Karton aus dem Auto.

»Fast dasselbe Modell wie der letzte. Aber mit Fernbedienung. Erlend hat das Geld geschickt.«

»Erlend?«

»Ja, ich habe doch nur mein Krankengeld und muss alle Rechnungen in Oslo bezahlen, obwohl ich gar nicht dort bin.«

»Du kannst das bekommen, was ich Marit bezahlt habe.«

»Nein, es geht schon. Jetzt haben wir immerhin Fernsehen. Aber ich habe wirklich keine Ahnung, wie Tor das alles regelt. Die Finanzen und so.«

Der Alte stellte sich neben sie, während sie den Fernseher auspackten. Er hob die Fernbedienung auf. Torunn gab ihm die Packung mit den Batterien.

»Mach du das. Sie braucht zwei. Auf der Rückseite ganz unten.«

Tor saß in der Küche, er hatte die Zeitung noch immer auf derselben Seite aufgeschlagen und seine Heißwecken nicht angerührt. Der Sockel des alten Fernsehers, den Torunn zur Entsorgung im Laden gelassen hatte, passte nicht zum neuen. Sie brachte ihn in den Holzschuppen, während Margido den kleinsten der drei Beistelltische aus Teak hervorzog und den Fernseher daraufstellte. Er steckte den Stecker und die Antenne ein und drücke auf den Knopf. Sofort erwachte der Bildschirm zum Leben.

»So, ja«, sagte der Alte und lächelte, seine Augen klebten schon am Schirm. Es war deutlich, dass er sich selbst rasierte, die Stoppeln waren unterschiedlich lang, unter dem Kinn wuchs bereits Bart, und die Haare auf der einen Wange waren länger als die auf der anderen. Aber seine Kopfhaare waren frisch geschnitten.

»Hat Torunn euch die Haare geschnitten?«, fragte Margido.

»Ja. Und Brillen hat sie uns gekauft. Sie ist lieb. Aber sie hat es satt.«

Er ließ den Bildschirm nicht aus den Augen, während er das sagte.

»Was hast du gesagt?«, rief Tor.

»Jetzt müssen wir sehen, ob die Fernbedienung funktioniert«, sagte Margido.

»Was hast du gesagt?«, rief Tor.

»Nichts. Wir stellen hier den Fernseher ein!«, sagte Margido.

Er trug den Karton und das Styropor hinter die Scheune zu der alten Feuerstelle, die Stiefel hatte er im Gang gelassen und bereute das sofort, aufgeweichter alter Schnee drang in seine Schuhe ein. Im Gang roch es nach dem Trockenklosett, es roch nach der türkisen Flüssigkeit, die er mit Wasser gemischt und am ersten Abend hineingegossen hatte. Sicher musste es ziemlich oft geleert werden, das war wohl Torunns Aufgabe, wer hätte das auch sonst machen sollen. Daran hatte er nicht gedacht, er hatte sie in Gedanken nur vor Kochtöpfen und Kaffeekessel und Schweinen gesehen. Aber es gab sicher noch so viel anderes. Haare schneiden. Das Trockenklosett. Tors Stimmung. Nein, er musste häufiger herkommen, sonst würde sie nicht durchhalten. Das war er ihr immerhin schuldig.

In der Küche, in triefnassen Schuhen, sagte er, er müsse jetzt weiter.

»Nach Hause zu deiner Sauna?«, fragte Tor.

»Vielleicht.«

»Hast du eine Sauna?«, fragte Torunn, während sie den Teller mit den restlichen Heißwecken mit Plastikfolie überzog. »Das wäre gut nach dem Stall. Ich bring dich raus. Kai Roger muss sowieso jeden Moment hier sein.«

Warum hatte er die Sauna überhaupt erwähnt, warum etwas erwähnen, bei dem es um pures Wohlergehen ging? Warum hatte er davon berichtet, obwohl die Dinge gerade nicht gut standen. Es war sogar viel schlimmer, als er geglaubt hatte. Er zog die Autoschlüssel hervor, als sie sich dem Wagen näherten. Torunn ging hinter ihm her, einige Meter hinter ihm.

»Es ist einfach hoffnungslos, er ist total hoffnungslos«, sagte sie.

»Ja, das merke ich. Er hat immer unter Mutters Pantoffel gestanden, und jetzt hat er offenbar gar nichts mehr im Griff, und deshalb läuft alles so«, sagte er. »Weil er nicht zu seinen Schweinen kann.«

»Meinst du?«

Er drehte sich zu ihr um, doch erst nachdem er die Wagentür geöffnet hatte und sie festhielt, vielleicht um zu spüren, dass er jetzt unterwegs war, fort von allem hier.

»Ich tu nur mein Bestes«, sagte sie und führte die Faust zu ihren Augen, fuhr sich wütend mit der Faust über die Augen, es war ein scheußlicher Anblick, warum nahm sie nicht einfach die flache Hand und legte sie über ihre Augen. Plötzlich erinnerte er sich, dass auch seine Mutter das gemacht hatte, sich die Faust in die Augen gebohrt, wenn sie müde war und »keine Diskussion aushielt«, wie sie das genannt hatte.

»Ich weiß nicht so recht, was ich machen soll. Auf jeden Fall werde ich häufiger herkommen und mir nächstes Mal mehr Zeit lassen, versuchen, mit ihm zu reden. Und wenn es um Geld geht, Torunn …«

»Geld! Ja, das auf jeden Fall. Fahr jetzt endlich. Fahr nach Hause zu deiner Sauna.«

Sie marschierte zum Stall, riss die Tür auf und zog sie hinter sich zu. Er blieb stehen, mit der Hand am Türgriff, sah zum Küchenfenster hinüber, Tor starrte ihn an, über Brillenrand und Scheibengardine hinweg, kurzgeschoren und ausdruckslos. Er ließ die Gardine los, die zitternd in ihre gespannte Position zurücksprang, nur Tors Hinterkopf war noch zu sehen, und der wieder über den Tisch gebeugte Nacken. Was konnte er schon tun, hier konnte er einfach niemandem helfen, außer damit, dass er einen Pappkarton und eine Menge Styropor hinter die Scheune schleppte, er wusste nicht einmal, wo das Petroleum stand und konnte deshalb kein Feuer machen.

Am nächsten Tag kaufte sie in der City Syd ein kleines Reiseradio, etwas zu trinken, eine Stange Zigaretten und etliche Bücher. Eigentlich war es gut, dass der Vater es nicht die Treppe hoch schaffte. Wenn sie selbst hinaufging, hatte sie sozusagen das Gefühl, sich in Sicherheit zu begeben.

Sie ging zu einem Arzt und ließ ihre Krankschreibung verlängern, auf der Heimfahrt rief sie Sigurd an und erklärte ihm die Lage.

»Man darf zwar eigentlich nicht verreisen, wenn man krankgeschrieben ist, aber der Arzt hielt das für in Ordnung, er kommt selbst von einem Hof und weiß, wie das ist. Das hier ist einfach der reine Wahnsinn, Sigurd. Ich komm hier nicht los.«

Sigurd erinnerte sie daran, dass sie von Christer losgekommen war, daher würde sie es hier sicher auch schaffen.

»Ich kann einfach nicht weg. Es geht eben nicht. Und mein Großvater ... Oder ... Er ist doch nicht ... Aber er ist achtzig. Und er tut mir schrecklich leid. Die zwei sind armselige Verlierer.«

Sigurd konnte gut verstehen, dass das alles nicht leicht für sie war. Christer sei in der Praxis gewesen, habe nach ihr gefragt.

»Wirklich? Und was habt ihr gesagt?«

Glücklicherweise habe er mit Sigurd gesprochen und nicht mit den anderen, die die Wahrheit verraten hätten. Sigurd hatte behauptet, sie sei im Ausland bei einem Kurs, und dort sei sie telefonisch nicht zu erreichen, er hatte aber nicht gesagt, wo sie war. Christer habe verstanden, dass Sigurd über die Lage informiert war, da er nicht verraten wollte, wo Torunn war, und er hatte Sigurd gebeten, Torunn auszurichten, dass es kein Kind geben werde, die Frau habe im vierten Monat eine Fehlgeburt gehabt.

»Das ändert nichts. Er hat mich weggeschoben, als er von ihrer Schwangerschaft erfahren hat. Und das sagt alles.«

Das konnte Sigurd verstehen, dennoch habe er es ihr trotzdem erzählen müssen.

»Außerdem habe ich eingesehen, dass er vielleicht nicht ganz der Richtige für mich ist, Sigurd. Er hatte in einigen Punkten ganz schön idiotische Ansichten. Jetzt fahre ich auf den Hofplatz, die Pflicht ruft. Ich müsste eigentlich auch Reifen wechseln, aber die Sommerreifen sind in Oslo. Verdammt. Die Winterreifen sind so abgenutzt, dass ich sie auch als Sommerreifen verwenden könnte, allerdings glaube ich nicht, dass die Verkehrspolizei das auch so sieht.«

Ob sie mit Spikes fuhr? Dann könnte sie die Reifen abnehmen und die Spikes mit einer Ahle herausbohren. Das Gummi an Spikesreifen sei härter als das an Sommerreifen, aber als Notlösung werde es gehen.

Sie war guter Stimmung, als sie in die Küche kam, und nachdem sie Radio, Bücher und Genussmittel ausgepackt hatte. Sie hatte geglaubt, sie werde sich ganz neue Sommerreifen und Felgen kaufen müssen, aber jetzt konnte sie die Spikes einfach mit einer Ahle entfernen. Und in Oslo saß Christer ohne sie und ohne die werdende Mutter, das geschah ihm recht, dem Trottel, wenn sie genau nachfühlte, empfand sie eher Schadenfreude als Liebeskummer, sie gönnte es ihm, ganz allein dazusitzen mit seinen Computern und seinen Wanduhren und seiner Homophobie, und zu ihrer großen Überraschung merkte sie, dass die Schadenfreude ihr einen ganz neuen Energieschub brachte.

Sie holte die Einkaufstüten voller Lebensmittel aus dem Gang. Der Vater saß an derselben Stelle wie bei ihrem Aufbruch, aber darüber konnte sie sich nicht ärgern, jeden einzelnen Abend mühte er sich im Büro mit der Buchführung ab, der Arme, und andere Orte konnte er doch nicht aufsuchen, außer dem Trockenklosett. Da saß er dann und rief dauernd, dass er dort saß, damit niemand irgendeine Tür öffnete und ihn sah, hinter dem Gehgerät, mitten im Blick.

Der Großvater saß im Wohnzimmer.

»Was siehst du dir an?«, fragte sie ihn.

»Norwegische Lokalnachrichten. Wiederholung.«

»Nachher gibt es Fischklöße, klingt das nicht gut?«

»Mit Curry in der Soße, das hat Mutter immer gemacht«, sagte der Vater.

»Aber klar doch. Curry und Krabben und dazu Kartoffeln und Möhren.«

»Krabben?«, fragte er.

»Ja. Krabben.«

Sie wartete auf einen weiteren Kommentar darüber, was *so etwas* kostete, aber er schwieg, sicher war ihm eingefallen, dass sie bezahlte, während er doch Prozente auf seine Coop-Karte bekam, die sie vorzeigte, weil sie keine eigene hatte. Sie konnte sich nicht beherrschen und sagte: »Je mehr Krabben, desto mehr Punkte auf deiner Kundenkarte.«

»Wie meinst du das?«

»Ach, einfach so. Schau mal, wie schön draußen die Sonne scheint. Und sieben Grad über null. Du könntest dich ein wenig hinaussetzen, ich könnte dir einen Stuhl mit einer Decke hinstellen. Vor der Sonnenwand beim Holzschuppen.«

»Nein. Will nicht vor aller Augen wie ein Altenteiler mit den Händen im Schoß dasitzen.«

»Aber da sieht dich doch niemand?«

»Will nicht.«

»Dann nicht.«

Sie ließ Wasser für die Kartoffeln in den Ausguss laufen, als sie es merkte.

»Hier riecht es aber komisch«, sagte sie.

Niemand antwortete.

Sie hielt die Nase ins Becken, roch noch einmal.

»Hier riecht es nach Urin!«, sagte sie und sah den Vater an, der hob seinen Blick nicht von der Zeitung.

»Sag mal, pisst du ins Ausgussbecken?«

»Ja«, sagte der Großvater im Wohnzimmer.

»HALT DIE FRESSE!«, sagte der Vater.

»Aber Herrgott, das hier ist eine Küche«, sagte sie. »Du kannst doch unmöglich …«

»Jeden Tag«, sagte der Großvater.

»Das kann doch einfach nicht sein!«, sagte sie und knallte den Kochtopf auf die Anrichte. Der Vater leckte sich mehrmals die Lippen, erwiderte ihren Blick. »Dass du stinkst, ist das eine, du wäschst dich nicht richtig, aber dann stehst du hier mitten in der Küche und pisst ins Waschbecken? Ich wohne hier schließlich auch für den Moment. Und das hier lass ich mir nicht bieten. Du Schwein!«

»Musst dann weniger ausleeren. Das Trockenklosett.«

»Kannst du nicht wenigstens draußen pissen? Mit dem Gehgerät kommst du problemlos um die Hausecke, und Eis und Schnee sind doch verschwunden.«

»Das ist mein Haus. Mein Spülbecken.«

»Ach, so ist das jetzt also? Kommt mir noch nicht lange vor, dass du gesagt hast, das sei auch mein Hof. Den ich nicht haben wollte.«

»Und, willst du ihn nicht haben?«, fragte er.

Rasch sagte sie: »Heute eher nicht. Jetzt koche ich, und du hörst auf, ins Becken zu pissen. Fall erledigt.«

»Du willst ihn also nicht. Aber dann … Dann hat doch alles keinen Sinn. Einfach keinen Sinn. Dann schicke ich alles zum Schlachten, alles, was wir haben, stelle den Betrieb ein. Ich rufe sofort bei Eidsmo an.«

Er fing an, sich zu erheben, griff nach dem Gehstuhl.

»Hör auf mit dem Unsinn. Setz dich!«, sagte sie.

Sie begann damit, Kartoffeln zu schälen, dabei konnte sie ihm den Rücken zukehren, aus dem Augenwinkel sah sie den Großvater im Wohnzimmer, er schaute in Richtung der Türöffnung, seine neue Brille funkelte.

»Es muss aber einen Sinn haben. Und wenn du ihn nicht haben willst, dann …«

»Aber ich kann das doch nicht so einfach entscheiden!«, sagte sie.

»Du bist sechsunddreißig Jahre alt. Es gibt Fünfjährige hier in diesem Land, die begreifen, dass sie den Hof übernehmen werden.«

»Herrgott. Und was war früher? Als deine Mutter noch gelebt hat und du hier auf dem Hof warst? Da saß ich unten in Oslo und hatte von nichts eine Ahnung. Was war da der Sinn? Und für wen? Sag nicht, es wäre für mich gewesen.«

»Da hat Mutter noch gelebt. Sie war hier. Da hatte es irgendwie einen Sinn.«

»Sie war deine Mutter. Und alt!«

»Das fand ich nicht.«

Sie schnitt sich am Kartoffelschäler, das war ihr aber egal, das Wasser spülte das Blut weg, sie schälte weiter.

»Wenn das mit dem Bein nicht passiert wäre, dann hättest du nie im Leben verlangt, dass ich …«

»Ich dachte, du wolltest das. Schon seit Weihnachten, als Mutter gestorben ist.«

»Ich weiß es doch nicht, habe ich gesagt. Nicht jetzt jedenfalls. Vielleicht später.«

»Ich muss es wissen, dass du willst, dass es einen Sinn hat. Sonst bringt es einfach nichts. Der Hof trägt sich nicht. Daran musst du denken. Du bist die Anerbin!«

»Anerbin. Ha! Und was soll ich also machen? Meine Wohnung in Oslo verkaufen und hier investieren, meinst du? Jetzt?«

»Ja.«

»Hast du denn völlig den Verstand verloren?«, fragte sie und drehte sich zu ihm um. »Du bist nur sauer und pisst ins Küchenbecken, und da soll ich… Vergiss es.«

»Ich soll es vergessen?«

»Ja. Vergiss es.«

»Na gut. Dann vergesse ich es.«

Sie klebte sich ein Pflaster um den Finger, brachte die Kartoffeln zum Kochen, rührte eine weiße Soße an, gab Fischklöße und Krabben und Gewürze dazu, niemand sagte noch etwas, am liebsten hätte sie in ihrem Zimmer gesessen und geweint. Sie war die Anerbin, plötzlich war sie die Anerbin. Nicht in zehn Jahren, wenn ihr Vater in Rente gehen könnte, sondern schon jetzt. Auf einem Hof, der drohte, an der unrentablen Bewirtschaftung und der fehlenden Wartung zugrunde zu gehen.

Sie aßen schweigend. Der Vater stocherte im Essen herum und erwähnte mit keinem Wort, ob es schmeckte. Der Großvater langte mit gutem Appetit zu. Es war unangenehm, so dicht bei ihnen zu sitzen, ohne zu sprechen, nicht zu wissen, wohin mit den Blicken, sie schaute Messer und Gabel an und beobachtete über dem Gardinenrand die Vögel, denen es gut ging. Sie waren wohl die Einzigen hier auf dem Hof, neben den Schweinen, die sich auf jeden Tag freuten und die Welt für unverändert hielten.

Der Vater steckte das letzte Stück Kartoffel in den Mund, ließ das Besteck auf seinen Teller fallen und zog sich am Gehgerät hoch. Sie hoffte, dass er nicht das Klo auf dem Flur besuchen wollte, dann würde ihr schlecht werden. Aber er ging ins Wohnzimmer und knallte hinter sich die Tür zu. Sie fing den Blick des Großvaters auf.

»Ja, ja«, sagte der.

Nach dem Abwasch ging sie auf ihr Zimmer. Der Großvater hatte sich bereits hingelegt. Sie stellte das Radio auf geringe Lautstärke, öffnete das Fenster, nahm sich eine Zigarette, stützte das Kinn auf eine Hand und musterte die schöne Aussicht. Bald würden die Bäume grün werden, der April rückte heran, die Äcker würden anschwellen und wachsen, unten am Strand würde es sehr lebendig werden. Wenn nur nicht alles so plötzlich geschehen wäre, würde sie vielleicht ... Ob sie nun den Stall ausbaute oder mit etwas anderem anfinge. Sie würde Zeit brauchen für eine landwirtschaftliche Ausbildung, aber sie könnte auch mit Hunden anfangen. Hundeschule. Oder Hundepension im Stall, der wäre perfekt dafür geeignet. Und große Auslaufflächen auf den Feldern neben der Scheune, wenn sie sie zuerst mit Schotter und Kies auffüllte. Es wären nur zwanzig Minuten Fahrt bis ins Zentrum von Trondheim und noch weniger bis Heimdal. Und sie war frei und ungebunden.

Es wäre möglich.

Aber der Vater musste zuerst gesund werden. Wieder er selbst. Falls das jemals der Fall sein würde. So, wie es jetzt war, würde sicher gar nichts helfen.

Ehe sie in den Stall musste, ging sie in die Küche, um für die beiden Kaffee zu kochen. Die Wohnzimmertür war noch immer geschlossen, der Großvater saß am Küchentisch und sah verloren aus.

»Bestimmt kommt auch im Radio etwas Witziges«, sagte sie. »Jetzt gibt es Kaffee.«

»Da ist abgeschlossen«, sagte er.

»Er hat abgeschlossen?« Sie ging hinüber und drückte auf die Türklinke. »Mach auf. Hier will jemand die Nachrichten sehen. Und es gibt Kaffee.«

Nach einer langen Weile öffnete er, öffnete und humpelte zu seinem Feldbett zurück, ließ sich daraufsinken. Der Großvater lief so schnell er konnte zu seinem Sessel und griff nach der Fernbedienung.

»Möchtest du deinen Kaffee hier trinken?«, fragte sie.

Er gab keine Antwort. Er hatte sich auf die Seite gedreht, mit dem Gesicht zur Wand. Sie stellte zwei gefüllte Kaffeetassen auf ein Tablett, dazu die Schale mit dem Würfelzucker und eine Tafel Milchschokolade, die sie in Stücke gebrochen hatte, und trug alles zum Couchtisch hinüber.

»Dann gehe ich in den Stall«, sagte sie.

Ihre eigene Kaffeetasse und eine Tafel Schokolade nahm sie mit. Sie saß auf dem Hocker in der Waschküche, als Kai Roger kam.

»Ach? Gibt's hier Truppenverlegungen?«

»Er will, dass ich den Hof übernehme. Und er will noch heute wissen, ob ich das mache.«

»Ich hab's ja gesagt. Dass du die Nächste bist.«

»Aber warum gerade jetzt?«

»Er hat sicher jegliche Energie verloren. Und er hat schreckliche Angst davor, hier allein zu sein. Vielleicht hat er es auch satt. Oder der Bürokram ist ihm über den Kopf gewachsen«, sagte Kai Roger.

»Dabei liebt er seine Schweine doch so sehr …«

»Es reicht aber nicht, die Schweine zu lieben, damit ein Hof sich rentiert. Und die Schweine hat er schon eine ganze Weile nicht mehr gesehen. Aber was hast du geantwortet?«

»Dass er das vergessen kann.«

»Du willst also nicht?«

»Ich weiß es doch nicht! Ich weiß es nicht!«

Sie brach in Tränen aus, verfluchte sich deshalb selbst. Schon war er bei ihr, ging in die Hocke und legte die Arme um sie.

»Gib der Sache zwei Tage«, sagte er.

»Zwei Tage? Was hilft das schon?«, fragte sie und legte den Kopf an seine Schulter, es tat so gut, bei jemandem zu ruhen, Arme um sich zu spüren, sie weinte heftiger, er sagte nichts mehr, hielt sie nur fest. Während sie weinte, hörte sie die Geräusche der Schweine im Stall, das ungeduldige Schnauben, merkte, dass sie sich trotz allem noch darauf freute, sie zu sehen. Ob sie das wohl könnte, Schweine züchten, sich alles über Besamung, Futterberechnung, Geburten und Ferkelkrankheiten aneignen, und diese schwarzen Zähne, die entfernt werden mussten, und wenn die Sauen bösartig wurden und ihre Jungen töteten … und … War sie denn eine Bäuerin? Lag ihr das im Blut? Auch ihre Mutter kam von einem Hof. War ihr Interesse an Haustieren und Hunden in der Stadt die Folge eines geheimen Wunsches, mit Tieren zu arbeiten, davon zu leben?

»So einfach ist es nicht«, sagte sie und hob den Kopf. »Dass ich keinen Hof haben will, meine ich. Aber wenn mein Vater sich so aufführt und alles so schnell entschieden werden soll …«

»Hast du dir schon überlegt, dass er deshalb so sauer und übellaunig ist? Weil er Angst hat? Weil es nicht entschieden ist? Und wenn du ihm in zehn Jahren sagst, dass du den Hof übernehmen willst …«

»Ich glaube nicht, dass der Hof noch zehn Jahre über die Runden kommt. Ich glaube, er wird lange vorher pleite sein. Vielleicht ist er das ja schon.«

Sie stand auf, holte eine Rolle Klopapier, putzte sich die Nase, wischte sich die Augen. »Entschuldige«, sagte sie.

»Du bist nicht die Einzige. Hier auf den Höfen gibt es viele, die genauso große Zweifel wie du daran haben, ob es sich noch lohnt. Aber meistens sind sie jünger.«

»Das sagt mein Vater auch. Er sagt, sie sind fünf Jahre alt.«

»Manche sind das sicher. Mein großer Bruder hat unseren Hof übernommen, aber er ist unsicher, weiß nicht, ob er erweitern oder aufhören soll. Wenn er aufhört, dann bin ich an der Reihe. Und ich würde erweitern.«

»Warum macht ihr das denn nicht zusammen?«

»Seine Frau will das nicht. Sie will aufhören«, sagte er.

»Aber ich glaube, unsere Damen hier drehen gleich durch. Zieh deinen Stallanzug an. Und danach kommst du mit mir zum Pizzaessen nach Heimdal. Es ist Freitagabend, du kannst nicht ganz allein auf deinem Zimmer sitzen und Cognac trinken. Ich lad dich ein. Ein großes frisches Bier, und danach fahre ich dich nach Hause.«

Als sie um kurz vor neun fertig waren, schaute sie nach dem Duschen nur flüchtig ins Wohnzimmer und verabschiedete sich. Der Vater lag so da wie vorhin, die Kaffeetasse stand unberührt auf dem Tablett, der Großvater dagegen hatte die gesamte Schokolade verspeist und das untere Gebiss herausgenommen. Sie versuchte, nicht daran zu denken, warum.

»Ich bin mit Kai Roger unterwegs«, sagte sie. »Es wird sicher spät, aber ich werde ganz leise sein und niemanden wecken. Gute Nacht.«

Der Großvater nickte. »Gute Nacht.«

Sie saß da mit Wimperntusche und Lidschatten und in Jeans, die sie seit einer Ewigkeit nicht mehr getragen hatte, und kam sich vor wie ein normaler Mensch. Auch Kai Roger sah anders aus. Auch er trug Jeans, dazu eine schwarze Lederjacke, die Haare hatte er zurückgekämmt, sie betrachtete ihn, während er am Tresen stand und bestellte, er sah wirklich gut aus.

»Mit Knoblauch?«, rief er.

»Ja, bitte. Ganz viel.«

Er kaufte für sich ein Lightbier und für sie eine Halbe, der Pizzabäcker wirbelte den Teig durch die Luft, immer wieder, sicher den, den sie bekommen würden, mit Peperoni und Ananas.

»Ich bin froh, dass ich mitgekommen bin«, sagte sie. »Tausend Dank!«

»Wurde aber auch Zeit.«

»Aber du … Lass uns bitte jetzt nicht über Erbrecht und Höfe und Geld und so sprechen, okay?«

»Alles klar. Ich habe eigentlich auch keine Lust dazu. Erzähl lieber etwas Witziges über diesen Herriot, den du gelesen hast. War der nicht ein Baby von Tierarzt, der mitten in einem Dorf mit übellaunigen Bauern ausgesetzt wurde?«

»Da hast du's, jetzt reden wir schon wieder darüber.«

Er lachte, sie trank, das Bier war eiskalt, zwischen ihnen stand eine brennende Kerze in einem Messinghalter.

»Erzähl mir lieber von Oslo«, sagte er. »Und sag mir, wie ich einen kleinen Labrador erziehen soll, ich habe gerade bei Freunden einen Rüden bestellt, die Welpen sind vor drei Tagen geboren worden.«

»Ja, darüber kann ich dir einiges erzählen«, sagte sie und lächelte.

Dass er heute dasitzen und essen konnte. Dass er das über sich brachte. Sich den Bauch vollzuschlagen, wo doch alles zu Ende war und sie das nicht einmal begriff. Krabben. Krabben mit Soße. Vielleicht war es besser, dass sie den Hof nicht übernehmen wollte bei dieser Verschwendungssucht. Die hatte sie sicher von Cissi. Damals hatte er nicht verstanden, warum die Mutter nichts von Cissi wissen wollte, nur weil sie sich eine dicke Scheibe Leberwurst aufs Brot gelegt hatte. Es war mehr Leberwurst als Brot gewesen, aber er hatte nicht darüber nachgedacht, wo die Mutter die Leberwurst doch selbst hergestellt hatte. Er hatte erwartet, dass sie sich freuen würde, weil Cissi die Wurst schmeckte, aber die Mutter hatte gesagt, bei so viel Gier und Verschwendungssucht werde der Hof zugrunde gehen. Sie selbst steckten die Messerspitze in die Leberwurst und verteilten einen dünnen Film auf der Margarine. Man nahm den Geschmack ja trotzdem wahr. Torunn war nicht so, sie war die Tochter ihrer Mutter, mit Heißwecken mitten in der Woche und Krabben in der Soße, das musste er sich einfach klarmachen.

Er lag im Feldbett und hörte dem Fernseher zu, während der Vater Schokolade schmatzte und Kaffee schlürfte, mit geräuschvoller Zufriedenheit, ehe er dann das Gebiss herausnahm und die Schokoladenreste auf der Unterseite ableckte.

Der Vater, der gar nicht sein Vater war. Aber daran wollte

er nicht denken, dass die Mutter ihm das verheimlicht hatte, sie war mit dem Anerben verheiratet gewesen und hatte drei Kinder von ihrem Schwiegervater bekommen. Lügen. Trotzdem war sie doch seine Mutter, dieselbe Mutter, oder nicht? Alle Erinnerungen, die er an sie hatte… Mehr als fünfzig Jahre Geschichte ließen sich nicht einfach über Nacht ändern. Und jetzt war ja Schluss. Seine Wut verflog allmählich. Er lauschte auf die Worte aus dem Fernseher, ohne deren Inhalt zu hören und nickte ein wenig ein. Er wurde davon geweckt, dass Torunn kam und mit dem Betriebshelfer wegfahren wollte. Das hatte sie noch nie getan. Sie war sicher erleichtert, weil sie endlich gesagt hatte, dass sie den Hof nicht wollte. Erleichtert und mannstoll, wollte in die Stadt und tanzen und trinken und von allen Gedanken an Hof und Hofbetrieb befreit sein.

Seine linke Seite tat weh davon, dass er so lange gelegen hatte, es brannte bis in seine Lende. Aber wenn er sich umdrehte, würde er den Vater ausschimpfen müssen, weil er das mit dem Pissen ins Becken verraten hatte. Das brachte er jetzt nicht über sich, der Vater sollte machen, dass er wegkam, und es war leichter, sich schlafend zu stellen. Endlich kam die Stille, als der Vater den Fernseher ausschaltete. In der Stille hörte er die Küchenuhr ticken. Der Vater schnaufte und zog sich mühsam aus dem Sessel, ließ die Pantoffeln über den Boden schlurfen. Er sagte kein Wort, als er ging, zog nur die Küchentür hinter sich zu und stieg langsam die Treppe hoch. Bald darauf hörte er, wie die Toilettenspülung betätigt wurde, er hörte Türen, die geöffnet und geschlossen wurden.

Er setzte sich auf. Ihm war schwindlig und schlecht. Er zog sich auf das Gehgerät und versuchte, es vorsichtig zu bewegen, um aus dem Wohnzimmer zu kommen, dann zog er den Schlüssel aus der Tür, schloss von der Küchenseite her ab und steckte den Schlüssel in die Tasche der Strickjacke. Sollten sie doch glauben, dass er drinnen lag. Er nahm eine ungeöffnete Packung Hammelwurst aus dem Kühlschrank mit. Aus dem Büro holte er die volle Aquavitflasche, die andere hatte er schon zur Hälfte geleert. Die schmerzstillenden Tabletten lagen in der Hosentasche, er hatte die Packung kaum angerührt. Still und leise bugsierte er sich in den Anbau, betrat den breiten Hofplatz, legte am Hofbaum eine Pause ein und fegte Brotkrümel vom Vogelbrett, fegte es sauber.

Die Waschküche hatte sich verändert. Es roch nach Seife. Die Wände waren gewaschen worden und sahen heller aus. Der Betonboden um den Abfluss wirkte ebenfalls heller, der blanke Stahl des Abflusses blitzte plötzlich. Die Gegenstände standen an anderen Stellen. Auch hier hatte sie also umgeräumt und geputzt. Sie veränderte alles, ohne aber dafür die Verantwortung übernehmen zu wollen, sich um die Zukunft zu kümmern, die damit einherging.

Es war still im Stall, die Tiere waren zur Ruhe gekommen. Er ließ sich auf den Hocker sinken.

Sinnlos. Das alles hatte keinen Sinn gehabt. Jeder einzelne Tag war sinnlos gewesen. Hierher war er gekommen, zu diesem Hocker, mit vollen Taschen. Siri hatte neue Junge im Bauch. Røstad und Kai Roger hatten dafür gesorgt. Mari und Mira würden bald werfen, alles lief ohne ihn wie geschmiert. Krabben und Pizza, Fernseher mit Fernbedienung, Sauna. Er kam wieder auf die Beine. Die Schlachterschürze brauchte er nicht, oder den Regenmantel. Was, wenn sie Siri versetzt hatten, er konnte doch die Deckenbeleuchtung nicht einschalten. Das rote Licht der Wärmelampen war jetzt die einzige Lichtquelle im Stall. Er suchte den Flaschenöffner in der Schublade und fand ihn sofort hinter einem alten Handbohrer. Die Flaschen standen unten im Schrank, wie er es dem Vater gesagt hatte. Er schaffte es nicht, das Gehgerät zu manövrieren und zugleich Aquavit und Bier zu tragen, also steckte er zwei Bierflaschen in die Tasche, die mit dem Aquavit konnte er in der Hand halten.

Zum Glück war Siri in ihrem alten Koben. Sie schlief, erwachte aber sofort, als er vor ihr stand.

»Bleib nur liegen, mein Mädchen.«

Sie erhob sich trotzdem, warf in dem roten Nachtlicht einen riesigen Schatten, kam eifrig auf ihn zu, schnaubte, stampfte, gurgelte und grunzte, bald würde sie die anderen wecken. Er stützte sich mit dem Ellbogen auf das Gehgerät und konnte die Hammelwurst hervorziehen, riss die Packung mit den Zähnen auf und gab Siri die Hälfte. Sie war so überrascht, dass sie sich einfach auf den Hintern setzte und lange kaute. Inzwischen zog er sich an den Metallrohren zu ihr hin, das Gehgerät ließ er im Mittelgang stehen. Er hielt die Rohre fest, als er sich auf den Boden sinken ließ. Er wurde nicht nass, als er dort auftraf, der Koben war sauber und trocken, es lag auch reichlich Stroh dort, fast zu viel Stroh, sie machten sich nur unnötig Arbeit, Torunn und der Betriebshelfer, wenn sie das mit dem Stroh übertrieben. Er setzte sich besser zurecht. Wenn er so saß, war Siri viel größer als er.

»Leg dich nur hin, ich hab noch mehr Leckerbissen. Mein feines Mädchen, du bist mein Mädchen, ja …«

Sie stupste ihn an und schnüffelte an seinen Haaren, seinem Gesicht, seinen Schultern, während er ihren Kopf anfasste, sie hinter den Ohren kraulte und rieb.

»So, ja, so, ja, hier bin ich, weißt du … Hier bin ich.«

Er streichelte sie und plauderte mit ihr, bis sie sich hingelegt hatte, den riesigen Kopf zu ihm gedreht, es war still in den anderen Koben, sie glaubten sicher nicht, dass er es war, warum hätten sie das auch glauben sollen nach so langer Zeit. Er streichelte ihre Schnauze, folgte der feuchten Glätte, sie hob sie zu seinen Fingern.

»Eine nach der anderen, nicht nochmal die halbe Packung, dann haben wir doch gleich nichts mehr.«

Er öffnete die erste Bierflasche und zog die Tablettenpackung hervor, schüttete eine Handvoll Pillen heraus und spülte sie mit den ersten Bierschlucken hinunter. Danach nahm er einen großzügigen Schluck Aquavit. Siri wollte an allem schnüffeln. Er dachte, vielleicht sollte er ein wenig warten, bevor er mehr zu sich nahm, um sich nicht zu erbrechen, aber dann überlegte er sich, dass er vielleicht einschlafen würde. Einschlafen und wieder aufwachen. Er blieb ganz still sitzen, bis er wusste, dass er sich nicht erbrechen würde, und wiederholte die Prozedur, Tabletten und Bier, danach Aquavit. Als die Tablettenpackung leer war, warf er sie in den Mittelgang. Er hatte nur eine einzige Flasche Bier getrunken. Er öffnete die andere, merkte, dass er zitterte, aber jetzt war er fertig, er brauchte nicht mehr zu tun, die dritte würde er nicht brauchen, er zog sie aus der Brusttasche und konnte sie mit großer Mühe in den Mittelgang stellen, wo keins der Tiere sie erreichen und zerbrechen könnte.

»Meine Siri.«

Sie ließ ihren Kopf auf dem Boden ruhen, ihre Augen glänzten, da lag sie und sah ihn an. Die Metallrohre bohrten sich in seinen Rücken, er ließ sich mit dem Oberkörper auf den rechten Ellbogen sinken und hielt das Gesicht dicht an ihren Kopf. Sie roch herbe und gut. Er schloss die Augen, alles drehte sich, rasch riss er sie wieder auf.

»Mutter.«

Er schloss wieder die Augen. Ihr Kopftuch. Er sah ihr Kopftuch, eng um ihre Haare gewickelt, im Nacken gebunden, es war das braune mit den roten Streifen, sie beugte sich über etwas, er konnte ihr Gesicht nicht sehen, es war abgewandt.

»Mutter!«

Da war sie, ihm gegenüber, lächelnd, sie sprach über ihre Jugend, damals, als die Nachbarn einander bei der Ernte geholfen und danach selbstgebrautes Bier getrunken hatten. Sie sprach über den Krieg, die armen Kriegsgefangenen auf Øysand, über die Berliner Pappeln, die nie mit Wachsen aufhörten, deren Wurzeln in alle Richtungen schossen, und die jedes Jahr lange Kätzchen trugen. Sie saßen am Küchentisch, er konnte das Resopal sehen, das aussah wie Marmor, er spürte im Mund den Geschmack von Kaffee und Haferkeksen, es tat so gut. Er streichelte seine Wange, er war wieder Kind, und er war der Anerbe, sie streichelte ihn und steckte ihm eine Erdbeere in den Mund, lachte laut über etwas, die Stimme von Großvater Tallak war auch da, sie standen mit ihm zusammen, beide lachten, lachten auf ihn herab, es war warm, es war Sommer, war denn niemals Winter? Nein, es war niemals Winter. Der Winter war erst später gekommen, mit schwarzen Zweigen und gefrorenen Feldern und Wollhandschuhen, bedeckt von harten Schneeklumpen, die an hauchdünnen Haaren hingen, er biss die Klumpen ab und spuckte sie auf den Boden.

Er legte sich auf den Boden. Es war überhaupt kein Winter, hier war es warm, tierwarm, hier waren sie zusammen, hier waren sie zusammen, und alles war rotes Licht vor Schwarz. Lange schwarze Schatten in dem Roten, und Siri, die atmete. Es war so gut, wieder hier zu sein. Es war so gut.

Erlend saß starr auf dem Empiresessel in der Diele und verschränkte nervös die Hände auf seinen Knien. Er horchte. Nach einer Unendlichkeit hörte er den Fahrstuhl, sprang auf, riss die Wohnungstür auf und wartete darauf, dass Krummes Kopf in dem schmalen Glasfenster sichtbar wurde, das langsam höher stieg und zum Stillstand kam. Er riss die Tür auf.

»Warum hast du dein Telefon nicht eingeschaltet, Krumme? Es ist schon nach neun Uhr und Freitagabend, ich dachte schon, du wärst wieder überfahren worden.«

»War bis eben bei einer Besprechung bei der Polizei, hab vergessen, es wieder einzuschalten. Wir haben eine Anzeige am Hals, wegen Fotos, die wir nicht gut genug unkenntlich gemacht hatten, von diesem Geiseldrama in der Bank in Rødovre, du weißt sicher noch, dass …«

»Scheiß drauf. Jetzt bist du hier. Sie sind SCHWANGER!«

»Was?«

»Alle beide.«

»Großer Gott!«

»Nein, der ist nicht der Vater. Und ich habe ihnen von dem Silo erzählt. Sie waren außer sich vor Begeisterung. Sie lieben doch Norwegen. Hast du das gewusst, Krumme? Dass sie Norwegen ganz einfach lieben?«

»Ich muss mich setzen«, sagte Krumme. Er ließ sich auf den einen Stuhl sinken. Erlend setzte sich auf den anderen. Da blieben sie dann still sitzen, mehrere Sekunden lang.

»Wie ist dir zumute?«, fragte Krumme.
»Ich bin außer mir vor Angst«, flüsterte Erlend.
»Ich auch. Alle beide, also …?«
»Ja. Alle beide.«
»Ist das eigentlich keine medizinische Sensation?«
»Das habe ich auch gesagt. Aber Jytte meinte, es ist Liebe«, sagte Erlend.
»Sag das mal Paaren, die sich jahrelang abmühen.«
»Sie wollen, dass wir vorbeikommen.«
»Natürlich tun wir das. Haben sie auch solche Angst wie wir?«, fragte Krumme, er trug noch immer seinen Matrixmantel.
»Nein. Sie jubeln. Und sie verlangen, dass wir für die beiden Champagner trinken, sie haben richtig gute Ware eingekauft. Aber weißt du was, Krumme. Gerade im Moment habe ich keine Lust auf Champagner.«
»Bist du krank?«
»Ich habe eher Lust auf heißen Kakao mit Sahne.«
»Du bist krank. Komm, auf geht's.«

Sie saßen Hand in Hand im Taxi, Erlend versuchte, intensiv an den Champagner zu denken, der ihn erwartete. Die Lichter der Amagerbrogade wirbelten vorbei. Ein Kind. Zwei Kinder. Seins und Krummes.
»Wir waren noch nie bei der Chinesischen Mauer«, sagte er.
»Wir haben noch neun Monate, das reicht doch, Erlend. Und außerdem habe ich Gerüchte gehört, dass auch Kinder die Mauer betreten dürfen. Hast du Angst, dass die Welt untergeht?«
»Ganz bestimmt.«
»Das mit dem dreistöckigen Silo gefällt ihnen also?«, fragte Krumme.
»Es kam ein bisschen überraschend für sie, aber sie lieben Norwegen sehr, weißt du. Hast du das gewusst?«

»Werd jetzt bitte nicht hysterisch, ich bin ebenso außer mir wie du.«

»Ich hab solche Lust, es Torunn zu erzählen. Sowohl … Ja, das mit dem Hof, aber vor allem, dass wir … Dass ich …«

»… Vater werde«, sagte Krumme.

»Genau.«

»Nicht am Telefon«, sagte Krumme.

»Können wir nicht hinfahren? Morgen?«

»Morgen? Ich glaube, du hast vollkommen den Verstand verloren!«

»Wir brauchen doch nur ein paar Stunden für die Reise«, sagte Erlend. »Am Montag können wir wieder zurückkommen. Und damit könnten wir uns gleich selbst beweisen, wie leicht es ist, einen Silo auf dem Lande zu besuchen. Wir könnten von Værnes aus ein Taxi nehmen, das kostet sicher sieben- oder achthundert, aber Torunn fährt uns am Montag bestimmt zurück. Wir nehmen zu essen und zu trinken mit, muntern sie ein bisschen auf, was sagst du dazu?«

»Das ist dir nicht gerade in diesem Moment eingefallen.«

»Nein«, sagte Erlend. »Das habe ich geplant, als ich eine ganze Stunde versucht habe, dich anzurufen, und die in der Redaktion gesagt haben, dass du bei der Polizei bist. Aber als ich bei der Polizei angerufen habe, wussten die nichts von einem Verkehrsunfall. Und da habe ich mir gedacht, wir könnten hinfahren, falls du noch am Leben bist. Ich sah mich schon als alleinstehenden Vater. Stell dir das doch bloß mal vor!«

Krumme drückte seine Hand, sie waren am Ziel.

»Dann machen wir das«, sagte er. »Wir schauen morgen kurz in Norwegen vorbei, wenn dich das in bessere Laune versetzen kann.«

»Ich möchte wissen, was Margido darüber denkt«, sagte Erlend, während er Geld aus seiner Brieftasche zog. »Ob seine hohe Moral das erträgt.«

»Das mit dem Silo oder die Kinder?«

»Ich glaube nicht, dass in der Bibel etwas über Silos steht, Krumme.«

»Ich glaube, er wird sich freuen. Nach dem, worüber ihr gesprochen habt und was du erzählt hast. Wo doch sogar der Pastor uns sympathisch fand …«

»Der Rest ist für Sie«, sagte Erlend zum Fahrer und öffnete die Autotür. »Dann gehen wir zu den Müttern. Und jetzt werde ich doch Champagner trinken. Heißer Kakao ist etwas für kleine Kinder.«

Durch die Glastür blickte er in sein Badezimmer. Auch das Waschbecken war neu, und er hatte den Boden fliesen lassen. Im Vergleich zu dem Badezimmer in Kopenhagen war das hier ein Verschlag. Aber es war ein ganz frisch renovierter Verschlag, und es war seiner. Der Dampfgenerator funktionierte perfekt. Dampf ist Dampf, dachte er, wenn er die Augen schloss, konnte er sich problemlos einen Ofen mit glühenden Kohlen vorstellen. Die Beerdigung, die heute ganz plötzlich bestellt worden war, lag wie ein Bleigewicht auf seinen Schultern. Jetzt konnte er alles ausschwitzen und sich auf die Trauer vorbereiten, mit der er ganz professionell umgehen musste, glücklicherweise gab es Aufträge wie diesen hier nur sehr selten. Ein Mann mit seinen drei Enkelkindern im Auto. Frontalkollision am Nachmittag, alle drei Kinder umgekommen, er selbst hatte fast ohne eine Schramme überlebt. Er hatte… überlebt. Was für ein Leben mochte jetzt vor ihm liegen. Er würde es vermutlich nicht über sich bringen, in der Kirche zu erscheinen.

Drei Kindersärge. Es würde ein Blumenmeer geben. Schluchzendes ununterbrochenes Weinen von Anfang bis Ende, bis zur allerhintersten Bank. Und der Pastor würde versuchen zu trösten. *Lasset die Kindlein zu mir kommen und wehret es ihnen nicht… ich gebe ihnen das ewige Leben; sie werden in Ewigkeit nicht verloren gehen, und niemand wird sie aus meinen Händen reißen.* Er würde von einem der großen Unternehmen einen zusätzlichen Leichenwagen leihen müssen. Er würde am nächsten Morgen die Eltern aufsuchen, an diesem Abend wollten sie niemanden sehen, die Mutter war vom Arzt außerdem mit schweren Beruhigungsmitteln behandelt worden. Er würde an einem Samstagvormittag bei ihnen sitzen und Todesanzeige, Särge, Lieder aussuchen. Einer Mutter und einem Vater, denen alles genommen worden war. Der Großvater war mit den Kindern unterwegs zu *Burger King* gewesen, um ihnen Hamburger zu spendieren, und danach hätten sie bei ihm übernachten sollen, während die Eltern in einem Restaurant ihren zehnten Hochzeitstag feierten.

Er schaute auf die Uhr. Er saß jetzt seit einer Stunde hier. Er schaltete den Generator aus und den Ventilator ein, klappte die Holzbänke hoch und drehte die Dusche auf. Er fühlte sich schon besser, das hier war sein Beruf, er durfte den Gefühlen nicht zu sehr nachgeben, sonst verlor man nur den klaren Blick und die Übersicht. Er wollte lieber daran denken, was Frau Gabrielsen morgens in der Kaffeepause vorgeschlagen hatte, als er ausnahmsweise einmal etwas von Neshov erzählt hatte, weil es ihm zu schaffen machte, dass er nicht mit Geld aushelfen konnte, ohne dass Tor es als Beleidigung auffasste.

Er zog Morgenrock und Pantoffeln an, ging in die Küche und machte sich ein Brot mit Schinken und viel Käse. Er bestrich die Unterseite mit Butter und legte das Brot in die zugedeckte Bratpfanne. Für einen kurzen Moment sah er sein Spiegelbild in Kopenhagen vor sich, aber sofort verdrängte er die Vorstellung, in Zukunft auf Butter zu verzichten. Lieber wollte er sich ein wenig mehr Bewegung verschaffen, er mochte nicht auf das wenige gute Essen verzichten, das er sich gönnte, und gute Butter, die in eine Scheibe Weißbrot eingezogen war, war einfach eine Delikatesse.

Wie viel bezahlst du jeden Monat für das Lager, das du in

Heimdal für die Särge und andere Ausrüstung gemietet hast, hatte Frau Gabrielsen gefragt. Fünftausend pro Monat. Inklusive Strom, hatte er geantwortet. Kannst du dir nicht lieber ein Lager auf Neshov einrichten? In der Scheune?, hatte Frau Gabrielsen vorgeschlagen.

So einfach. Diese Möglichkeit war ihm überhaupt nicht in den Sinn gekommen. Er müsste ein wenig renovieren, aber das würde nicht viel kosten, es war ein solides Gebäude. Natürlich würde er ihnen keine fünftausend bezahlen, aber er könnte selbst Versichtung und Gemeindeabgaben und solche Dinge übernehmen, das würde sehr viel einbringen, allein das, sie hatten da draußen doch so wenig finanziellen Spielraum.

Er schaltete den Fernseher ein und fand einen alten Hollywoodfilm. Er würde am nächsten Tag hinfahren, wenn er bei den Eltern gewesen war und bei der Zeitung die Todesanzeige aufgeben hatte. Die Kinder waren im St. Olavs, er würde sie erst am Montag fertigmachen müssen. Er würde hinfahren und seinen Vorschlag unterbreiten, hören, was sie sagten, es so vorbringen, als ob es sich für ihn lohnen würde, dass es kein Almosen wäre. Es würde sich wirklich für sie lohnen. Für sie alle. Und vom Büro aus war es nicht weiter nach Neshov als bis zum Lager in Heimdal. Tor würde natürlich protestieren, vielleicht ganz einfach Nein sagen. Darauf musste er vorbereitet sein. Es könnte zum Streit kommen. Aber dann würde er ihn eben eine Weile nachdenken lassen und seine Idee dann noch einmal vorbringen, wenn Tor wieder er selbst wäre und wieder ein gesundes Bein hätte.

Das Käsebrot war fertig, zerlaufener Käse mischte sich in der Pfanne mit Butter. Zusammen mit einem Glas Milch trug er alles zu seinem Sessel, nahm den Teller auf den Schoß und stellte das Milchglas neben sich auf den Tisch. Mit der Fernbedienung regelte er die Lautstärke. Er sah Cary Grant und eine Schauspielerin, an deren Namen er sich nicht erinnern konnte, er würde nach dem Essen in der Programmzeitschrift nachsehen. Sein Körper war warm und entspannt, er hatte Durst. Er leerte sein Milchglas in einem Zug.

Sie schlich sich ins Haus, es war ein Uhr, sie musste um halb sieben aufstehen, das letzte Bier hätte sie nicht trinken dürfen. Kai Roger würde das Aufstehen leichter fallen, als Fahrer hatte er sich an Lightbier gehalten, bis die Kneipe geschlossen hatte. Er hatte vorgeschlagen, die erste Stallrunde allein zu übernehmen, aber das wollte sie nicht. Natürlich stehe ich auf, hatte sie gesagt, das wäre ja noch schöner, ich kann mich danach noch einmal aufs Ohr legen.

Im Badezimmer putzte sie sich die Zähne, das Haus umgab sie lautlos, die anderen schliefen, sie trank Wasser aus dem Hahn und entfernte ihre Augenschminke, schlich sich in ihr Schlafzimmer und schlüpfte in ihren Schlafanzug.

Sie blieb lange liegen und betrachtete die Gardinen vor dem offenen Fenster. Endlich wurde die Decke warm. Kai Roger hatte keinen Flirtversuch unternommen, und darüber war sie froh. Er hatte auch nicht gefragt, ob sie einen Mann habe, sie hatten über Hunde gesprochen, er war gespannt auf den Welpen, er wünschte sich seit Jahren einen Hund, der Kleine sollte Sofus heißen.

Und es hatte gut getan, dort an dem Tisch zu sitzen wie ein normaler Mensch, der gesehen und anerkannt wird, weil sie sehr viel wusste, von dem er keine Ahnung hatte. Die Pizza war köstlich gewesen, als Nachtisch hatte es warmen Apfelkuchen mit Sahne gegeben, sie hatte ihm vom Blickkontakt erzählt, davon, wie ein Hundebaby lernen muss zu lernen, von der Futterübung und der Spielübung. Sie hatte sich gefreut, als er die Logik eines solchen Trainings zugeben musste, er war ebenso verblüfft wie die Teilnehmer ihrer Kurse in Oslo, weil alles sich so einfach anhörte.

Und als er sie nach Hause fuhr und sie in die Allee abbogen, hatte sie ganz stark gefühlt, dass Kai Roger sie *nach Hause* fuhr. Es war seltsam gewesen. Im Grunde kam sie von hier. Und hier befand sie sich jetzt. Sie staunte darüber, wie ein einzelner Abend weg vom Hof sie dazu gebracht hatte, lösungsorientiert zu denken.

Als der Wecker um halb sieben klingelte, konnte sie mit Mühe die Augen aufmachen. Wenn sie jetzt den ganzen Stall allein hätte erledigen müssen, wäre sie bei dem bloßen Gedanken daran gestorben. Aber in einer halben Stunde würde Kai Roger da sein, sie würden das alles zusammen machen.

Das Zimmer war eiskalt, sicher war das Thermometer über Nacht unter null gesunken. Sie sprang aus dem Bett, packte ihre Kleider und lief ins Badezimmer. Sie trug ein wenig Wimperntusche auf, nachdem sie sich angezogen hatte, das machte sie sonst nie, ehe sie in den Stall ging. Sie lächelte ihr Spiegelbild kurz an, während sie langsam die kleine Bürste über ihre Wimpern zog, über die oberen und unteren.

Die Wohnzimmertür war geschlossen, wie immer um diese Tageszeit, der Vater stand nie auf, bevor sie in den Stall ging, und der Großvater immer erst, wenn sie wieder im Haus war. Sie freute sich darüber, dass sie dort allein sitzen konnte, und drehte das Radio so leise wie möglich an, setzte Kaffee auf und heizte im Holzofen ein. Vielleicht würde das hier ein besserer Tag werden. Sie wollte versuchen, ein wenig mit ihm zu sprechen, ohne sich zu streiten, versuchen, laut zu denken, in Erfahrung zu bringen, was er glaubte, wie viele Jahre er den Hof noch betreiben könnte. Und über die Finanzen.

Wie stand es eigentlich darum? Sie musste wirklich die Tatsachen auf dem Tisch haben, was die Finanzen anging. Sie musste ihm auch klarmachen, dass sie ihn brauchte, wenn sie wirklich irgendwann den Hof übernehmen sollte. Und dann durfte er nicht nur sauer und übellaunig sein, sondern müsste sie unterstützen, der sein, den sie vorher kennengelernt hatte, und unter die Vergangenheit einen Schlussstrich ziehen.

Um zehn vor sieben trank sie im Stehen eine Tasse Kaffee und hörte sich dabei im Radio eine Natursendung an, über Tiere im Winterschlaf, reduzierte Körperfunktionen, die wundersame innere Uhr solcher Tiere, die ihnen Bescheid gab, wenn der Frühling kam.

Sie stellte die leere Kaffeetasse weg und schaltete das Radio aus. Kai Roger würde jeden Moment hier sein.

Als sie über den Hofplatz ging, fiel ihr auf, dass das Vogelbrett leer war. Seltsam, sie hatte es erst am Vorabend gefüllt, nachdem es dunkel geworden war. Vielleicht waren Eichhörnchen gekommen. Es wäre lustig, Eichhörnchen auf dem Hofplatz zu haben, die waren niedlich.

Dann hörte sie die Schweine. Die schrien. Das machten sie sonst nie, bevor sie hörten, dass die Stalltür geöffnet wurde. Sie lief los. Als sie die Tür erreichte, hörte sie, dass das Geschrei anders war, darin lag eine neue Panik, sie schrien wie besessen, ein ganzer kreischender Schweinechor.

Sie riss die Tür auf und stürzte vorbei an der Waschküche, ohne ihre Stallkleidung überzustreifen, öffnete die Tür zum Schweinestall und schaltete die Deckenbeleuchtung ein.

Das furiose Finale der erfolgreichen Familiensaga!

Bitte lesen Sie selbst »

ISBN 978-3-442-75225-6
€ 17,95 [D] / € 18,50 [A] / sFr 31,90
320 Seiten

Die norwegische Originalausgabe erschien 2007
unter dem Titel »Ligge i grønne enger« bei Forlaget Oktober as, Oslo.

1. Auflage

ISBN 978-3-442-75225-6

Ein Auszug aus »Hitzewelle«
von Anne B. Ragde.

Krumme! Du musst aufwachen! Hörst du dasselbe wie ich?«

Erlend schüttelte Krumme mehrere Male an den Schultern, bis der endlich die Augen aufmachte.

»Herrgott, es ist Sonntagmorgen, oder nicht?«

»Natürlich ist Sonntagmorgen«, sagte Erlend.

»Dann kann ich doch ausschlafen. Ich habe Spätdienst, hast du das vergessen? Und ich habe einen Kater, der gerade mit einem Pressluftbohrer arbeitet. Ich hatte keine Ahnung, dass Kater Pressluftbohrer benutzen, ich dachte, sie …«

»Aber hörst du nicht, Krumme! Hör doch mal!«

Krummes Augen waren rotunterlaufen und sehr klein.

Gemeinsam lauschten sie einige Sekunden lang.

»Ich höre überhaupt nichts«, sagte Krumme, schloss die Augen wieder, zerrte die Doppeldecke zu sich herüber und drehte sich auf die Seite. Erlend riss die Decke wieder zu sich.

»Nein! Darum geht es doch gerade, Krumme. Man kann rein gar nichts hören! Rein gar nichts!«

»Dann schlafen wir.«

»Krumme. Es ist halb zehn!«

»Gütiger Himmel! Und dann weckst du mich!«

»… und Birte wollte um neun kommen. Das hatten wir

abgemacht. Jetzt müssten wir das Geräusch des Staubsaugers hören. Und der Spülmaschinen. Fließendes Wasser. Quietschende Gummihandschuhe. Säcke voller leerer Flaschen und Abfälle, die in die Diele getragen werden. Solche Geräusche, zu denen ich an einem Sonntagmorgen liebend gern schlafe! Ich erschieße mich, wenn sie nicht kommt.«

»Dem Himmel sei Dank dafür, dass ich Spätdienst habe. Da werde ich das Bett hüten, bis ich den Tatort verlassen kann.«

»Dann erschieße ich dich auch.«

»Stell dir mal vor, was das für die Polizei für eine Arbeit wäre. Die sind doch ohnehin schon überarbeitet genug. Ich nehme an, die Wohnung sieht aus wie ein Katastrophengebiet. Sie werden Sondereinsatztruppen mit Traumatraining brauchen.«

Das Fest hatte eigentlich eine ganz normale Samstagsrunde mit Tapas für zehn sein sollen, aber noch vor Mitternacht hatten sich ihnen zwei weitere Festgesellschaften angeschlossen, und als Erlend zu irgendeinem Zeitpunkt gefragt hatte, wer Cognac haben wollte, hatte er über vierzig Menschen gezählt. Natürlich kannte er die meisten davon, mit Ausnahme von vielleicht sieben oder acht. Aber so war es ja oft. Alle wussten, dass es hier ein offenes Herz und einen vollen Barschrank gab, und dass der Boden zu den Wohnungen weiter unten im Haus schallisoliert war.

»Aber ich muss pissen!«, sagte er jetzt.

»Dann piss doch, du Trottel.«

»Ich trau mich nicht, die Tür aufzumachen.«

»Dann geh mit geschlossenen Augen. Dein eigenes Klo wirst du ja wohl noch finden. Wann sind die letzten gegangen?«

»Keine Ahnung. Ist durchaus möglich, dass sie noch immer hier sind. Diese verdammte Birte. Ich rufe sie an, sobald ich das Telefon gefunden habe.«

Erlend ging nackt und mit gesenktem Blick durch die Diele zur Toilette, konnte aber dennoch einen Korkenzieher mit einem Korken und einen auf die äußerste Spitze des Korkenziehers gespießten Kuchenrest sehen, und diese gesamte alberne Kreation lag in einem der Empiresessel. Er riss den Korkenzieher an sich, und der Kuchenrest fiel herunter. Dann musterte er sorgfältig den Samtbezug, um festzustellen, ob der Korken Flecken hinterlassen hatte. Das hatte er, aber der Fleck war so klein, dass er es nicht über sich brachte, hysterisch zu werden. Die Hysterie wollte er sich für den Rest der Wohnung aufsparen. Er ging davon aus, dass er sie brauchen würde, wenn er nach dem Telefon suchte.

Er schaute missmutig zur Fahrstuhltür hinüber. Der Fahrstuhl stand im Erdgeschoss, keine Birte war auf dem Weg nach oben. Dreifache Bezahlung hatten sie ihr versprochen, dazu köstliche Essensreste, die sie mit nach Hause nehmen könnte. Das Essen war wirklich exquisit gewesen, vielleicht sollten sie häufiger eine Cateringfirma beauftragen. Krumme hatte in der Redaktion zu viel zu tun und wollte dann nicht auch noch kochen, und Erlend selbst fehlte derzeit die Konzentration, die zur Herstellung von Fingerfood nötig war, wo er doch nur noch an Embryoentwicklung dachte. Es war wirklich so schlimm geworden, dass seine Arbeit darunter litt, außer wenn das Fenster, das er dekorieren sollte, irgendeine Verbindung zu Babys hatte, dann wusste er, dass er wie immer geniale Ideen nur so aus dem Ärmel schütteln würde. Aber die einzige Gelegenheit, die sich ihm bisher geboten hatte, war ein Fenster, das er mit den letzten Modellen von Kinderwagen der Marke Teutonia gestaltet hatte. Die waren allerdings grottenhässlich gewesen, sie waren bestimmt von einem zutiefst gestörten Menschen entworfen worden. Er konnte es nicht fassen, dass Ästhetik auf Kosten von Funktionalität und Sicherheit beiseitegeschoben wurde. Mit diesen Kinderwagen sollte man durch den Wald laufen können! Aber was zum Henker hatte man im Wald mit einem Kinderwagen zu suchen?

Er setzte sich auf die Klobrille, um zu pinkeln, das machte er morgens immer, es war eine gute Regel, die er schon vor langer Zeit auch Krumme auferlegt hatte. Urinflecken auf dem Boden waren einfach vulgär. Er war davon überzeugt, wenn er den Boden um das Klo einige Sekunden lang untersuchte, würde er jede Menge finden. Flecken, die eine hohe Konzentration von Alkohol enthielten. Auf erlesenem Eichenboden. Zum Glück schützten den Boden fünf Lagen hochblanker Schiffslack. Und was für eine Vorstellung, einem Kinderwagen einen Namen zu geben, der wie der einer gekenterten Fähre klang. Warum hatten sie nicht hier auf der Toilette einen Festanschluss installiert, dann könnte er Birte anrufen und sich danach unter die Decke in Sicherheit bringen. Diese schnurlosen Teile, die man niemals finden konnte. Sie hatten vier Stück, die nie dort waren, wo sie sein sollten, und plötzlich befanden alle vier sich auf demselben Quadratmeter. Wo sein Handy stecken mochte, hatte er nun wirklich nicht die geringste Ahnung. Er hatte eine vage Erinnerung daran, dass er irgendwann in der Nacht aufgeregt mit jemandem telefoniert hatte, aber er wusste nicht mehr, mit wem oder warum. Er würde die ein- und die ausgegangenen Anrufe überprüfen müssen, es gab für ihn einfach nichts Schlimmeres nach so einer Nacht, ihm brach der kalte Schweiß aus bei der Vorstellung, am Telefon zu weit gegangen zu sein. Er wusste schon gar nicht mehr, wie oft er Krumme in der letzten Zeit gebeten hatte, vor einem Fest sein Handy zu verstecken, um ihn jedes Mal dann, wenn er schon besoffen war, entweder auf Knien anzuflehen, es ihm rauszurücken, oder mit furchtbaren Racheakten zu drohen; schlimmstenfalls wedelte er mit der Drohung von Liebesentzug vor Krummes Nase. Dass Krumme wirklich einfältig genug war, um ihm das mit dem Liebesentzug abzunehmen, hätte er niemals vermutet, denn darunter hätte er doch ebenso leiden müssen.

Er merkte, dass er einen erbarmungslosen Drang nach kaltem Champagner aufbaute. Das war natürlich ausgeschlossen, er traute sich nicht in die Küche. Vielleicht könnte er im Kühlschrank im Badezimmer eine Flasche finden? Er verließ die Gästetoilette und stürzte zur Badezimmertür, öffnete sie und schrie laut auf. Der Whirlpool war mit Wasser gefüllt, und im Wasser schwammen Käsewürfel und aufgeweichte Stücke Toast Melba, ein Glas war auf dem Boden zerbrochen, zum Glück gab es aber keine Blutspuren. Er zählte leere Champagnerflaschen und kam auf vier, und die Reste einer ehemals üppigen Käseplatte lagen halbwegs unter dem handgeknüpften Esti-Barnes-Teppich. Schwarze Oliven waren im psychedelischen Muster festgetrampelt, ohne den optischen Effekt auf irgendeine Weise zu verbessern. Die Kühlschranktür stand sperrangelweit offen, und der Kühlschrank war so leer wie die Gästeliste einer alten Jungfrau. Tau tropfte von einem Kühlelement. Erlend holte ein Handtuch, trocknete alles gründlich ab und schloss die Tür.

Wenn es in diesem Unglück hier auch nur eine Spur von Glück gab, dann war der Thermostat rettungslos zerstört, und er würde ihn sofort durch einen ganz wunderbaren ultra silent Retrokühlschrank ersetzen können, den er in *Elle Decoration* gesehen hatte. Es war wirklich unerträglich nervig, einem Kühlschrank zuhören zu müssen, der sich ein- und ausschaltete, wenn man in sprudelndem Wasser lag und versuchte, sein chaotisches Inneres auf null zu stellen.

Die Fische in dem riesigen Salzwasseraquarium, das die eine Längswand des Badezimmers einnahm, schwammen gemächlich mit sich öffnenden und schließenden Mündern und trägen Schwanz- und Flossenschlägen dahin.

»Verdammt noch mal, ihr könnt froh sein, dass ihr hier sicher in eurer Abgeschlossenheit wohnt«, murmelte er. »Sonst hättet ihr heute Nacht Bollinger und Käse bekommen.«

Die Düsen des Whirlpools konnten keine Fremdkörper ertragen, man würde alle Essensreste mit einem Käscher herausfischen müssen, ehe man das Wasser ablassen könnte. Jemand müsste das machen, nicht er. Birte würde das tun müssen. Und was, wenn jemand dort Sex gehabt hatte? Dann müsste man mit einem Käscher in den intimen Sekreten anderer Menschen herumwühlen ... Er entdeckte ein Telefon im Sessel in der Ecke. Birtes Nummer war dort unter der Taste 8 gespeichert, und er drückte so fest auf die 8, dass das Blut aus der Spitze seines Zeigefingers entwich.

Sie meldete sich beim ersten Klingelton.

Sie hatte sich nachts beim Aussteigen aus einem Taxi den Knöchel gebrochen, jetzt lag sie zu Hause auf dem Sofa, so vollgedröhnt mit schmerzstillenden Mitteln, dass sie leider vergessen hatte anzurufen.

»Aber was zum Teufel hattest du mitten in der Nacht in einem Taxi zu suchen, wo du doch heute Morgen um neun herkommen und nach einem Tsunami aufräumen solltest? Was? Hast du es darauf angelegt?«

Sie war auf dem Heimweg vom Geburtstag ihrer Schwester gewesen. Und sie ließ ihre Familie weder für die dreifache Bezahlung noch für köstliche Essensreste im Stich.

»Kennst du irgendeinen Notruf, den man in einem solchen Fall verständigen kann? Ein Sonderputzkommando, das in einem Notfall sofort ausrücken kann?«

Sie wollte jetzt auflegen. Sie sollte schlafen.

»Das würde ich nun wirklich auch gern. Gute Besserung. Wann wirst du wieder gesund und munter sein?«

»In sechs Wochen kommt der Gips runter.«

»Sechs Wochen!? Aber du bist doch so jung! Das muss doch verdammt noch mal schneller heilen als in sechs Wochen, wenn man so jung ist. Sollen Krumme und ich denn …«

Sie legte auf. Sie legte einfach auf. Er hielt sich die Hand vor Augen und rannte in die Küche, spähte nur ganz vorsichtig zwischen zwei Fingern durch, riss eine Flasche Bollinger aus dem Kühlschrank, brachte sich samt Champagner und Telefon in die Sicherheit des Schlafzimmers und knallte wütend die Tür hinter sich zu. Krummes Schnarchen änderte nicht einmal seinen Rhythmus.

»Krumme! Wo ist die Pistole? KRUMME!«

»Was? Was …?«

»Die Pistole! Wir müssen doch eine Pistole im Haus haben?!«

»Nein, das haben wir weiß Gott nicht …«

»Sie hat sich den Knöchel gebrochen. *The world as we know it* ist untergegangen. Du kannst gern was abhaben, aber ich habe vor, direkt aus der Flasche zu trinken. Und irgendwelche Superärsche haben den Whirlpool mit jeder Menge Essen versaut!«

»Das waren wir, Mäuschen!«

Als er nach einer halben Flasche Bollinger im Bett saß, den Rücken an die Wand gelehnt, und einige wunderbar tiefe Rülpser losgelassen hatte, senkte sich sein Puls langsam auf ein normales Niveau. Und er dachte: Wie zum Teufel soll ich mich um zwei Kinder kümmern können, wenn ich nicht einmal den Gedanken ertragen kann, auf einigen hundert Quadratmetern Festchaos aufzuräumen? Er kam sich plötzlich reif und erwachsen vor, weil er einen solchen Vergleich ziehen konnte. Damit würde er dann wohl fertig werden.

Glücklicherweise hatten sie das Arbeitszimmer, die Waschküche und ihr eigenes Schlafzimmer abgeschlossen. Vielleicht hatte der Hausmeister einige junge, pubertierende, verzweifelt abgebrannte Gören, die für einen fetten Lohn alles tun würden? Die eigentliche Drecksarbeit verrichten, während er sich um die anspruchsvolleren Aufgaben kümmerte, wie die CDs zu sortieren, die, das ahnte er schon, auf dem Boden vor der B-&-O-Anlage herumlagen. Er musste erst am Montag um zwölf wieder zur Arbeit, das hier müsste er also schaffen können, ohne sich zu erschießen. Außerdem würde er Vater werden, da konnte er nicht sterben. Er führte die Flasche zum Mund und trank so energisch, dass der Champagner ihm über das Kinn lief und eiskalte Tropfen auf seiner Brust hinterließ. Was für ein unvorstellbares Glück er hatte. Er war unbeschreiblich glücklich. Eigentlich. Es war nur, dass er die ganze Zeit das Gefühl hatte, alles eilte so wahnsinnig. Jytte und Lizzi hatten ihren Stichtag zwar erst Anfang Dezember, aber er wusste aus Erfahrung, dass die Zeit vor Weihnachten einfach immer wie im Flug vergeht. Auch wenn es jetzt erst Mai war. Aber er war soeben vierzig geworden, und das war doch wahnsinnig schnell gegangen. Sie mussten sich beeilen, wenn sie noch intensiv leben wollten, bevor sie mit Kinderwagen, die aussahen wie gigantische, mit Leinwand in Sozialarbeiterfarben überzogene Essstäbchen durch die Straßen ziehen mussten. Er wollte sein Vertrauen in die Italiener setzen, dort würde er sicher Kinderwagen in ausgesuchtem Design finden. Oder in New York. Er fragte sich plötzlich, welche

Kinderwagen Frau Bosch-Beckham wohl für ihre drei Kleinen benutzte, das wollte er nun wirklich herausfinden. Zum Glück war es unmöglich, sich vorzustellen, wie Bosch mit dem Kinderwagen durch den Wald rannte, mit fünfzehn Zentimeter hohen Absätzen und einem um die Knie so engen Rock, dass sie sich vermutlich Pflaster auf den Meniskus kleben musste, um Blasenbildung zu verhindern.

Er leerte die Flasche und sah auf Krumme hinab, der jetzt eine kugelrunde Beule in der Decke war, nur ein buschiger Schopf lugte darunter hervor und wies auf intelligentes Leben hin. Geliebter Krumme, dieses schöne kleine Schlaftier, ohne das er nicht leben konnte. Der arme Krumme, der davor zurückschreckte, seinem widerwärtigen Snob von Vater und der Familie seiner Schwester in Klampenborg erzählen zu müssen, dass zu Weihnachten in diesem Jahr ein neuer Spross der Thomsen-Familie das Licht der Welt erblicken würde. Vielleicht könnten sie ihn Carl den Kleinen nennen. Wenn es also ein Junge würde.

Er beugte sich vor und küsste Krumme behutsam auf die Haare. Natürlich sollte Krumme schlafen, er hatte doch Spätdienst. Er hingegen musste jetzt wirklich Birte anrufen und sich wie ein gebildeter Mensch verhalten. Mit Leben spendendem perlenden Alkohol, der weich durch seinen Körper sauste, drückte er vorsichtig auf die 8 und wartete auf ihre Stimme.

Allerdings erwischte er nur den Anrufbeantworter, und im Grunde war ihm das recht.

»Aber meine Liebe, kleine Birte, vergib mir alle Gemeinheiten, die ich gesagt habe. Du Arme, Arme, was für schmerzliche Dinge du doch durchstehen musst. Ich habe gehört, dass Knöchel ganz besonders wehtun, wenn man sie bricht. Und dann noch an einem Sonntag! Es tut mir leid, dass ich den Kopf verloren habe, ich war ein wenig in Panik geraten, verstehst du. Aus dem einfachen Grund, dass wir solches Vertrauen zu dir haben, du bist die tüchtigste Reinemachefrau, die wir jemals gehabt haben, in all den Jahren, in denen wir schon hier wohnen. Du hast die Wohnung ganz einfach im Griff, und das ist keine geringe Kunst, mein Schatz. Du bist einzigartig, ein Engel Gottes auf Erden, für Krumme und mich. Wenn deine rücksichtsvollen und geschäftigen Hände über alle Dinge im Haus streichen und sie in tadelloser Ordnung hinterlassen, funkelnd rein, ja, dann … dann … Du hast ja einfach keine Ahnung …«

Und nun meldete sie sich doch. Noch mehr Bullshit wollte sie sich einfach nicht anhören. Sie wollte eine Freundin anrufen, die ebenfalls als Reinigungskraft für Wohnungen mit high-maintenance-Bedarf arbeitete, und fragen, ob sie sofort kommen könnte. Gegen vierfache Bezahlung. Und köstliche Reste. Und wenn die Freundin Fragen hätte, würde Birte natürlich telefonisch erreichbar sein. Für doppelte Bezahlung.

»Du bist ein Engel!«

Sie wollte zurückrufen, sowie sie mit Susy gesprochen hatte.

Susy? Eine unbekannte Frau mit einem Namen wie ein englischer Setter sollte sich um eine Wohnung mit einem Marktwert von zwanzig Millionen Kronen kümmern? Bei dieser Vorstellung wurde ihm leicht unwohl. Aber jetzt musste er sich auf Birte verlassen. Und am nächsten Morgen würde er ihr einen gigantischen Korb schicken lassen, mit Schinken und Rotwein und Trauben und Olivenbrot und Gläsern voll Königskapern und sonnengetrockneten Tomaten im besten Öl, mit einem großen Strauß leuchtend blauer Kornblumen ganz oben, für die war doch gerade Saison.

Das Telefon klingelte, er meldete sich eilig. Susy war unterwegs. Sie wollte erst noch bei Birte den Schlüssel und einige Anweisungen abholen. Birte saß in dieser Sekunde mit einem Schreibblock da und notierte das Wichtigste. Er würde auch eine Flasche Jahrgangsbalsamico in den Korb legen, beschloss er. Er bedankte sich, legte auf und stupste Krumme an.

»Dreh dich um.«

Krumme wälzte sich auf den Rücken, sein Kugelbauch zog langsam nach, Erlend griff nach seinem Arm und hob ihn hoch, denn legte er seinen Kopf in Krummes Armbeuge. Krumme roch nach süßem, warmen Schlafschweiß.

»Wir sind gerettet«, flüsterte Erlend. »Ganz am Rande des Abgrundes. Dafür kannst du meiner gewaltigen Überredungskunst, meiner absolut überlegenen Einsicht in das Wesen der Schmeichelei danken. Und unserer Finanzlage, die es uns erlaubt, dass wir uns von jungen Frauen ausnützen lassen können, denen es vollständig an Charakter und mitmenschlicher Nächstenliebe mangelt. Jetzt kannst du einfach schlafen. Jetzt bekommen wir doch einen schönen Sonntag. Wir werden nur an unsere schönen Kinder und ihre tüchtigen Mütter denken. Weißt du, Krumme, mein Liebster, dass wir jetzt die zehnte Woche beginnen. Jetzt wird es Fötus genannt, die Embio ... Embryoperiode liegt hinter uns. Verzeihung, ich habe die ganze Flasche allein ausgetrunken. Und in dieser Woche verschwindet der Schwanz. Das ist doch ziemlich pervers, nicht? Ich bin wahnsinnig froh darüber, dass diese Mode vorüber ist. Jetzt kann man bald Finger und Zehen sehen, und dann auch bald Augen und Ohren. Aber denk doch nur an diesen Schwanz, der verschwindet, darüber habe ich mir schon meine Gedanken gemacht, was wird denn aus dem? Wird das so wie bei Salamandern? Oder sind das Eidechsen? Dass er einfach abfällt? Das macht mir schon Sorgen, das muss ich zugeben, ein Schwanz, der im Fruchtwasser herumschwimmt. Was, wenn das Kind den in den Mund kriegt und erstickt?

Oder wenn er irgendwo am Körper anwächst? An der Stirn, zum Beispiel?«

»Schlaf jetzt.«

»Wir müssen sie heute Nachmittag fragen, Krumme.«

»Heute Nachmittag?«, fragte Krumme.

»Ja, weißt du nicht mehr? Wir werden in Amager bei den Müttern im Garten Tee trinken, bevor du zum Spätdienst musst.«

»Daran kann ich mich wirklich nicht erinnern ...«

»Du erinnerst dich doch an nichts, Krumme. Du kannst offenbar keinen Alkohol mehr vertragen. Und wo mir das gerade einfällt ... Hast du mein Handy gesehen?«

»Du hast versucht, es heute Nacht vor dir selbst zu verstecken. Ich glaube, es liegt im Kühlschrank in der Gemüseschublade.«

»Ach ja. Jetzt weiß ich es wieder. Weißt du vielleicht auch noch, mit wem ich ... gesprochen habe?«

»Du hast meinen Vater angerufen. Und ihn einen mit Helium gefüllten Sperrballon genannt.«

Erlend schluckte plötzlich ein bitteres Aufstoßen hinunter.

»Habe ich ihm auch gesagt, dass du ... dass wir ... dass wir beide ...«

»Ja, Mäuschen. Das hast du.«

»Und was hat er geantwortet?«

»Davon habe ich keine Ahnung, schließlich hast doch du mit ihm gesprochen. Jetzt schlafen wir.«

»Ja«, sagte Erlend. »Das möchte ich sehr gern. Und du kannst mir von mir aus auch gleich mit einem Hammer auf den Kopf hauen, wo du schon dabei bist. Das würde ich ganz außerordentlich zu schätzen wissen.«